Ryan Lo

Arthur and Teddy are Coming out

Ryan Love

Arthur and Teddy Are Coming Out

Es ist nie zu spät, du selbst zu sein!

Roman

Deutsch von Regina Jooß

blanvalet

MIX
Papier | Fördert
gute Waldnutzung
FSC
www.fsc.org
FSC® C014496

Penguin Random House Verlagsgruppe FSC® N001967

1. Auflage 2024
Copyright der Originalausgabe © 2023 by Ryan Love
Copyright der deutschsprachigen Ausgabe
© 2024 by Blanvalet in der
Penguin Random House Verlagsgruppe GmbH,
Neumarkter Straße 28, 81673 München
(translated under licence from HarperCollins Publishers Ltd.)
Redaktion: Birthe Vogelmann
Umschlaggestaltung: www.buerosued.de nach einer
Originalvorlage von Harper Collins UK
Umschlagdesign und Illustration: Charlotte Phillips at HQ.
HQ, an imprint of © HarperCollinsPublishers Ltd 2023
JS · Herstellung: DiMo
Satz: Buch-Werkstatt GmbH, Bad Aibling
Druck und Bindung: GGP Media GmbH, Pößneck
Printed in Germany
ISBN 978-3-7645-0882-1
www.blanvalet.de

Mum, um es auf einen einfachen Nenner zu bringen: Das hier würde ohne dich nicht existieren.

Danke, dass du nie auch nur ansatzweise infrage gestellt hast, ob ich das schaffe. Danke, dass du meine Träume lebendig gehalten hast, wenn ich schon aufgegeben hatte, und dass ich dir jedes Kapitel immer zuerst schicken darf. Ich hoffe, ich, Arthur und Teddy machen dich stolz. XX

Kapitel eins

Arthur

Für ihr gemeinsames Familienessen, das vielleicht ihr letztes sein würde, sah alles so perfekt aus wie möglich. Seit Arthur und seine Frau Madeleine letzten Monat ihre goldene Hochzeit gefeiert hatten, waren sie nicht mehr alle zusammen gewesen. Bei einer aufwendigen Party, ausgerichtet von ihren zwei Kindern – Elizabeth und Patrick –, hatten Freunde und Verwandte sie hochleben lassen und auf das »fröhlichste, perfekteste aller Paare« angestoßen.

Heute war Arthur bereits seit sechs Uhr morgens wach und wanderte ruhelos durchs Haus. In der Nacht hatte er wieder unruhig und mit vielen Unterbrechungen geschlafen. Jedes Mal, wenn es ihm gelungen war, die Augen zu schließen, hatte er sich im Kopf ein neues Szenario ausgemalt, worauf er gnadenlos aus seinem leichten Schlaf geschreckt war. Irgendwann hatte er dann alle Versuche aufgegeben, er konnte keine Ruhe in dem jetzt von ihm genutzten Einzelbett finden. Schon seit zwei Wochen schlief er darin, aber er würde sich nicht bei Madeleine beschweren. Sein neues Doppelbett war bestellt; es sollte nicht mehr lange dauern, bis es eintreffen würde. Den Großteil des Tages starrte er in regelmäßigen Abständen wie benommen auf die Uhr, um für sich die Stunden bis zum Abendessen herunterzuzählen.

Madeleine lächelte sanft, als sie an der Türschwelle zwischen Küche und Speisezimmer auftauchte. Sie war immer noch genauso wunderschön wie an dem Tag, an dem Arthur sie zum ersten Mal getroffen hatte. Sein Vater, der damalige Bürgermeister von Northbridge, war außerordentlich aufgeregt gewesen, seinen Sohn Madeleine und ihrem Vater, William Montgomery, vorstellen zu können. Die Familie Montgomery galt in Northbridge praktisch als hoher Adel. Arthur konnte seine Mutter immer noch hören: »Geld zieht Geld an.« Arthur stellte sich vor, wie sein inzwischen verstorbener Vater und sein Schwiegervater darauf reagieren würden, was er gleich tun würde. Nach all den Jahren drehte sich ihm bei dem Gedanken immer noch der Magen um.

»Es ist schon alles fast fertig«, sagte Madeleine. Sie kam herüber und stellte sich neben ihren Ehemann. »Es sieht alles perfekt aus.«

Arthur lächelte. »Ich kann dir gar nicht genug danken. Ohne dich würde ich das nicht schaffen.«

»Mach dir keine Sorgen, wenn der heutige Abend vorbei ist, gibt es einen richtigen Neuanfang für uns.«

Sie packte seine Hand und drückte sie einmal fest, bevor sie in die Küche zurückging. Er wusste, dass sie recht hatte; genau das Gleiche hatte er sich selbst auch schon gesagt. Das war der Moment, auf den er gewartet hatte, jetzt gab es kein Zurück mehr. Er zog den Stuhl heraus, der ihm am nächsten stand, und setzte sich darauf. Er spürte jetzt, wie sein Herz schneller schlug. Arthur schloss die Augen und konzentrierte sich auf seine Atmung.

Ein.

Aus.

Ein.

Aus.

Grelles Scheinwerferlicht erhellte das Speisezimmer, als die Uhr Viertel vor schlug. Arthur hörte eine Autotür zuschlagen. Das Klappern von Elizabeths Absätzen kündigte ihr Eintreffen schon an, bevor sie die Tür des Speisezimmers aufstieß. Es war unmöglich, nicht zu lächeln, wenn Elizabeth einen Raum betrat. Arthur hatte schon immer gewusst, dass sie für Großes bestimmt war. Schon als Kind hatte sie die Leute mit ihrem Selbstvertrauen und ihrer kontaktfreudigen Art verzaubert. Dieses Selbstvertrauen hatte ihr dann bei ihrer erfolgreichen Karriere als Journalistin gute Dienste erwiesen: Inzwischen war sie überall bekannt für ihre Kommentarspalte. Sobald sie alt genug gewesen war, um zu begreifen, dass ihre Mum die Herausgeberin der Lokalzeitung war, hatte sie beschlossen, in ihre Fußstapfen zu treten. Arthur und Madeleine waren nicht immer einer Meinung mit ihr, aber sie wussten, dass sie ihr beigebracht hatten, fest zu ihren Überzeugungen zu stehen – auch wenn das gelegentlich zu einigen angespannten Diskussionen beim Abendessen führte.

»Hallo, Daddy«, sagte sie, während sie durch den Raum schritt, um Arthur zu umarmen. Sie gab ihm einen Kuss auf die Wange und setzte sich dann neben ihn. »Wo ist Mum?«

»Sie ist in der Küche und legt letzte Hand an für das Abendessen.«

»Es riecht alles wunderbar. Also, wofür ist das alles gedacht?«

Arthur spürte, wie sich seine Brust zusammenzog, während er sich zu einem verkniffenen Lächeln zwang.

»Nichts, um das du dir Sorgen machen musst, es ist einfach schön, ein bisschen Zeit zusammen zu verbringen. Wie läuft es denn so zu Hause?«

»Du weißt ja, wie die Mädchen sind«, seufzte sie und

ging damit bereitwillig auf Arthurs Themenwechsel ein. »Heute war Teddys erster Tag bei *The Post*. Er war noch gar nicht wieder zu Hause, als ich weg bin, aber ich werte das als ein gutes Zeichen.«

»Was glaubst du, wie er sich schlagen wird? Er ist so gut im Schreiben, genau wie seine Mutter und seine Großmutter.«

»Das weiß ich auch, Dad. Ich hoffe nur, dass ihm das helfen wird, es selbst zu begreifen, damit sein Leben wieder eine Richtung bekommt. Auf diese Art meine Beziehungen für ihn spielen zu lassen, war nicht einfach, vor allem, weil er es so oft abgelehnt hat.«

»Dräng ihn nicht zu sehr, Lizzie. Er hat schließlich irgendwann Ja gesagt. Lass ihn seinen eigenen Weg finden, genau wie wir es bei dir getan haben.«

Arthur goss sich selbst aus dem Krug in der Mitte des Tisches ein Glas Wasser ein.

»Wie geht es Ralph?«

»Gut, danke, er hat wie immer viel Arbeit. Aber er war tatsächlich ein bisschen enttäuscht, dass er heute Abend nicht eingeladen ist.«

»Ich wollte einfach nur ein bisschen Zeit mit dir und deinem Bruder verbringen.«

»Dann nehme ich an, dass Patrick Scarlett nicht mitbringt?«

»Nein, genau wie ich es dir gesagt habe: Wir sind nur zu viert heute Abend.«

»Hallo, Mum«, sagte Elizabeth und wandte sich um, als Madeleine mit einer Flasche Wein in den Raum zurückkam.

»Hallo, Liebes, du siehst bezaubernd aus«, erwiderte Madeleine, während sie ihrer Tochter ein Küsschen auf die Wange gab.

»Wie war das Stadtplanungstreffen heute?«

»Frag nicht. Ich habe richtiggehend Lust, mich nächstes Jahr für den Stadtrat aufstellen zu lassen, wenn sie nicht endlich mehr auf die lokale Bevölkerung hören. Und was diesen Abgeordneten von uns angeht: Der hat sich gar nicht gezeigt.«

Arthur lachte, aber er wusste, dass Madeleine nichts aufhalten konnte, wenn sie einmal von etwas überzeugt war. Nachdem sie in Ruhestand gegangen war, hatte sie sich beinahe jeder möglichen Organisation und jedem Gremium angeschlossen. Er war immer noch fasziniert davon, wie sie die Zeit fand, all ihren Verpflichtungen nachzukommen.

»Diese Stadt könnte sich verdammt glücklich schätzen, dich zu haben«, merkte Elizabeth gerade an, als ein weiterer Wagen in die Einfahrt einbog. »Da kommt Patrick. Nur 25 Minuten zu spät, er macht Fortschritte.«

Jetzt war es fast so weit. Er würde noch bis nach dem Dessert warten. Darauf hatten sich er und Madeleine bei einem Gespräch geeinigt. Vielleicht würden sie mit vollem Magen besser reagieren.

»Guten Abend zusammen«, grüßte Patrick, als er ins Speisezimmer schritt. Er warf seine Jacke über die Rückenlehne des Stuhls, der ihm am nächsten stand. »Bevor du irgendetwas sagst, Lizzie, ich habe im Stau gestanden.«

»Jetzt bist du hier, das ist die Hauptsache«, stellte Madeleine fest, während sie ihren Sohn auf die Wange küsste. »Lizzie, könntest du bitte mitkommen und mir in der Küche zur Hand gehen?«

Patrick setzte sich auf den frei gewordenen Stuhl neben seinem Vater. Arthur musste feststellen, wie müde er aussah, aber das würde er nicht ansprechen. Nachdem seine vorherige Beziehung in die Brüche gegangen und sein bester

Freund gestorben war, hatte sich sein Sohn dem Alkohol zugewandt. Erst als Madeleine völlig verzweifelt gewesen war und ihn angebettelt hatte, hatte er sich schließlich einverstanden erklärt, eine Entzugskur zu machen. Jetzt, da sein Leben wieder in geordneten Bahnen lief, stürzte sich Patrick ganz in die Arbeit, die seit Arthurs Pensionierung anfiel.

»Also, was ist los? Als du gesagt hast, ich soll Scarlett nicht mitbringen, dachte ich mir gleich, es muss etwas Schlimmes sein.«

»Wie läuft es denn mit euch beiden?«

»Weißt du was, es läuft fantastisch. Ich glaube wirklich, sie könnte die Richtige sein, Dad.«

Arthur lächelte. Patrick nach diesen letzten Jahren wieder glücklich zu sehen, bedeutete ihm alles.

»Nun, dann weißt du ja, was du machen musst, mein Sohn. Sie ist eine ganz besondere Dame, lass es sie an jedem einzelnen Tag spüren.«

Elizabeth tauchte mit Schüsseln voller Essen wieder auf.

»Falls du zwei funktionierende Beine hast, Patrick, könntest du eigentlich kommen und helfen.«

»Ich bin schon unterwegs, kein Grund, sarkastisch zu werden«, erwiderte Patrick, bevor er sich noch einmal an seinen Vater wandte. »Ich werde nie verstehen, wie sie zwei Männer dazu bekommen hat, ihr einen Heiratsantrag zu machen.«

Während des Abendessens versuchte Arthur, sich so gut wie möglich an dem Geplauder und Gelächter der anderen zu beteiligen. Hin und wieder spürte er, wie Madeleine den Blick ihrer leuchtend grünen Augen über den Tisch wandern und auf ihm ruhen ließ. Diese Augen strahlten immer noch genauso vor Energie wie vor mehr als fünfzig Jahren, als er zum ersten Mal in sie geblickt hatte. Ihre feinen Gesichtszüge wurden von dem stufig geschnittenen, schneeweißen Haar umrahmt.

»Du bist heute Abend mit den Gedanken woanders, Daddy. Soll ich dir nachschenken?«

»Mach ruhig, warum nicht?«

Elizabeth streckte sich hinüber und füllte sein Glas auf. »Dieser Wein hat so einen tiefen Geschmack.«

Madeleine schwenkte ihr Glas ein wenig. »Er ist ein bisschen zu stark für mich.«

»Das sagt sie nach fast einer halben Flasche.«

Arthur lachte laut auf. Es fühlte sich gut an, für einen Moment zu vergessen, auch wenn es nur kurz war. Patrick hatte sich in seinem Stuhl zurückgelehnt und eine Hand auf den Bauch gelegt. Über den Sommer hatte er ein bisschen zugenommen, was er schnell auf Scarletts Kochkünste geschoben hatte.

»Mum, das Essen war fantastisch. Das sollten wir öfter machen, wenn du uns dann immer so verwöhnst.«

»Vergiss das mit dem öfter machen, ich will jetzt wissen, was los ist und warum wir heute hier sind«, warf Elizabeth ein und trank noch einen Schluck aus ihrem fast leeren Glas. »Ich kenne euch zwei, da ist doch irgendetwas, ich habe diese Blicke zwischen euch bemerkt.«

»Du hast recht«, sagte Arthur, worauf sofort alle drei den Kopf in seine Richtung drehten. »Es gibt einen Grund dafür, dass wir euch gebeten haben, heute Abend zu kommen.«

Madeleine beugte sich mit ausgestreckter Hand vor. Arthur nahm die Hand, und sie verschränkten ihre Finger miteinander. Er drückte sie fest.

»Ist etwas passiert?«, fragte Elizabeth. Die Stimmung im Raum hatte sich verändert. Arthur fand es fürchterlich, mit einem Mal Panik in der Stimme seiner Tochter wahrzunehmen. Er konnte Madeleines Ehering spüren, als sie seine Hand jetzt noch fester gedrückt hielt.

»Wird Davina McCall aus dieser Fernsehshow hier auftauchen, gemeinsam mit unserem lang vermissten Bruder?«

»Halt den Mund, Patrick«, zischte Elizabeth. »Daddy, bitte, was ist los?«

Arthur holte tief Luft.

»Eure Mutter und ich werden einander immer sehr lieben, aber wir sind nicht mehr zusammen, und das liegt nicht daran, dass wir uns nicht sehr lieben würden.«

Arthur hielt inne. Seine nächsten Worte würden alles verändern. Es gab jetzt kein Zurück mehr, schließlich starrten seine beiden Kinder ihn bereits mit vor Erwartung weit aufgerissenen Augen an. Er schloss die Augen und erlaubte den Worten endlich, über seine Lippen zu schlüpfen.

»Die Wahrheit ist: Ich bin schwul.«

Kapitel zwei

Teddy

»Edward Marsh?«

»Hi, einfach Teddy genügt.« Ungelenk langte er vor, um dem Mann die Hand zu schütteln. »Danke für diese Möglichkeit, Mr. Stone. Es ist fantastisch, hier zu sein.«

»Aber nicht doch. Wir freuen uns riesig, dich hier zu haben. Als Elizabeth Marsh gesagt hat, ihr Sohn wolle Journalist werden … nun ja, sie kann sehr überzeugend sein, deine Mutter.«

Da war es. Teddy hatte gewusst, dass es nicht lange dauern würde; es würde die erste von vielen Gelegenheiten sein, bei denen seine Mutter erwähnt wurde, Elizabeth Marsh, die preisgekrönte und verehrte Kolumnistin. Zweifellos hatte es sich schon überall herumgesprochen, dass sie ein gutes Wort für ihren einzigen Sohn eingelegt und ihm so ein Volontariat in der Redaktion gesichert hatte. Er war ehrlich dankbar für diese Chance, sich zu beweisen, auch wenn er dafür akzeptieren musste, dass sie ihn unterstützt hatte. Das war nicht einfach zu verdauen gewesen, aber er hatte gewusst, dass er keine andere Möglichkeit hatte. Er musste sein Leben wieder in Ordnung bringen.

In Hemd und mit Krawatte hier zu sitzen, war ein merkwürdiges Gefühl. Durch die großen Glasfenster knallte die Sommersonne in das Großraumbüro. Er war zu dem Schreibtisch von Dylan Wicks geführt worden. Zehn Minuten später war ein atemloser Dylan mit einem dampfenden Kaffeebecher in der Hand erschienen.

»Hab vergessen, dass du heute anfängst«, sagte er und trank einen Schluck aus seinem Becher. »Gut. Also, um es kurz zu machen: Ich werde in den nächsten Monaten dein Mentor sein. Deine Mum war meine Mentorin, als ich hier angefangen habe, also weißt du sicher ohnehin, was dich hier so erwartet. Zurzeit sehen wir sie natürlich nicht sehr oft hier im Büro, nur wenn sie sich unter die Leute mischt.«

Das wusste Teddy natürlich alles schon. Elizabeth hatte ihm sofort alles darüber erzählt, wie sie geholfen hatte, Dylan zu dem erfahrenen Journalisten zu machen, der er jetzt war. Sie hatte ihm mit Nachdruck klargemacht, dass er keine leichte Aufgabe hatte. Zwar hatte sie ihm vielleicht eine Tür geöffnet, aber sie setzte immer noch große Erwartungen in ihn.

»Setz dich hier hin.« Dylan zeigte auf einen Schreibtisch neben sich. »Du wirst wahrscheinlich einige Telefonanrufe bei der IT-Abteilung machen müssen, bis du überall eingeloggt bist, aber das bekommen wir bis zum Ende des Tages schon hin. Irgendwelche Fragen?«

Teddy zermarterte sich das Gehirn auf der Suche nach irgendetwas, das er fragen könnte. Er wollte bei Dylan nicht den Eindruck erwecken, als würde er glauben, er wüsste schon alles.

»Ja, also, ich frage mich …«

»Entschuldigung, sind Sie zufälligerweise Dylan?«

Dylan und Teddy sahen beide zu demjenigen auf, der sie unterbrochen hatte. Er schob sich die strubbeligen braunen Haare aus der Stirn. Seine Wangen sahen leicht gerötet aus, als hätte er gerade erst ein kurzes Workout beendet.

»Wer will das wissen?«

»Ich bin Benjamin King, ich fange heute bei Ihnen mein Volontariat an.«

Dylan drehte den Kopf ruckartig Teddy zu, als erwartete er, dass der wüsste, was hier vor sich ging.

»Das kann nicht stimmen. Niemand hat mir etwas von dir gesagt. Ich rufe nur kurz oben an.«

Teddy blieb ruhig sitzen, auch wenn er sich immer unwohler fühlte. Es sah so aus, als wüsste Dylan aufgrund eines Kommunikationsfehlers nicht, dass er zwei Volontäre bekommen sollte. Er sah wirklich nicht begeistert bei dieser Entdeckung aus.

»Ich bin nur überrascht«, sagte Dylan, sobald Ben gegenüber von Teddy am Tisch saß. »Ich hatte angenommen, nachdem deine Mutter das für dich geklärt hat, würden sie nicht noch jemanden einstellen, ich meine, warum sollten sie es mir auch mitteilen …?«

Teddy spürte, dass seine Wangen brannten. Wunderbar, das war genau das, was er brauchte. Ein Volontariatskollege, der vergessen worden war, weil seine Mutter irgendwelche Strippen gezogen hatte.

»Also, das war ja ein Durcheinander heute Morgen«, stellte Dylan fest, nachdem er sich vergewissert hatte, dass Teddy und Ben beide unter seiner Anleitung arbeiten sollten. »Zwei Volontäre; das ist ja, als wollten sie mich meinen Job nicht machen lassen.«

Teddy spürte, wie sich Ben zu ihm vorbeugte. »Das war nicht gerade die wärmste Begrüßung, oder? Ich komme mir jetzt wie ein fünftes Rad am Wagen vor.«

»Ja, entschuldige. Ich wusste nicht, dass meine Anwesenheit hier für irgendeine Verwirrung sorgen würde«, sagte Teddy. Er rutschte unruhig auf seinem Sitz hin und her.

»Warum solltest du auch?«, erwiderte Ben. »Wenn meine Mutter mit einem Fingerschnalzen dafür sorgen könnte, dass die Dinge laufen, würde ich mir darüber auch keine Gedanken machen.«

Teddy starrte ihn an, ihn befremdete die Annahme, er könnte, um sein Ziel zu erreichen, bereitwillig jemand anderen plattmachen. Gerade als er sich selbst verteidigen wollte, drehte sich Ben auf seinem Stuhl um und sah ihn direkt an.

»Du kannst mich übrigens Ben nennen«, flüsterte er und streckte ihm die Hand entgegen. Als Teddy sie ihm schüttelte, packte Ben fest zu, als hätte er vergessen, dass er ihn gerade angegriffen hatte. »Also, Teddy Marsh, was ist dein Plan?«

»Da gibt es nicht viel zu erzählen. Ich bin nur hier, um etwas zu lernen.«

Teddy würde dem Neuankömmling nicht viel verraten.

Bens gepflegte Augenbrauen wanderten nach oben, während er Teddys Reaktion auf seine Fragen beobachtete.

»Du hältst deine Karten schön verdeckt, was? Du machst ja jetzt schon auf großes Geheimnis.«

»Ich mache gar nichts. Ich will nur einfach nicht auffallen und mit meinen Sachen weiterkommen.«

»Dann lass mich dir nicht in den Weg kommen.« Ben lächelte ihn an. Teddy konnte gar nicht umhin, die tiefen Grübchen zu bemerken, die sich dabei auf seinen Wangen bildeten. Seine Augen wanderten über Bens hübsches Gesicht. Helle Stoppeln betonten ein perfekt ausgeprägtes Kinn. Genervt wandte Teddy sein Gesicht wieder dem eigenen Bildschirm zu.

Fast eine Stunde später knurrte Teddy der Magen, als er gerade mit der Aufgabe fertig war, die Dylan ihnen gestellt hatte. Er sah auf die Uhr auf seinem Bildschirm: Zum Glück war es schon fast Zeit für die Mittagspause. Er dachte an das Sandwich, das er heute Morgen in seine Tasche gepackt hatte, und wünschte sich, er hätte Dylan nach einem Kühlschrank gefragt, in den er es hätte legen können. Jetzt wollte er es nicht vor Dylan und Ben auspacken. Es wäre weniger komisch, sich davonzuschleichen und es irgendwo, wo ihn niemand sehen würde, heimlich zu essen.

»Ich habe ein dienstliches Mittagessen, ihr beiden könnt also ...« Dylan bemühte sich gar nicht, seinen Satz zu beenden, bevor er sich sein Smartphone schnappte und das Büro verließ.

»Hast du irgendetwas vor?«, fragte Ben.

»Ich treffe mich mit einem Freund.« Teddy wusste nicht, warum er das gesagt hatte. Die Worte waren ihm entschlüpft, ehe er überhaupt die Chance gehabt hatte, darüber nachzudenken.

»Cool. Also, ich gehe mich dann einmal mit ein paar Leuten bekannt machen. Damit ich dann schon ein paar Namen kenne, weißt du?«

»Das machst du?«, fragte Teddy, verwundert von Bens Plan, sich einzuschmeicheln.

»Ja, kann doch nicht schaden, Hallo zu sagen und die Leute wissen zu lassen, dass ich hier bin, um etwas zu lernen und zu helfen, wo ich kann.«

Teddy stand auf und schnappte sich seine Tasche. Es war ihm unangenehm, dass er sich selbst in eine Lüge verstrickt hatte, während Ben plante, sich mit den neuen Kolleginnen und Kollegen bekannt zu machen. Er hätte wirklich auch so vorausschauend sein müssen. »Wahrscheinlich bin ich nicht lange unterwegs, also sehe ich dich dann, wenn ich zurückkomme.«

Schnell lief er zu den Toiletten. Wenn er seine Verpflegung schnell aß, konnte er schon in wenigen Minuten wieder da sein und so tun, als hätte ihm sein Freund ganz kurzfristig abgesagt. Teddy schlüpfte in eine leere Kabine und verschloss die Tür. Er zog die kleine Lunchbox hervor und wickelte das Schinken-Käse-Sandwich aus, das er sich selbst gemacht hatte. Nachdem es einige Stunden in seiner Tasche gelegen hatte, war es nicht mehr ganz frisch. Er stellte sich vor, wie seine Mutter die Augen verdrehen würde, weil er sich hier versteckte, anstatt genauso viel Mühe wie Ben darauf zu verwenden, sich zu integrieren. Er spülte das fade, feuchte Sandwich mit einem Schluck lauwarmen Wassers aus seiner Flasche hinunter. Das lief nicht so, wie er sich seinen ersten Tag vorgestellt hatte, aber es blieb ihm noch Zeit, das Ruder herumzureißen. Er verließ die Kabine und stellte sich vor den Spiegel. Seine pechschwarzen Haare waren unordentlich, was irgendwie aber gewollt aussah. Er überprüfte, ob ihm noch etwas vom Essen zwischen den Zähnen steckte.

»Ich glaube, du hast alles entfernt.«

Teddy zuckte zusammen, als Ben hinter ihm im Spiegel zu sehen war.

»Oh ja, wollte nur schauen.«

Teddy spürte, wie seine Ohren brannten, als er Ben ohne ein Wort in einer Kabine verschwinden sah. *Ich glaube, du hast alles entfernt«,* murmelte er mit gerunzelter Stirn vor sich hin. Er hastete von der Toilette zu seinem Schreibtisch zurück, um sich wieder ein bisschen zu beruhigen, bevor Ben zurückkam. Erst ein paar Minuten später realisierte er, dass sich Ben inzwischen mit irgendjemandem in der Mitte des Großraumbüros unterhielt. Er konnte das Gespräch unmöglich mithören, war sich aber sicher, dass die beiden mindestens zweimal in seine Richtung geblickt hatten.

»Entschuldige bitte«, sagte Ben, als er sich ein paar Minuten später wieder auf seinen Stuhl setzte. »Ich habe nur gerade mit Manoj geschwatzt, kennst du ihn?«

»Nein, was hat er ...«

Teddy unterbrach sich, als er bemerkte, dass Ben ihn breit angrinste.

»Stimmt etwas nicht?« Teddy wappnete sich selbst für Fragen darüber, warum er beschlossen hatte, sein Mittagessen allein auf der Toilette zu verzehren.

»Ganz und gar nicht. Ich habe mich nur gefragt, wie lange du geheim halten wolltest, dass Elizabeth Marsh deine Mutter ist.«

Teddy spürte sofort, wie sich ihm die Brust zuschnürte.

»Oh, äh, also das ist einfach nichts, was ich gerne anspreche.«

»Ich hätte es wissen müssen, als Dylan erwähnt hat, deine Mutter hätte dir das Volontariat hier organisiert. Du hast praktisch schon die Garantie für eine feste Stelle.«

»Du kannst glauben, was immer du willst. Ich bin hier, weil ich arbeiten und etwas lernen will, genau wie du.«

Ben verdrehte die Augen. »Also bitte, sie haben schon vergessen, dass ich überhaupt komme. Das ist dir garantiert nicht passiert. Haben sie vielleicht vergessen, dir den roten Teppich auszurollen?«

»Das ist aber eine Menge, was dich stört.«

»He, ich spreche nur aus, was die anderen denken. Und ja, ich habe mir den Arsch aufgerissen, um diese Chance zu bekommen, und musste dann feststellen, dass sie mich an meinem ersten Tag vergessen haben. Das ist kein gutes Gefühl.«

»Das ist nicht meine Schuld«, entgegnete Teddy. »Du und die anderen könnt das gerne denken, wenn ihr wollt. Aber wie ich schon sagte: Ich bin hier, um zu lernen.«

»Dann solltest du wissen, dass ich hier bin, um die Stelle zu bekommen, die ich will. Immerhin weiß ich jetzt, dass ich bei diesem Wettkampf die Außenseiterrolle habe.«

»Was? Das hier ist doch kein Wettkampf«, sagte Teddy, war sich bei seiner Antwort aber plötzlich gar nicht mehr so sicher und fügte hinzu: »Ist es einer?«

»Inoffiziell, nehme ich an. Nach dem Volontariat gibt es für gewöhnlich eine Arbeitsstelle. Wenn wir zu zweit sind, ist es sehr wahrscheinlich, dass einer von uns ohne Arbeit nach Hause gehen wird. Und das kann ich nicht zulassen.«

Soweit sich Teddy damit befasst hatte, war das alles nichts weiter als eine Möglichkeit, um das Handwerk von der Pike auf zu lernen und das Leben in einer Zeitungsredaktion mitzubekommen. Und jetzt war er hier in einen Konkurrenzkampf mit jemandem verwickelt, den er gerade erst getroffen hatte, und es ging um einen Job, bei dem er sich nicht einmal sicher war, dass er ihn wollte. Er musste sich sehr zurückhalten, um nicht von seinem Schreibtisch aufzustehen und seine Mutter anzurufen. Doch er begriff jetzt, dass sie es ihm nicht gesagt hatte, damit er das Angebot annahm.

Dylan schien die Spannungen zwischen den beiden überhaupt nicht wahrzunehmen, als er von seinem Meeting zurückkam. Für einen Augenblick war sich Teddy sogar sicher, dass er ihre Anwesenheit ganz vergessen hatte und erst wieder daran dachte, ihnen eine Aufgabe zu geben, als eine seiner Kolleginnen vorbeikam, um sich vorzustellen. Noch sicherer war sich Teddy darin, dass er ein Geräusch aus Bens Richtung gehört hatte, als er auf die Bitte der Kollegin, seine Mutter zu grüßen, geantwortet hatte. Immerhin hatte sie ein bisschen subtiler durchscheinen lassen, dass sie wusste, wer seine Mutter war. Damit konnte er umgehen, wenn er es musste. Irgendwie war es eine Erleichterung, als Dylan dann schließlich sagte, sie könnten Feierabend machen.

»Irgendwas vor heute Abend?«, unterbrach Ben das Schweigen, als sie auf den Aufzug warteten.

»Ich treffe jetzt nur ein paar Freunde. Sie arbeiten in der Nähe. Was ist mit dir?«

»Das hört sich gut an. Ich gehe … zuerst nach Hause und dann noch zu einem Gig.«

»Wohnst du allein?«

»Ich bin gerade in eine kleine Studiowohnung gezogen. Nichts Besonderes. Wirst du in die Stadt ziehen?«

»Nein, ich bleibe zu Hause in Northbridge und nehme immer den Zug.«

Die Türen öffneten sich, sodass sich eine große Gruppe Menschen in den Lift schieben konnte. Sie standen schweigend nebeneinander, bis er das Erdgeschoss erreicht hatte. Als sie sich ihren Weg durch die Eingangshalle bahnten, entdeckte Teddy seine besten Freunde Shakeel und Lexie, die draußen im Gespräch vertieft waren.

»Gut, ich muss hier entlang. Tschüs«, sagte er und wandte sich ab, um so schnell wie möglich und ohne eine Antwort abzuwarten, wegzueilen.

»Kommt mit, ich brauche was zu trinken«, sagte er zu den beiden und warf dabei einen Blick über die Schulter, weil er wissen wollte, ob Ben ihm noch zusah.

Kapitel drei

Arthur

Im Raum herrschte absolute Stille. Es war, als wagte in den folgenden Sekunden niemand zu atmen.

Es war vorbei: Er hatte die Worte laut ausgesprochen, sie waren nicht mehr zurückzunehmen. Er blickte seine beiden Kinder unverwandt an. Patrick stand auf und schüttelte langsam den Kopf.

»Gibt es da irgendwo eine Pointe? Ich kapiere es nicht.«

»Es ist die Wahrheit. Kannst du dich bitte hinsetzen, Patrick.« Madeleine sprach sanft, aber alle wussten, wann sie etwas ernst meinte. Jede Person, die schon einmal für sie gearbeitet hatte, wusste, wann man sich nicht mit ihr anlegen sollte. Wie sie es verlangt hatte, setzte sich Patrick hin. Weder er noch Elizabeth sahen in Arthurs Richtung, stattdessen richteten sie ihre Aufmerksamkeit auf Madeleine.

»Du wusstest davon?«, fragte Elizabeth.

»Ich weiß es schon eine ganze Weile, ja. Das ist allerdings nicht das, worum es hier geht. Es geht um euren Vater, der euch etwas sehr Persönliches erzählen will.«

»Ich finde, wir haben ein Recht darauf, zu erfahren, was hier verdammt noch mal los ist. Und warum du das tolerierst.«

»Nein, Elizabeth, das habt ihr nicht. Alles, was ihr wissen müsst, ist, dass ich hier neben eurem Vater sitze und euch bitte, ihm zuzuhören und ihn zu lieben, denn er ist immer noch derselbe Mensch. Er ist immer noch euer Vater.«

Elizabeth vergrub den Kopf in den Händen.

»Ich kann nicht glauben, was ich da höre. Ihr seid seit fünfzig Jahren verheiratet, und du sitzt da, als hätte er dir gerade nur gesagt, dass er vergessen hat, Milch einzukaufen.«

»Das reicht«, warf Arthur ein. »Geh nicht auf deine Mutter los. Sie hat deinen Zorn nicht verdient.«

»Das ist kein Zorn, es ist Verwirrung«, sagte sie, bevor sie sich wieder Madeleine zuwandte. »Du kannst mit mir kommen und bei mir bleiben, Mum. Bleib, solange es nötig ist.«

»Ich werde mein Zuhause nicht verlassen, Elizabeth. Und das wird auch dein Vater nicht tun.«

Patrick war still, er registrierte jedes Wort, und seine nussbraunen Augen wanderten zwischen den beiden Frauen hin und her, als würde er ein spannendes Finale in Wimbledon verfolgen.

»Kannst du mal irgendwas sagen? Warum sitzt du nur so stumm da wie immer? Bring ihr doch Vernunft bei!«, schrie Elizabeth ihren Bruder an.

»Was soll ich denn machen? Wir können Mum doch nicht zwingen, etwas zu tun, das sie nicht tun will.«

Arthur konnte sehen, dass seine Tochter immer wütender wurde. Ihr Hals und ihr Dekolleté waren von roten Flecken überzogen.

»Lizzie, bitte. Lass es mich erklären«, sagte er und streckte seine rechte Hand aus, um sie zu berühren.

»Wag es nicht, mich *Lizzie* zu nennen. Und fass mich

bloß nicht an. Ich kann es gar nicht glauben. Alles ist eine einzige, große Lüge.«

»Ihr müsst verstehen, dass ich niemals jemanden von euch verletzen wollte, vor allem nicht eure Mum.«

»Warum jetzt? Welchen Grund könnte es dafür geben, das Leben zu zerstören, das du hattest? Das Leben von uns allen zu zerstören?«

Arthur zögerte. Da war sie: die Frage, vor der er sich am meisten gefürchtet hatte und auf die er unbedingt eine richtige Antwort geben musste, noch dringender als auf alle anderen Fragen.

»Ich konnte keinen einzigen Tag mehr leben, ohne der zu sein, der ich bin. Ich weiß ... Ich weiß, das wird sich jetzt zu simpel und lächerlich für euch anhören, aber ich musste es einfach jetzt sagen.«

»Müssen? Du musstest überhaupt nichts tun. Willst du uns sagen, dass du dich fünfzig Jahre lang selbst belogen hast? Dass du Mum angelogen hast?«

»Ich habe nicht gelogen. Ich liebe eure Mutter mehr, als ich es je erklären könnte. Sie ist die beste Freundin, die ich je hatte. Wir hatten ein wunderbares Leben zusammen und wurden mit euch beiden gesegnet, aber das ändert nichts daran, wer ich bin, wer ich in meinem ganzen Leben immer gewesen bin.«

Ihm brach langsam die Stimme weg. Er trank einen Schluck aus dem Wasserglas vor sich.

»Gibt es jemand anderen? Betrügst du Mum? Ich schwöre bei Gott, wenn ...«

»Ich betrüge sie nicht, das verspreche ich euch. Das würde ich nie tun.«

»Aber warum dann? Warum jetzt? Das ergibt überhaupt keinen Sinn.«

»Ich weiß, das ist schwer zu begreifen, aber ich bin 79, ihr seid alle erwachsen und lebt euer Leben, und ich … nun, ich konnte einfach keinen Tag mehr so weitermachen, an dem ich nicht ehrlich zu mir selbst bin. Zu euch allen.«

»Quatsch. Dabei geht es nur um dich. Wie konntest du uns allen das antun? Was soll ich den Kindern sagen? Hast du auch nur einen Moment an deine Enkelkinder gedacht?«

»Sprich nicht für mich oder für sie, Elizabeth«, unterbrach Madeleine sie. »Ich weiß, was ich tue. Ich kann verstehen, dass du schockiert und wütend bist, aber nicht in meinem Namen. Wir sind zu ganz verschiedenen Zeiten groß geworden. Dein Vater hat das getan, was er tun musste, und er hat mir das bestmögliche Leben gegeben. Du kannst dich nicht in unserem Haus hinstellen und über ihn urteilen.«

»Nichts davon ergibt irgendeinen Sinn. Ihr habt beide den Verstand verloren. Ich muss hier raus.«

»Elizabeth, bitte …«

»Nein! Mir ist schlecht. Ich muss weg. Ich kriege keine Luft mehr.«

»Geh nicht so weg. Ich bin doch immer noch dein Dad.«

»Dad?«, wiederholte sie ungläubig. »Nein, das bist du nicht. Nicht mehr. Ich wünschte mir, du wärst tot. Du bist für mich gestorben.«

»Hör auf damit, Lizzie«, sagte Patrick und streckte die Hand nach ihr aus. Sie schlug sie weg.

»Das meine ich ernst. Halt dich von mir fern und halt dich von meiner Familie fern.«

Ohne ein weiteres Wort zog Elizabeth ihre Jacke von der Rückenlehne des Stuhls und stürmte aus dem Zimmer. Niemand sagte ein Wort, als sie die Tür hinter ihr zuschlagen hörten, gefolgt von dem Geräusch ihres Wagens, der aus der Einfahrt fuhr.

»Alles in Ordnung bei dir, Patrick?«, fragte Arthur. »Gibt es irgendetwas, das du sagen oder auch fragen willst?«

»Ich habe eine Menge Fragen, aber wenn ich ehrlich bin, weiß ich gar nicht, wo ich anfangen soll.«

»Das ist absolut verständlich. Ich bin da, wann immer du bereit bist.«

»Werdet ihr wirklich beide hier leben?«

»Eure Mum war sehr nett und hat gesagt, ich kann bleiben. Wir haben getrennte Schlafzimmer, aber wir gewöhnen uns langsam an die neue Ordnung.«

»Das ist einiges, was ich verarbeiten muss. Ich kann nicht glauben, dass das alles passiert ist, und ihr beiden sitzt einfach zusammen hier.«

»Wir lieben uns immer noch, Patrick«, sagte Madeleine. »Es ist eine andere Art von Liebe, aber hoffentlich werdet ihr beiden, du und Elizabeth, es irgendwann verstehen können.«

Patrick erhob sich von seinem Stuhl.

»Vielleicht. Schaut, es tut mir leid, aber ich muss gehen. Ich ... ich kann das jetzt gerade einfach nicht.«

Madeleine drückte Arthurs Hand, als ihr Sohn den Raum verließ. Der Abend war genauso schlecht gelaufen, wie er befürchtet hatte.

Kapitel vier

Teddy

Teddy, Shakeel und Lexie befanden sich in einem reizenden kleinen Pub namens Mayflower in der Nähe des Büros. Sobald sie ihre Drinks hatten, informierte Teddy sie über seinen ersten Tag. Als er zum Ende kam, grinste Lexie ihn an.

»Komm schon, Teddy, ich kenne dich zwar erst seit ein paar Jahren, aber sogar ich weiß, dass das ein Klassiker bei dir ist«, stellte sie fest.

»Was soll das heißen?«

»Du gehst davon aus, dass dich irgendjemand nur danach beurteilt, wer du bist, und dann machst du dir die Person zum Feind, bevor sie auch nur die Chance bekommt, dir zu zeigen, wer sie ist. Genau dasselbe hast du gemacht, als du mich getroffen hast, obwohl ich keinen blassen Schimmer hatte, wer deine Mutter ist!«

»Das ist diesmal anders. Dieser Typ ist so überzeugt von sich selbst und verteilt ständig kleine Seitenhiebe … ihr hättet ihn hören sollen. Es ist schließlich nicht meine Schuld, wenn sie vergessen haben, Dylan zu sagen, dass er kommt, oder?«

Teddy verstand, was Lexie sagen wollte, meistens hatte er aber recht damit, dass ihn die Leute vorschnell beurteilten. Sie mussten ihn nicht daran erinnern, wer seine Mutter war, oder ihn nach seinen Lebensentscheidungen aushorchen, nur weil seine Mutter beschlossen hatte, über ihre zu schreiben.

»Kannst du diesen Typen auf Instagram suchen?«, wollte Lexie plötzlich wissen. »Ich will wissen, ob er heiß ist.«

»Nicht so heiß, wie er vermutlich selbst denkt«, sagte Teddy, während er sein Smartphone herausholte, Bens Namen eintippte und ihn gleich darauf auf seinem Profilbild wiedererkannte. Er tippte darauf und scrollte die paar Bilder durch, die Ben geteilt hatte.

»Dann lass mich mal sehen«, sagte Lexie, nahm ihm das Smartphone ab und fing an, sich das Profil anzusehen.

»Hmm. Viele Selfies. Keine Familienbilder. Keine Haustiere. Vor allem kein Freund und keine Freundin. Ich sehe da nur leider ein Problem.«

»Was?«

»Er spielt offensichtlich in einer ganz anderen Liga als du.«

»Entschuldige bitte, ich wollte eigentlich mit meinen Freunden etwas trinken gehen. Habt ihr sie irgendwo gesehen?«

»Schau ihn dir an, Shak!«, rief Lexie und schob ihm das Smartphone zu.

Shakeel starrte nur ein paar Sekunden lang auf das Display und zuckte dann schwach mit den Schultern. Teddy musste grinsen, weil Shakeel ihn so bestätigte. Wenn es eine Person gab, auf die er sich immer verlassen konnte, so war das Shakeel. Ihre Freundschaft war sogar noch stärker geworden, als sie ins Teenageralter gekommen waren und beide festgestellt hatten, dass sie schwul waren. Ihr Vertrauen zueinander hatte diese Jahre erträglich gemacht, aber als Shakeel auf die Universität gegangen und Teddy ohne seinen besten Freund zurückgeblieben war, hatte er sich schwergetan. Als Teddys Vater dann unerwartet gestorben war, hatte Shakeel ihm mehrfach den ernst gemeinten Vorschlag gemacht, sein erstes Jahr an der Universität zu unterbrechen, um zurückzukommen und ihn zu unterstützen. Teddy hatte schon die kleinste Erwähnung, dass Shakeel so etwas Drastisches tun könnte, komplett abgeblockt. Doch sein Angebot hatte ihm unendlich viel bedeutet, auch wenn er nicht wusste, wie er das zeigen sollte.

»Ich finde, Teddy kommt besser rüber«, merkte Shakeel an, während Teddy sein Lächeln erwiderte.

»Oh, komm schon, findest du auch nicht, dass er heiß ist?« Lexie seufzte. »Das war's mit deiner Gelegenheit für eine Büro-Romanze, Teddy.«

»Keine Chance. Mit diesem Typen den Arbeitsplatz zu teilen, wird ein verdammter Albtraum werden, das spüre ich.«

Teddys Telefon vibrierte. Es war seine Mum. Er war gerade nicht in der Stimmung, mit ihr zu reden, also steckte er es sich in die Tasche.

»Wirklich, ihr zwei, ich könnte euch die Köpfe zusammenknallen. Ihr seid einundzwanzig: Geht nach draußen und fangt an, richtig Spaß zu haben!«

»Das Thema hatten wir doch schon, Lex.«

»Ja, ja«, äffte Lexie. »Ich weiß. Aber warum? Warum kannst du nicht einfach heute Abend heimgehen, dir den Maulkorb abreißen und allen erzählen, dass du auf Typen stehst?«

Wenn die Dinge doch nur so einfach wären. Schon mehrere Male hatte er das Coming-out-Gespräch mit seiner Mutter beinahe geführt, hatte es sich selbst aber dann immer wieder ausgeredet. Absolut niemand verstand seine

Rechtfertigung dafür, dass er es hinauszögerte, und Gott wusste, wie sehr sie es bei den verschiedensten Gelegenheiten versucht hatten. Aber ob sie es wollte oder nicht: Elizabeth übte einen enormen Druck auf die Mitglieder ihrer Familie aus, damit sie ihren hohen Erwartungen entsprachen. Regelmäßig hatte sie von ihrem Wunsch gesprochen, dass Teddy ein »nettes Mädchen« nach Hause mitbringen sollte. Außerdem hatte sie verschiedene Artikel darüber verfasst, wie aufregend sie den Gedanken an Enkelkinder fand. Wenn er einen Jungen, den er mochte, mit nach Hause bringen würde, so würde ihr das nur neues Futter für ihre Texte liefern.

Shakeel hatte bisher – zu Lexies großer Enttäuschung – allerdings auch nur eine Handvoll Dates gehabt. Trotz all seiner Ängste vor dem Coming-out hatte Shakeels Familie ihn voll unterstützt, seine Mum und sein Dad hatten sich sogar beide einer lokalen Gruppe angeschlossen, um andere LGBTQIA+-Eltern kennenzulernen. Teddy hörte von Shakeel nur Beschwerden über seine Eltern, bei denen es – zu Lexies großer Erheiterung – darum ging, dass seine Mutter ihn drängte, einen »netten, schlauen Jungen« mitzubringen. Shakeel und Lexie hatten sich an der Universität kennengelernt. Da Teddy Shakeels Einschätzung von ihr als einer guten Freundin vertraute, hatte er sich bei seinen häufigen Besuchen ebenfalls mit ihr angefreundet. Also war er sehr begeistert gewesen, als sie sich entschlossen hatte, für die Arbeit nach London zu ziehen. Doch trotz des Zuspruchs der beiden war Teddy immer noch nicht bereit, seiner Mutter zu erzählen, dass er schwul war. Auch wenn ihm Shakeels Erfahrungen neue Hoffnung gemacht hatten.

»Sorry, Leute, ich muss los. Ich hab noch ein paar Sachen zu besorgen, bevor ich heimgehe«, erklärte Shakeel plötzlich und sprang vom Stuhl auf. »Am Wochenende sollte ich Zeit haben, falls du diesen Film noch sehen willst?«

»Gut, ich nehm dich beim Wort«, sagte Teddy.

»Super, dann haben wir ein Date.«

»Ihr habt ein *was*?«, lachte Lexie, während Shakeels Wangen sich rot färbten.

»Das meinte ich nicht … Ich meinte bloß …«

»Ich mach nur Scherze, Shak. Heißt das, ich kann mich anschließen?«

»Natürlich kannst du das, oder Shak?«, sagte Teddy.

»Hmm … ja, klar … das war nur so ein Ausdruck«, stammelte Shakeel.

Lexie wartete, bis Shakeel zur Tür hinaus verschwunden war, dann wandte sie sich Teddy zu.

»Dieser Junge muss flachgelegt werden. Ich weiß, dass ihr das beide braucht, aber es ist schon ein Jahr vergangen seit Marcus.«

»Wir haben nicht alle unsere eigene Wohnung, wo wir machen können, was wir wollen, Lex.«

»Ja klar, das ist es, worauf er wartet.«

»Was soll das heißen? Worauf wartet er?«

»Nichts, ich weiß nicht, ich glaube bloß, er sollte ein bisschen Spaß haben. Einfach mal locker werden. Ihr beide braucht das. Egal, du wirst direkt heimgehen, genau wie ich es dir gesagt habe, und deiner Mum erzählen, dass du schwul bist, uns allen zuliebe.«

Es war genau neun Uhr abends, als Teddy aus seinem Taxi stieg. Dabei lachte er immer noch über die Vorstellung, Lexies Befehl zu befolgen und seine sexuelle Orientierung hinauszuposaunen, sobald er zu Hause wäre. Es ließ sich nicht leugnen, dass das eine schnelle und einfache Möglichkeit wäre, es ein für alle Mal hinter sich zu bringen.

Er konnte einfach reingehen, es herausschreien und direkt zur Treppe eilen. Er packte den Türgriff. »Du kannst das«, sagte er zu sich selbst. »Es sind nur ein paar Wörter.«

Er drückte die Klinke hinunter und trat in die hell erleuchtete Diele. Schon in dem Moment, in dem er hineinging, wusste er, dass ihm der Satz in einer solchen Situation nie über die Lippen kommen würde. Lexie würde einfach noch ein bisschen länger warten müssen.

»Hallo, ich bin zu Hause.« Er hängte seine Jacke über den Garderobenständer in der Diele.

»Ich bin hier«, rief Eleanor aus dem Wohnzimmer. Der Fernseher lief, aber sie starrte auf ihr Smartphone. Sie war drei Jahre älter als er und die Älteste der drei Geschwister.

»Immer noch nichts von Mum?«, fragte Teddy, noch im Türrahmen stehend. Er hatte damit gerechnet, dass sie inzwischen wieder von den Großeltern zurück war.

»Nicht ein Wort. Ich dachte, sie würde vielleicht schreiben, um uns aus unserem Elend zu erlösen. Je länger sie dort ist, desto mehr Sorgen mache ich mir.«

»Ich weiß. Ich musste mir heute wirklich Mühe geben, nicht ständig daran zu denken. Ich wollte nicht zu viel spekulieren, nur um dann herauszufinden, dass es etwas ganz Harmloses ist.«

»Wir werden einfach warten müssen. Wir setzen uns damit auseinander, sobald wir mehr wissen«, stellte Eleanor fest. »Egal, wie war der erste Tag im Elizabeth-Marsh-Hauptquartier?«

»Mach bloß keine Witze! Alle wussten, wer ich bin, kaum dass ich zur Tür hereingekommen war. Und ich muss mit diesem Besserwisser zusammenarbeiten, der mich jetzt schon hasst.«

»Zeig dich einfach von deiner besten Seite. Du weißt, dass

Mum dort überall ihre Augen und Ohren hat. Sie wird wissen, was du tust, noch bevor du es überhaupt getan hast.«

Bei dem Gedanken drehte sich ihm der Magen um. Das war genau das, was Lexie nicht wirklich verstand. So sehr er seine Mum auch liebte: Er fühlte sich jetzt so, als wäre er in eine perfekt ausgelegte Falle getappt. Das war genau der Grund, aus dem er ihr Hilfsangebot mehrere Male abgelehnt hatte. Erst nachdem er sich wieder einmal auf viele Stellen beworben hatte, die er eigentlich gar nicht wollte, hatte er nachgegeben und das Angebot angenommen. Nachdem Shakeel und Lexie beide jetzt Gefallen an ihren Jobs fanden, hatte er nicht mehr zurückbleiben wollen.

»Sie ist da!«, rief Evangelina vom oberen Treppenabsatz herunter, sodass er und Eleanor vor Schreck beide zusammenfuhren. Ihre jüngere Schwester kam die Treppe heruntergehüpft und zog sich dabei ihren flauschigen rosa Bademantel über.

»Hat sie irgendwem von euch geschrieben?«

»Nein, wir haben überhaupt nichts gehört.«

Zu dritt standen sie wartend in der Diele und tauschten besorgte Blicke aus, als sie die Wagentür zuschlagen hörten.

Die Eingangstür schwang auf, ihre Mutter kam herein und bemerkte sofort ihr Empfangskomitee.

Die Streifen verschmierter Wimperntusche in ihrem Gesicht konnten ihre rot gefleckten Wangen nicht verbergen.

»Mummy? Geht es dir gut? Komm, setz dich hin«, sagte Eleanor und eilte vor. »Teddy, schnapp dir einen Stuhl.« Teddy rührte sich nicht. Seine Mutter schüttelte den Kopf.

»Es ist gut, alles gut. Ich muss mich nicht hinsetzen.«

»Was ist los? Stimmt was nicht mit Nan oder Grandad?«

Sie gab einen kurzen, heiseren Laut von sich, ihre Kehle tat sich schwer, irgendeinen Ton zu erzeugen.

»Nach all diesen Jahren glaubst du doch, dass du jemanden kennst.«

»Mum, bitte, das ergibt keinen Sinn. Was ist los? Ist es was mit Grandad Arthur?«

»Den Namen von diesem Mann will ich in diesem Haus nie wieder hören. Ihr werdet nicht mehr mit ihm reden. Ihr werdet ihn nicht treffen.«

»Warum? Was hat er denn getan?«, wollte Teddy wissen.

»Euer Großvater hat beschlossen, dass er nach fünfzig Jahren Ehe einfach genug hat.«

»Was? Das ist doch Unsinn. Warum sollte er das tun?«

»Nun, das ist das Allerbeste«, sagte sie und riss die Augen weit auf. »Er hat sich entschieden, uns zu sagen, dass … dass er schwul ist.«

Teddy stand da wie angewachsen. Er fühlte sich, als wäre er komplett betäubt. Jede Verbindung zwischen seinem Gehirn und seinem Körper schien unterbrochen zu sein. Bei allen möglichen Coming-out-Szenarien, die er über die letzten Jahre im Kopf durchgespielt hatte, hatte er eine Sache nie in Erwägung gezogen: dass ihm sein eigener Großvater zuvorkommen konnte.

Kapitel fünf

Arthur

Arthur schreckte aus dem Schlaf hoch. Luna starrte ihn an, schloss ihre blauen Augen aber wieder, als er die Hand ausstreckte und sie streichelte. Sie schnurrte leise und schmiegte sich an ihn, sodass ihr Kopf auf seinem Knie lag. Irgendwann war er in dem großen Armsessel eingedöst, wann genau, konnte er nicht mehr sagen. Die Zeit schien jede Bedeutung verloren zu haben, seit Elizabeth Stunden zuvor aus dem Haus gestürmt war. Madeleine war bei ihm im Wohnzimmer geblieben, nachdem sie zu weinen aufgehört hatte, war inzwischen aber nach oben ins Bett gegangen. Sie hatte darauf beharrt, dass er dasselbe tun sollte, aber er hatte gewusst, wie vergeblich es wäre. Für ihn war es gut hier, vor allem jetzt, da ihm Luna Gesellschaft leistete.

Jedes Mal, wenn er wegdämmerte, half ihm Lunas sanftes Schnurren in einen ganz leichten Schlaf. Der währte nie lange. Die Bilder von Elizabeths angewidertem Gesicht ließen ihn immer wieder hochschrecken. In seinen Ohren hallten ihre wütenden Worte wider. Und die bewegungslose Stille der Dunkelheit führte dazu, dass jedes der Worte noch lauter klang, als er sie wieder und wieder in seinem Kopf vernahm. Er hatte gewusst, dass es schwierig werden würde, aber sooft er den Moment in seiner Vorstellung auch durchgegangen war: Nichts hatte ihn auf ihre Reaktion vorbereitet.

In den Tagen nach dem Abendessen unternahm Madeleine alle vorstellbaren Versuche, Arthur aus dem Haus zu locken.

»Warum kommst du nicht mit mir und hilfst ein bisschen aus?«, schlug sie hoffnungsvoll vor. Sie arbeitete schon seit zehn Jahren als Ehrenamtliche bei der städtischen Essensausgabe. Arthur wollte das Haus allerdings nicht verlassen. Denn wenn er das täte, dann würde in dem Moment garantiert das Telefon läuten. Er saß immer in demselben Armsessel direkt neben dem Festnetztelefon. Sein Mobiltelefon lag auf dem Tischchen daneben. Nur ungern verließ er den Sessel, um auf die Toilette zu gehen oder in die Küche zum Essen.

»Ich habe etwas für dich«, sagte Madeleine und legte eine Tasche auf den Tisch neben ihm.

Neugierig öffnete Arthur sie und zog die Zeitschrift heraus, die sich darin befand. Es war ein Exemplar einer Zeitschrift namens *Gay Life*. Er hatte sie im Zeitungsgeschäft schon einmal gesehen, als er verschiedene Zeitschriften durchgeblättert hatte. Er spürte, wie seine Wangen brannten, als er eine Seite aufschlug, auf der ein attraktives männliches Model abgebildet war, das nur eine enge Unterhose trug.

»Keine Sorge, darin sind auch Artikel, die du lesen kannst, nicht nur Männer in Unterwäsche.« Madeleine grinste.

»Das hättest du nicht tun müssen«, erwiderte Arthur und legte die Zeitschrift weg. »Danke dir. Ich glaube nicht, dass ich jemals so tapfer sein werde, mir die für mich selbst zu kaufen.«

»Das wirst du auch nicht müssen. Ich habe ein Abo für dich abgeschlossen.«

Arthur spürte, wie ihm die Tränen kamen. In seinen kühnsten Träumen hatte er sich nicht vorstellen können, dass er Madeleines Unterstützung haben würde.

»Ich weiß nicht, womit ich dich verdient habe, Madeleine Edwards. Du warst in zwei der schwersten Momente meines ganzen Lebens bei mir und stehst immer noch zu mir. Du weißt doch, dass ich nichts von unserem fantastischen gemeinsamen Leben bereue, oder?«

»Das weiß ich, Arthur. Es spielt keine Rolle, was irgendjemand sonst sagt oder denkt. Ich weiß, dass du mich vor einem Leben gerettet hast, das ich nicht wollte. Und dafür werde ich für immer dankbar sein.«

Mit Tränen in den Augen erhob sich Arthur aus dem Sessel, nahm die ebenfalls weinende Madeleine an der Hand und zog sie an sich heran. Sie legte ihm den Kopf auf die Schulter, und er hielt sie fest.

Später an diesem Nachmittag läutete das Telefon endlich. Weil er sich so beeilte, ranzugehen, stieß Arthur sein Wasserglas um. Er war auf seinem Armsessel eingenickt, mit der geöffneten Zeitschrift auf dem Schoß.

»Hallo, hallo, Arthur Edwards am Apparat«, sagte er, während er sich den Hörer schnappte.

»Grandad. Hier ist Teddy.«

Die fürchterliche Enttäuschung, dass am anderen Ende der Leitung weder Patrick noch Elizabeth war, wich schnell der Freude, von seinem Enkelsohn zu hören.

»Teddy, es ist so schön, dass du anrufst.«

»Es tut mir leid, dass ich eine ganze Woche dafür gebraucht habe. Geht es dir einigermaßen?«

»Ich habe schon bessere Wochen erlebt. Weiß deine Mutter, dass du anrufst?«

»Nein, aber das spielt auch keine Rolle. Schau, ich wollte

nur sicher sein, dass du morgen zu Hause bist. Ich werde vorbeikommen.«

»Bist du dir sicher, dass das eine gute Idee ist? Deine Mum wird gar nicht begeistert sein.«

»Sei nicht albern, Grandad. Erzähl es einfach niemandem, dann sehe ich dich und Nan morgen.«

Das Telefonat mit Teddy war kurz, aber Arthur bedeutete es alles. Sein Enkelsohn hatte Kontakt aufgenommen und hatte vor, sie zu besuchen. Das würde er doch nicht tun, wenn er wütend wäre, oder? Arthur schüttelte den Kopf. Nein. Er hatte sich angehört, als würde er sich Sorgen um ihn machen. Elizabeth wäre stinksauer, wenn sie es herausfände. Er war zwar schon einundzwanzig, aber er wohnte immer noch in ihrem Haus. Es würde allerdings noch vierundzwanzig Stunden dauern, bis Teddy da wäre, und in der Zeit konnte eine Menge passieren.

»Vielleicht wird Elizabeth mit Teddy gemeinsam kommen«, sagte Arthur zu Madeleine, als sie den bevorstehenden Besuch besprachen. Sie nickte nur stumm, offenbar wollte sie sich nicht auf diese Hoffnung einlassen.

»Ich muss in die Stadt, möchtest du mitkommen?«

Madeleine nutzte die guten Neuigkeiten, um ihren Plan wieder aufzubringen, dass er sie bei ein paar Besorgungen begleiten konnte. Er erkannte ihre Absicht, aber es war ihm egal.

»Lass mich nur kurz die Anrufumleitung einstellen, falls Lizzie auf dem Festnetz anruft.«

Arthur und Madeleine hatten beide ihr ganzes Leben in Northbridge verbracht. Am Anfang ihrer Ehe hatten sie sich überlegt, den Ort zu verlassen, aber der Tod von Madeleines jüngerer Schwester bei einem Autounfall hatte diese

Diskussion beendet. Ihre Eltern, William und Alice, waren nach Gracies Tod nie mehr dieselben geworden. Die Geburt ihrer Enkelin Elizabeth hatte es ein bisschen besser gemacht, doch im Lauf der Jahre war Arthurs und Madeleines Traum, sich aus der Umklammerung ihrer Heimatstadt zu befreien, in immer weitere Ferne gerückt. Das bedeutete nicht, dass sie kein glückliches Leben in Northbridge gehabt hatten; dem würden sie beide vehement widersprechen. Arthur hielt zwar eine gewisse Distanz zu seinen eigenen Eltern, dennoch blieben sie ein Teil von Elizabeths und Patricks Leben, bis sie beide in den frühen 1980er-Jahren starben. Erst im Lauf des letzten Monats hatte Arthur wieder häufiger an seine Eltern gedacht.

Als sie nun an dem alten Rathaus vorbeifuhren, seufzte Arthur. »Du bist überhaupt nicht wie dein Vater«, versicherte Madeleine ihm. »In jedem Fall würdest du Elizabeth und Patrick immer akzeptieren, egal wen sie lieben.«

Arthur wusste ganz genau, dass das stimmte, aber je älter er wurde, desto mehr nahm er die Situation, in die er seinen Vater vor beinahe 60 Jahren gebracht hatte, aus einem anderen Blickwinkel wahr. Madeleine ahnte, was in seinem Kopf vor sich ging, ohne dass er ein Wort sagen musste.

»Hör auf, darüber nachzugrübeln, Arthur. Sogar zu der Zeit, das weißt du, hättest du niemals getan, was dieser Mann getan hat. Es war mehr als grausam.«

Sogar jetzt noch hatte Madeleine nur die beste Meinung von ihm.

Während sie durch die Stadt fuhren, blickte er aus dem Fenster. An den Freitagnachmittagen war in Northbridge schon immer viel los gewesen. Der wöchentliche Bauernmarkt war zwar nicht mehr so groß wie früher, aber er zog immer noch eine Menge Leute in die Stadt. Sie fuhren in eine Parklücke vor dem Fleischereigeschäft. Jeden Freitag besuchte Madeleine den Laden und holte ihre Fleischbestellung für das Wochenende ab. Der Enkelsohn des Mannes, der ihre Eltern bedient hatte, war der jetzige Besitzer. Northbridge bestand aus vielen Geschäften, die über Generationen weitergegeben wurden. Daran war auch Arthur selbst beteiligt, schließlich hatte er, nachdem er sich zur Ruhe gesetzt hatte, Patrick die Führung des Geschäfts übergeben, das er selbst geerbt und ausgebaut hatte. Vom Auto aus sah Arthur zu, wie einige Leute bei Madeleine stehen blieben, um sie zu grüßen. Hin und wieder war er außerdem überzeugt davon, dass irgendwelche Leute am Wagen vorbeigingen und ungewöhnlich lange hineinstarrten. Schon wenige Minuten später tauchte Madeleine mit zwei großen Taschen voller Fleisch wieder auf.

»Ich habe mir von dem jungen Henry ein paar Schweinekoteletts geben lassen. Wir könnten Teddy einladen, zum Abendessen zu bleiben«, erklärte sie und stellte die Taschen dabei vorsichtig auf die Rückbank.

Sie fuhren ans andere Ende der Stadt und parkten so nahe beim Zeitungsgeschäft wie möglich.

Arthur zögerte, als Madeleine ihn bat, mit ihr hineinzugehen, aber bevor er sich herausreden konnte, hatte er schon seinen Gurt gelöst und war ausgestiegen. Er wusste noch nicht einmal, warum er nervös war. Er war ja keine Schlagzeile auf den Titelseiten, und über seinem Kopf schwebte auch nicht plötzlich ein Regenbogenzeichen. Er war einfach Arthur; die gleiche Person, die die Leute schon ewig kannten. Hinter Madeleine betrat er mit ihr gemeinsam den großen Laden. Sie ließ ihn allein die bunt bebilderten Bücher durchschauen und ging an den Postschalter im hinteren Teil des Geschäfts. Er war noch nie ein großer Leser gewesen. Eines Abends hatte er aber eines von Madeleines Hörbüchern mitgehört und dabei festgestellt, wie sehr er das genoss. Jetzt verließ er sich ganz auf ihre Empfehlungen und ihre Hilfe, wenn er sich neue Bücher auf sein Smartphone lud. Arthur wanderte zu der großen Zeitschriftenauslage weiter.

Fotografien von Berühmtheiten, die er nicht erkannte, reihten sich in den Ständern. Früher hatte er manchmal Namen auswendig gelernt, nur um sie einer verblüfften Elizabeth dann aufzuzählen.

»Wo zum Teufel hast du darüber etwas gehört?«, hatte sie dann ausgerufen, wenn er irgendeinen Skandal erwähnt hatte, über den er eigentlich gar nichts gewusst hatte. Zu sehen, wie sie in einen fünfzehnminütigen Monolog über die betreffende Berühmtheit verfiel und die Verwicklungen erklärte, die zu den neuesten dramatischen Überschriften geführt hatten, war es jedes Mal wert gewesen. Typischerweise unterstrich sie am Ende dann, dass sie nur gelegentlich verfolgte, was vor sich ging, nur für den Fall, dass sie in einer ihrer Kolumnen Bezug darauf nehmen musste.

Die gleiche Ausgabe von *Gay Life*, die jetzt auch bei ihm im Wohnzimmer lag, stach ihm ins Auge. Er konnte immer noch nicht glauben, dass Madeleine hergekommen war und sie ihm gekauft hatte. Er riss die Augen auf, als er eine andere Zeitschrift entdeckte, auf der die Worte »DIE SEX-AUSGABE« quer über das Cover gedruckt waren und so die Scham von drei anscheinend nackten Männern verdeckten.

»Gibt es noch etwas, das du gerne besorgen willst, solange wir hier sind?«

»Oh nein, überhaupt nichts«, antwortete Arthur, während er sich zu Madeleine umdrehte, die jetzt neben ihm stand. »Konntest du alles erledigen?«

»Alles bestens geregelt. Cicelys Enkelin hat mich bedient – du weißt schon, diejenige, die in diesem Neubaugebiet wohnt. Sie hat sich nach dir erkundigt.«

»Wirklich? Warum? Hat sie etwas gehört?« Arthur hatte plötzlich einen flauen Magen.

»Nein, nichts, sie war einfach freundlich. Niemand weiß etwas, Arthur.«

Gerade als sie das Geschäft verlassen wollten, schwang die Tür auf. Elizabeth kam herein und ließ sie hinter sich zufallen, bevor sie merkte, dass ihre Eltern direkt vor ihr standen. Ohne auch nur ein Wort zu sagen, drehte sie sich auf den Absätzen ihrer schwarzen High Heels um und streckte die Hand wieder nach dem Türgriff aus.

»Lizzie, bitte!«, rief Arthur ihr nach. »Lass uns nicht einfach stehen.«

»Ich lasse *dich* stehen, nicht Mum.«

»Dann sprich mit ihr. Du verletzt deine Mutter ohne Grund.«

Elizabeth sah ihn direkt an. Sie nahm ihre große schwarze Sonnenbrille ab; ihre Augen waren weit aufgerissen und blitzten voller Wut.

»*Ich* verletze Mum? Du hast wirklich Nerven, hier vor mir zu stehen und das zu mir zu sagen. Ich weiß nicht, warum sie mit dir herumspaziert, als wäre alles völlig normal, aber ich werde mich nicht an dieser Scharade beteiligen.«

»Bitte, Lizzie, nicht hier«, flüsterte Madeleine und sah sich im Laden um, ob irgendjemand ihnen Beachtung schenkte.

»Warum nicht? Wenn Dad diese Familie zerstören will, damit er der sein kann, der er zu sein glaubt, sollte er dann nicht stolz darauf sein?«

Sie warf die Arme in die Luft und erhob die Stimme.

»Hallo, alle zusammen, kennt ihr schon meinen Vater, das anerkannte Gemeindemitglied, Mr. Arthur Edwards, frisch geoutet und bereit, sein eigenes Leben zu leben!«

Sie stürmte aus dem Laden und warf die Tür hinter sich zu. Arthur und Madeleine blieben stumm vor Schreck stehen. Arthur hörte ein leises Hüsteln hinter sich. Als er sich umdrehte, sah er Cicelys Enkelin, deren perfekt gezupfte Augenbrauen so hoch gezogen waren, dass sie schon fast die Stirn verlassen hatten. Es gab nichts, was er sagen oder tun konnte. Sie wussten beide, dass sein Geheimnis innerhalb von einer Stunde Stadtgespräch sein würde.

Kapitel sechs

Teddy

Teddy schluckte zwei Paracetamol-Tabletten, während er allein mit dem Aufzug zum dreizehnten Stockwerk hochfuhr. Er hatte es bis zum Ende der Woche durchgehalten. Jetzt fühlte er sich körperlich und seelisch ausgelaugt, musste es aber nur noch bis achtzehn Uhr schaffen, dann konnte er mit Shakeel etwas trinken gehen.

»Du sorgst besser dafür, dass mich schon ein Pint Bier erwartet«, hatte er Shak vorgewarnt. »Vielleicht auch zwei.«

Der anfängliche Schock über das, was seine Mum ihm und seinen Schwestern am Montagabend mitgeteilt hatte, war einer Mischung aus Traurigkeit und Verwirrung gewichen. Wie zum Teufel konnte Grandad Arthur schwul sein? Teddy hatte in der Nacht kaum geschlafen. Er hatte sich jeden Moment im Haus von seinen Großeltern ins Gedächtnis gerufen, den er je dort verbracht hatte. Da war absolut nichts gewesen, das es verraten hätte. Hätte er nicht *irgendetwas* merken müssen? Sie hatten eine enge Beziehung zueinander gehabt, vor allem nach dem Tod von seinem Dad, Harry. Damals war Arthur so etwas wie eine Vaterfigur für Teddy geworden. Nachdem sein Dad gestorben war, hatte Teddy wochenlang überwiegend bei seinen Großeltern gewohnt, in der verzweifelten Hoffnung, dem Haus zu ent-

kommen, das nun mit schmerzlichen Erinnerungen angefüllt war.

Sein Großvater war von enormer Bedeutung für ihn, dennoch hatte ihn dessen Enthüllung schockiert, sodass er in
den darauffolgenden Stunden, während er die Neuigkeiten verarbeitete, sogar kurz den Schock und die Wut seiner
Mutter nachvollziehen konnte. Als sie am nächsten Morgen
allein in der Küche gewesen waren, hatte Teddy versucht,
mit seiner Mutter zu reden.

»Wirst du heute mit Grandad sprechen?«

»Ich habe ihm nichts zu sagen, Edward«, entgegnete
Elizabeth und tippte weiter auf dem Display ihres Smartphones herum. »Und es wäre mir auch lieber, wenn du keinen Kontakt zu ihm hättest.«

»Was? Du kannst nicht von mir erwarten …«

»Das steht nicht zur Diskussion, Edward. Du meinst vielleicht, dass du der Mann im Haus bist, aber solange du
unter meinem Dach lebst, wirst du meine Wünsche respektieren.«

Teddy konzentrierte sich wieder darauf, sich ein Frühstück zu machen. Es war einfach noch zu früh für einen
Streit.

Fast war es eine Erleichterung, den engen Grenzen des
Hauses zu entkommen und Zeit im Büro zu verbringen.
Immerhin wusste dort niemand etwas. Seine Mutter hatte
ihren drei Kindern eingeschärft, dass nicht ein Wort von
den Neuigkeiten nach außen durchsickern durfte. Für den
Augenblick musste er so weitermachen wie bisher und alles tun, was er konnte, damit seine eigene sexuelle Orientierung geheim blieb.

Entschlossen, alle Ablenkungen mitzunehmen, solange er
konnte, hatte sich Teddy auf jede Aufgabe gestürzt, die ihm

von Dylan gestellt worden war. Alles, was seine Gedanken von den Ereignissen zu Hause ablenkte, kam ihm gelegen. Alles, das hieß: abgesehen von der einen Person, mit der er für den Großteil der Arbeit zusammengespannt war.

»Danke, dass du diese Info gestern Abend noch geschickt hast, Teddy. Das war genau das, was ich gebraucht habe«, sagte Dylan. »Ich werde dir später noch mehr Material schicken.«

»Danke, Dylan«, antwortete Teddy, erfreut über das Feedback. »Ich kann es auch jetzt gleich erledigen, wenn du willst.«

»Das ist nicht eilig. Ich habe heute Morgen noch etwas anderes für euch beide. Sarah vom Online-Ressort braucht eine Zusammenstellung der Reaktionen auf die Dokumentation über die Royals, die gestern Abend gelaufen ist.«

»Die hab ich mir angesehen«, sagte Ben.

»Ich will, dass ihr beide versucht, den Artikel zu schreiben«, erklärte Dylan. »Sarah wird sich beide Texte ansehen und die beste Version veröffentlichen. Das wird euer erster Online-Artikel sein. Sie will ihn bis mittags haben, also legt los.«

»In dieser Art habe ich schon ein paar Artikel geschrieben, das sollte also nicht zu schwierig sein«, erklärte Ben. Teddy gewöhnte sich allmählich daran, dass Ben der Lautere und Aggressivere von ihnen beiden war. Obwohl er noch keine solchen Beiträge geschrieben hatte, hatte er immerhin einige von ihnen gelesen. Normalerweise wurde in diesen Geschichten eine Auswahl an Social-Media-Reaktionen auf die wichtigsten Gesprächsthemen der Sendung zusammengetragen. Nun wünschte er sich, er hätte seinen Schwestern gestern beim Anschauen Gesellschaft geleistet. Dann hätte er sofort gewusst, wonach er suchen musste.

Ursprünglich hatte er vorgehabt, früh zu Bett zu gehen, hatte dann aber nur wach gelegen und bis nach Mitternacht auf sein Smartphone gestarrt. Die lauten Geräusche von Bens Fingern auf den Tasten seines Computers verjagten jetzt aber alle anderen Gedanken aus seinem Kopf.

»Ich habe meinen Text an Sarah geschickt«, sagte Ben zwanzig Minuten vor der verabredeten Zeit zu Dylan. »Gibt es noch irgendetwas anderes, um das ich mich in der Zwischenzeit kümmern kann?«

»Ich schicke dir eine Pressemitteilung per Mail rüber, die ich gerade reinbekommen habe. Du kannst sie ausformulieren, während wir noch auf Teddy warten.«

Teddy verdrehte die Augen. Er hatte nicht beabsichtigt gehabt, dazu noch ein Geräusch zu machen, aber es war so laut, dass es Bens Aufmerksamkeit erregte.

»Ist irgendwas?«

»Mir steckt nur was in der Kehle. Ich bin fast fertig«, sagte Teddy und vermied dabei Blickkontakt mit ihm.

Nur zwei Minuten vor der verabredeten Zeit schickte Teddy seinen Artikel an Sarah. Er wusste, dass der Text nicht seine beste Arbeit war; wenn er eine Chance gegen seinen neuen Rivalen haben wollte, musste er seinen Einsatz erhöhen.

»Warum gehen wir jetzt nicht nach oben und holen uns was zum Mittagessen?«, schlug Dylan mit einem Blick auf seine Uhr vor. »Es wird leichter für einen von euch sein, die schlechte Nachricht zu verdauen, wenn er vorher was im Magen hat.«

Die Mitarbeiterkantine befand sich im siebzehnten Stockwerk. Nach seinem Missgeschick am Montag hatte Teddy den Rest der Woche dort gegessen. Sobald Dylan ihn über den Rabatt für Volontäre informiert hatte, war Teddy auch mehr als froh gewesen, dass er nicht den nächsten Supermarkt nach einem Mittagsangebot absuchen musste. Bisher hatte er es vermieden, mit Ben gemeinsam zu essen, doch jetzt, da Dylan sie in die Kantine begleitete, konnte er sich unmöglich zu einem der wenigen leeren Tische davonschleichen.

»Was glaubst du, wie deine erste Woche so gelaufen ist?«, fragte Ben.

Sie hatten den Großteil ihres Mittagessens schweigend zu sich genommen, nachdem Dylan sie allein gelassen hatte, um mit einem anderen Kollegen zu reden.

»Nicht allzu schlecht. Und du?«

»Besser, als ich erwartet hatte, so wie der Montag angefangen hat.«

Jetzt fängt er schon wieder damit an, dachte sich Teddy, stellt es einfach so dar, als wäre ich schuld, dass irgendjemand vergessen hat, Dylan von ihm zu erzählen.

»Du hast schon klargestellt, was du darüber denkst, Ben. Ich hab's kapiert, du glaubst, ich wäre nur hier, weil meine Mutter ein paar Fäden gezogen hat.«

»Das habe ich nie gesagt«, widersprach Ben. »Du bist eindeutig paranoid, das ist nicht mein Problem.«

»Ein Experte für Journalismus und ein Psychologe. Noch irgendetwas, das ich über dich wissen sollte?«

»Komm schon, du magst eindeutig nicht mit deiner Mutter in Verbindung gebracht werden. Jedes Mal, wenn ihr Name auftaucht, gehst du in die Defensive. Du bist total schnell reizbar.«

»Ich brauche keine Therapiestunde von jemandem, den ich nicht kenne. Warum kümmerst du dich so viel um mich und darum, wer ich bin? Konzentrier dich einfach auf dich selbst, Ben.«

»Das tue ich, Teddy. Das ist genau das, was du nicht verstehst. Leute wie ich, wir arbeiten jeden Tag hart und schaffen es gelegentlich, eine Chance wie diese zu bekommen. Das ist etwas Lebensveränderndes für mich. Dann komme ich hierher und treffe auf jemanden wie dich mit einer Naturbegabung und allen wichtigen Verbindungen. Zu wissen, dass ich für alles ständig kämpfen muss, während es für dich leicht ist, weil irgendjemand ein paar Fäden zieht, das ist einfach ein Schlag ins Gesicht.«

Bevor Teddy auch nur über eine Antwort auf Bens Vorwürfe nachdenken konnte, kam Dylan wieder an ihren Tisch: »Sarah wird zu uns hinunterkommen und euch beiden Feedback geben. Wenn ihr fertig seid, können wir nach unten gehen.«

Als sie zurück an ihren Schreibtischen waren, zog sich Sarah einen freien Stuhl heran und setzte sich zwischen sie.

Teddy hatte sie im Büro schon gesehen. Nach ein paar kurzen, formellen Einleitungssätzen ging sie beide Artikel durch.

»Dieser hatte eine etwas größere Bandbreite an Meinungen, was etwas ist, das wir in diesen Texten wirklich suchen. Wir wollen das wichtigste Gesprächsthema finden, den aktuellsten Standpunkt herausarbeiten und dann eine ausgeglichene Auswahl an Kommentaren wiedergeben«, erklärte sie. Teddy wusste sofort, dass ihm das nicht so gut gelungen war, wie er es hätte machen können. Ben nickte bei jedem Wort, das Sarah sagte.

»Ben, du hattest eine hervorragende Auswahl an Kommentaren von Zuschauern und hast dir außerdem ein paar großartige Meinungen von Berühmtheiten herausgesucht. Netter Kniff, Elizabeth mit einzubeziehen. Damit hat er dich ausgestochen.«

Teddy brauchte einen Moment, um zu begreifen, dass diese Bemerkung ihm galt.

»Meine Mum? Sie hat es kommentiert?«

»Ja, sie hat darüber getwittert«, erklärte Sarah und sah ihn dabei an, als wäre ihm plötzlich ein zweiter Kopf gewachsen.

»Oh. Das habe ich nicht gewusst. Ich bin gar nicht darauf gekommen, nachzuschauen.«

Während der restlichen Unterhaltung schweiften Teddys Gedanken ab, und er begriff erst, dass Sarah Bens Artikel für die Veröffentlichung ausgewählt hatte, als er leise jubelte. Sarah ließ sie allein und fing ein Gespräch mit Dylan an.

»Das ist nicht schlimm, oder?«, fragte Ben und streckte Teddy die Hand aus.

»Überhaupt nicht. Gut gemacht.« Teddy nahm seine Hand und drückte sie fest.

»Das ist schon komisch, oder? Du beschwerst dich ständig über sie, und deine Mum hilft am Ende mir, zu gewinnen.«

Teddy spürte, wie ihm das Blut zu Kopf stieg. Er war ganz allein schuld.

»Hast du Pläne fürs Wochenende?«, fragte ihn Ben, als sie ihre Schreibtische ein paar Stunden später verließen. Teddy konnte kaum glauben, dass er auch nur einen Versuch unternahm, mit ihm zu reden. Bemüht, Größe zu zeigen, antwortete er trotzdem: »Nicht viel. Ich will mich nur mit meinem guten Freund Shakeel treffen. Was ist mit dir?«

»Ich habe später noch ein Date«, sagte Ben mit einem Grinsen im Gesicht. »Es ist mein erstes, seit ich mich letztes Jahr von meinem Freund getrennt habe.«

Teddy gab ein Geräusch von sich, das irgendetwas zwischen einem Grunzen und einem Lachen war. Also war Ben schwul. Eine plötzliche Panik ergriff ihn. Was, wenn Ben feststellte, dass er ebenfalls homosexuell war? Es würde nicht lange dauern, bis diese Klatschinformation Dylan erreichte und dann weiterwanderte zu ... In Teddy wand sich alles.

»Hör mal, ich kann den Freund von mir schon sehen«, sagte Teddy schnell und deutete auf Shakeel, der draußen vor der Glastür wartete. »Ein schönes Date wünsche ich dir ... Wochenende, meine ich, ein schönes Wochenende.«

Schon wieder brannten seine Wangen, als er zum Ausgang eilte.

»Trink das«, sagte Shakeel ein paar Minuten später, während er ein Pint Bier vor Teddy auf den Tisch stellte. »Du siehst absolut fertig aus. Schläfst du überhaupt?«

»In dieser Woche nicht«, antwortete Teddy und trank einen Schluck aus dem Glas. »Du hast überhaupt keine Ahnung. Ich bin total alle.«

»Ich bin ganz Ohr. Erzähl mir, was es Neues gibt.«

Teddy erzählte ihm alles von seiner ersten Woche im Volontariat. Shakeel regte sich genau an den richtigen Stellen auf und verdrehte die Augen darüber, wie Ben durch die Berücksichtigung der Tweets von Teddys Mum den Artikel bekommen hatte.

»Was zur Hölle? Er wusste doch genau, was er da getan hat, und dass er es dir nicht gesagt hat, zeigt nur, wie hinterhältig er ist. Das ist ein absolutes No-Go.«

»Ich meine, es war schon echt schlau, wenn man mal darüber nachdenkt. Es hat mich in Verlegenheit gebracht und hat mich zugleich dumm aussehen lassen. Auch wenn sein Text besser war: Er wusste, was er tat, indem er die Tweets von meiner Mum eingebaut hat.«

»Der Typ verheißt nichts Gutes, das sage ich dir«, erklärte Shakeel. »Du schuldest ihm gar nichts. Mach mal Dampf und zeig ihm, wie Teddy Marsh die Sachen regelt.«

»Danke, Kumpel, du hast recht. Ich muss mir wieder klarmachen, dass das genau das ist, was ich will. Ich bin auch gut darin!«

»Du sagst es«, bekräftigte Shakeel grinsend. »In ein paar Monaten wirst du dich kaum mehr an ihn erinnern können.«

Sobald sie das Thema Ben erschöpfend behandelt hatten, hörte Teddy Shakeel zu, als dieser ihm von seinem eigenen Büro-Drama erzählte.

»Es beeindruckt mich, wie du für dich selbst einstehst, Shak«, sagte Teddy.

»Ehrlich gesagt hat mich das auch überrascht. Ich lasse mich halt nicht so leicht überfahren, wenn ich weiß, dass ich das Richtige getan habe.«

»Genau, Kumpel! Ich bin verdammt stolz auf dich.«

Shakeel strahlte ihn an. »Danke, Teddy. So, ich hole uns noch Drinks.«

Kaum war er unterwegs, dämmerte es Teddy plötzlich, dass er Shakeel nicht erzählt hatte, was diese Woche zu Hause passiert war. Nachdem er dann mit ihren Getränken zurückgekommen war, saß Shakeel fassungslos schweigend da, während Teddy ihm von der schockierenden Enthüllung seines Großvaters berichtete.

»Also: Sie hat seit Tagen nicht mit ihm gesprochen, aber zu Hause verhält sie sich, als wäre alles total normal.«

»Verdammte Scheiße, ich wusste ja, dass deine Familie … du weißt schon. Aber dein Grandad? Wow. Darauf wäre ich nie gekommen.«

»Oder? Also ja, es war eine total normale, ruhige Woche.«

Shakeel saß eine Weile schweigend da, bevor er sein Glas vollständig leerte.

»Es ist wirklich traurig, wenn man darüber nachdenkt«, sagte er. »Arthur hat das die ganzen Jahre geheim gehalten, und wir haben keine Ahnung, warum. Doch jetzt sitzen wir da und fragen uns, wieso wir nichts bemerkt haben.«

»Ich gehe morgen zu ihnen. Ich habe schon darüber nachgegrübelt, ob ich ihm das von mir erzählen soll, aber ich will nicht alles noch schlimmer machen.«

»Glaubst du, er weiß, dass du schwul bist?«, fragte Shakeel plötzlich.

»Darüber hab ich tatsächlich noch nicht nachgedacht. Ich war so auf die Frage konzentriert, warum ich nichts bei ihm bemerkt habe.«

»Er hätte doch etwas gesagt, oder?«

»Denkst du denn, er hätte was merken können? Ist es so offensichtlich bei mir?«

»Ich habe dich schon gesehen, wie du sturzbetrunken um drei Uhr nachts zu Lady Gaga getanzt hast, ich kann das nicht objektiv beurteilen.«

Teddy verbarg den Kopf in den Händen. »Kumpel, erinner mich bloß nicht daran.«

»Hey, du brauchst dich nicht zu schämen. Du hast ein paar gute Moves drauf.« Shakeel lachte.

Die Bar hatte sich im Lauf des Abends immer mehr mit jungen Berufstätigen gefüllt, die alle versuchten, das Heimkommen in ihre überteuerten Miniwohnungen so lange wie möglich hinauszuzögern. Teddy hatte eine spezielle, besonders laute Gruppe genau im Blick behalten, die nach jeder Runde Drinks immer mehr Krawall veranstaltete. Große Männergruppen hatten ihm schon immer Angst gemacht, als müsste er nur abwarten, bis jemand ihn herauspicken würde, weil er anders war, um ihn ohne Grund zu attackieren.

»Ich gehe noch zur Toilette, dann können wir aufbrechen«, sagte Shakeel.

Relativ leicht bahnte er sich seinen Weg durch die Menge, die den kleinen Raum füllte und nur wenig freie Fläche ließ. Mit seinen eins neunzig war Shakeel schon immer der Größte in allen Gruppen gewesen, mit denen Teddy unterwegs war. Teddy beobachtete, wie sein Freund den lauten Pulk erreichte. Sogar bei dem von ihnen veranstalteten Krach hallte das wütende Knurren deutlich durch den ganzen Pub.

»Pass auf, wo du hintrittst, Schwuchtel!«

Bevor Teddy irgendeine Chance hatte, zu ihm zu gelangen, schob sich Shakeel bereits zu ihm zurück, packte ihn an den Schultern und zerrte ihn aus dem Pub.

Sie stürzten aus der Tür. »Warum hast du das gemacht?«, schrie Teddy ihn an, sobald ihnen kalte Luft entgegenschlug. »Du hast doch gehört, wie er dich genannt hat!«

»Natürlich. Alle haben es gehört. Und? Das ist kein Grund, dass du dich einmischen musst.«

»Aber er ...«

»Nichts aber, Teddy! Du musst mich nicht verteidigen.«

»Er hat dich beschimpft!«

»Genau: mich, nicht dich. Ich bin derjenige, bei dem er das Regenbogzeichen an der Kleidung entdeckt hat. Ich bin derjenige, der sich geoutet hat. Wenn ich mich nicht in eine Prügelei verstricken lassen will, dann ist das meine Entscheidung.«

»Du solltest einmal für dich einstehen, Shak. Lass dich nicht länger von solchen Leuten niedermachen.«

»Da musst gerade du reden, Teddy«, spie Shakeel ihm

entgegen. »Und warum sollte ich solchen Typen die Genugtuung geben? Das sind ignorante Trottel.«

Tief in seinem Inneren wusste Teddy, dass Shakeel recht hatte. Das war ein Streit, den sie bereits viele Male miteinander ausgefochten hatten. Er war schon immer hitzköpfig gewesen, wenn es darum ging, sich selbst und seine Freunde zu verteidigen, und er hatte nur schwer verstanden, wie Shakeel die verbalen Angriffe ertragen konnte, denen er regelmäßig ausgesetzt war.

»Ich weiß es zu schätzen, dass du mich immer verteidigst, Teddy, aber manchmal kann das mehr Schaden anrichten, als es nützt.«

Teddy hoffte, es würde als eine Art Entschuldigung durchgehen, wenn er Shakeel jetzt ein Taxi für den Nachhauseweg rief. Seine App zeigte ihm an, dass sich bereits eines in ihrer Straße befand. Er sah, wie es um die Ecke bog und neben ihnen langsam anhielt.

»Das ist für dich«, sagte er beim Öffnen der Tür.

Shakeel stieg ein, ohne noch etwas zu sagen.

»Gute Nacht«, sagte Teddy und schloss die Autotür.

Sobald Shakeel auf dem Heimweg war, rief sich Teddy selbst auch ein Taxi. Während der Fahrt dachte er über Shakeels Worte nach. Vielleicht hatte er recht. Die Sache hätte schnell eskalieren können; Shakeel hatte das Richtige getan, als er ihn aus dem Pub gezerrt hatte. Es gab zu viele Geschichten darüber, wie sich solche Situationen scheußlich entwickeln konnten. Und zurzeit schien jeder Tag fürchterliche Neuigkeiten bereitzuhalten, bei denen ihm schlecht wurde. Er musste lernen zu erkennen, wann er sich zurückhalten sollte, um nicht nur sich selbst, sondern auch alle in seinem Umfeld zu schützen.

Teddy wusste nicht, wann er eingedämmt war, aber er

wurde von dem Fahrer durch einen Klaps gegen das Bein geweckt. »Kumpel, wir sind da. Komm schon, raus mit dir. Du willst doch nicht die Reinigungsgebühr zahlen, wenn du dich übergeben musst.«

Nachdem er vom Rücksitz geklettert war, fühlte Teddy sich noch leicht benommen, weil sein Kopf gegen die Autotür gestoßen war. Also ging er ein bisschen in der Einfahrt hin und her, um frische Luft einzuatmen. Der Kies unter seinen Schuhen knirschte laut, während er so dahinschritt und zum klaren Nachthimmel aufsah. Das Licht am Vordach ging an und lenkte ihn von den Sternen ab.

Eleanor öffnete die Vordertür. »Da sieht jemand so aus, als hätte er einen schönen Abend gehabt.«

»Ha, das wäre schön, es hätte besser sein können«, entgegnete Teddy.

»Nun ja, immerhin warst du nicht hier.«

»Warum, was zum Teufel ist jetzt schon wieder los?«

»Alle wissen es. Grandad ist das Stadtgespräch von ganz Northbridge.«

Teddy stöhnte. Das war das Letzte, was er gebraucht hatte.

Kapitel sieben

Arthur

Madeleine war dabei, Teig auf der großen Granitarbeitsplatte auszurollen. Als sich Arthur ihr gegenüber hinsetzte, um ihr bei der Arbeit zuzusehen, verteilte sie gerade Mehl darauf. Er hatte ihr schon immer gesagt, dass sie das Backen zu ihrem Beruf machen könnte. Ihre Brote und Kuchen schmeckten besser als alles, was er irgendwo sonst im Land schon einmal gekostet hatte. Zu bescheiden, um dieses Lob anzunehmen, hatte sie stattdessen darauf beharrt, es bei einem Hobby zu belassen, weil sie das Backen ja genoss. Das Einzige, was sie ärgerte, war, dass ihre Kinder nie Interesse gezeigt hatten, es von ihr zu lernen.

»Wie viel wirst du Teddy erzählen?«, fragte sie mit einem Blick zu ihrem Ehemann.

»Genug von dem, was er wissen muss. Er wird dieselben Fragen haben wie Elizabeth, nur wird er vielleicht tatsächlich zuhören.«

»Er ist ein guter Junge. Die Kids verstehen heutzutage so viel mehr von der Welt um sie herum.«

»Haben wir bei Elizabeth irgendetwas falsch gemacht?« Er hatte nicht vorgehabt, dieses Thema anzusprechen, aber er hatte sich selbst gefragt, ob er irgendwie Schuld an Elizabeths Verhalten trug.

»Du kennst die Antwort auf diese Frage, Arthur. Das hat nichts damit zu tun, dass du homosexuell bist, das darfst du keine Sekunde denken. Sie ist verletzt und verwirrt, aber sie wird damit zurechtkommen.«

Arthur blickte zur Uhr hoch. Noch zwei Stunden. Er konnte es gar nicht erwarten, seinen Enkel in die Arme zu schließen.

Es läutete an der Tür, der Klang der Glocke hallte dabei durch das ganze Erdgeschoss. Madeleine und Arthur hielten inne und starrten einander an. Es war noch zu früh für Teddy.

»Ich gehe schon«, sagte Madeleine, wischte sich die Hände an einem neben ihr liegenden Geschirrtuch ab und schob die inzwischen fertig geformten Scones in den Ofen. Sie trippelte aus der Küche und in die Eingangsdiele hinunter. Arthur lauschte aufmerksam, wie Madeleine die Tür öffnete und dann von einer vertrauten Stimme begrüßt wurde.

»Es tut mir so leid, dass ich unangekündigt vorbeikomme.« Die schrille Stimme von Harriet Parker ertönte in der Diele. »Ich konnte nicht abwarten bis morgen bei der Versammlung, ich musste einfach vorbeikommen und mich vergewissern, dass es dir gut geht.«

»Das ist sehr nett von dir, Harriet. Es ist alles absolut in Ordnung, warum sollte es das auch nicht sein?«

»Fürchterlich, wie schnell sich solche Gerüchte verbreiten. Ich dachte, ich hätte mich verhört, als Alice und Iris darüber gesprochen haben, aber dann hat sich Agnes nach euch beiden erkundigt, und da musste ich einfach gleich herkommen, um mich selbst zu vergewissern.«

Arthur stand von seinem Stuhl auf und ging näher an die Tür heran. Er konnte sehen, wie Madeleine vor dem Eingang stand und ihm so die Sicht auf ihre Besucherin versperrte. Er war noch nie begeistert gewesen von den Parkers. Harriet und ihr Mann wohnten ein paar Minuten weiter an derselben Straße. Sie waren die Sorte Nachbarn, die man in den ersten sechs Monaten gerne um sich hatte, bei denen man dann aber irgendwann so tat, als wäre man nicht zu Hause, wenn sie schon wieder unangekündigt vor der Tür standen.

»Du wirst mich aufklären müssen, was du mir eigentlich zu sagen versuchst, Harriet.«

Diesen Tonfall kannte Arthur. Er war immer noch freundlich, jetzt aber durchdrungen von einer kaum subtilen Ungeduld; eine erste Warnung, dass Madeleine das Katz-und-Maus-Spiel von Harriet nicht länger tolerieren würde.

»Es ist wegen deinem lieben Arthur.«

Sie flüsterte die Worte so leise, dass Arthur sie gerade noch vernehmen konnte. Ihm drehte sich der Magen um. Wenn Harriet Parker bereits bei ihnen vor der Tür stand, dann war es sicher, dass das Geschwätz bereits zum zweiten oder zum dritten Mal die Runde durch ganz Northbridge machte. Arthur holte tief Luft und trat hinter der Tür hervor.

»Madeleine, dein Handy vibriert«, sagte er und versuchte dabei, überrascht auszusehen, dass sie eine Besucherin an der Tür stehen hatten. »Ah, Harriet, wie reizend, dich zu sehen.«

»Oh, Arthur! Du bist hier. Ich war mir nicht sicher, ob du da sein würdest.«

»Aber warum denn?«

Die Frage überrumpelte Harriet völlig, und ihr Mund blieb gefährlich weit offen stehen, während sie innerlich um eine Antwort zu ringen schien. Ohne es zu wollen, genoss er es, wie sie verzweifelt nach etwas suchte, das sie sagen konnte.

»Ich will dich ja nicht hetzen, aber unser Teddy kommt gleich auf Besuch«, fuhr Arthur fort.

»Gibt es noch irgendetwas anderes, mit dem wir dir helfen können? Brauchst du vielleicht eine Tasse Zucker?«

Sie bemühte sich um ein leises Lachen. »Nein. Überhaupt nicht. Ich wollte nur Hallo sagen und …«

Ihre Stimme versiegte, bevor sie herausfinden konnten, was Harriet möglicherweise noch hatte sagen wollen.

Sie sah verwirrt und enttäuscht von ihrem wenig erfolgreichen Besuch aus, als sie ihnen noch ein knappes Lächeln schenkte, um dann die Einfahrt hinunterzugehen. Noch bevor Arthur und Madeleine die Tür geschlossen hatten, tippte sie bereits auf ihrem Smartphone herum.

»Nun, das könnte die Tratschtanten vielleicht noch für ein paar Stunden fernhalten«, merkte Arthur an.

»Sie wird zurückkommen, mach dir da keine Sorgen. Du weißt doch, wie Northbridge ist. Wahrscheinlich hat sie bereits den Stadtrat zusammengetrommelt, um sie zu warnen, dass du immer noch hier lebst.«

»Wieso bleibst du so ruhig?«

»Ich habe es dir doch gesagt: Du hast deine Opfer schon gebracht, jetzt lasse ich dich das nicht allein durchstehen.«

»Sie urteilen über dich. Sie werden sagen, du solltest mich in den Müll werfen, sie werden wissen wollen, warum du nicht im Vorgarten stehst und meine Klamotten verbrennst.«

Madeleine lachte. »Lass sie doch! Solange wir unsere Familie haben, werden wir das durchstehen und du wirst … nun, du wirst derjenige sein, der du immer schon sein solltest. Das hast du verdient.«

»Ich will nur, dass du weißt, wie leid es mir tut. Ganz egal, was alles erzählt wird: Ich wollte dir nie wehtun, und ich wollte nie, dass du all das durchmachen musst.«

»Das haben wir doch schon besprochen, Arthur. Wir haben getan, was wir tun mussten, und nichts wird dafür sorgen, dass ich es bereue.«

Sie ging direkt zum Ofen, um nach ihren Scones zu sehen. Der Geruch erfüllte die Küche, als sie jeden einzelnen goldbraunen Scone vom Blech hob und zum Abkühlen vorsichtig auf ein Gitter legte.

»Denk dran, ich habe sie gezählt«, sagte sie und lächelte Arthur warnend an.

Fix und fertig wartete Arthur an der Tür, als Teddy ankam. Er musste seinen Enkelsohn einfach über das ganze Gesicht angrinsen, wie er da die Einfahrt hochlatschte. An den Tag, an dem Teddy geboren wurde, erinnerte er sich, als wäre es erst gestern gewesen: sein erster und einziger Enkelsohn. Er war so stolz auf den hübschen jungen Mann, zu dem er herangewachsen war.

»Du siehst aus, als wäre es gestern Abend spät geworden«, sagte Arthur, während er Teddy in seine Arme schloss. »Es ist wirklich toll von dir, herüberzukommen.«

»Sei nicht albern, natürlich musste ich kommen. Es tut mir nur leid, dass ich die ganze Woche abwarten musste.«

»Die Arbeit ist viel wichtiger, junger Mann, ich hoffe bloß, all das war keine zu große Ablenkung.«

»Nein, mach dir da keine Sorgen. Ich erzähl dir später alles darüber, versprochen.«

Madeleine wartete im Wohnzimmer auf sie, als sie hereinkamen. »Hallo, Liebling, es ist so schön, dich zu sehen.« Teddy gab ihr einen Kuss auf die Wange.

»Hallo, Nan. Ich konnte die Scones schon in der Einfahrt riechen.«

»Sie sind ganz frisch, hoffentlich bist du hungrig.«

Sie ging aus dem Raum, während sich Arthur und Teddy auf das große Sofa setzten.

»Was glaubt deine Mutter, wo du bist?«

»Ich habe einfach gesagt, dass ich den Nachmittag mit Shak und Lexie verbringen will.«

»Wie geht es deinen Schwestern?«

»Es geht ihnen gut. Sie lassen dich beide grüßen.«

»Das ist gut«, sagte Arthur. »Und deiner Mum?«

»Du weißt doch, wie sie ist. Ich habe gestern von dem Zeitungsladen gehört.«

»Ich habe sie noch nie so wütend gesehen. Jetzt wissen es natürlich alle. Es gibt doch nichts, was diese Stadt mehr liebt als frischen Tratsch.«

»Ich würde mir keine Gedanken wegen ihnen machen, Grandad. Lass sie doch reden.«

Arthur hatte versucht, nicht über die Auswirkungen seines Coming-outs nachzugrübeln. Der Besuch von Harriet war ein früher Hinweis darauf gewesen, dass es nicht so leicht werden würde, in der Nachbarschaft und im Freundeskreis auf Akzeptanz zu stoßen.

»Ich kann mir wirklich keine Gedanken über all die anderen machen, solange ich mir nicht sicher bin, dass es Elizabeth, Patrick und euch Kindern gut geht. Jetzt im Moment geht es um niemand anderen.«

»Nun, ich hoffe, du weißt, dass dein Schwulsein nichts ändert. Du bist immer noch mein Grandad, und ich hab dich sehr lieb.«

Arthur hatte überhaupt keine Chance, sich zusammenzureißen. Die geballten Emotionen der ganzen Woche trafen ihn. Er zog ein Papiertaschentuch aus der Schachtel auf dem Tischchen beim Sofa. Madeleine hatte es, so einfühlsam wie immer, erst kurz vor Teddys Ankunft daraufgestellt.

»Entschuldige, ich wollte dich nicht traurig machen.«

»Nein, sei nicht dumm, Bursche. Ich bin derjenige, der albern ist. Es war eine lange Woche ... ein langes Leben.«

»Ich weiß nicht, ob du zu viel darüber reden willst. Wir können das auch ein andermal machen, wenn es dir lieber ist.«

»Es macht mir nichts aus, wenn du Fragen hast, was sicherlich der Fall ist. Ich werde mich bemühen, sie zu beantworten.«

Arthur wusste, dass er Teddy am besten die Möglichkeit einräumte, alles zu fragen, was er wollte. Denn nur so konnten er und seine Schwestern zu verstehen beginnen. Das kam ihm wie das Mindeste vor, das er ihnen schuldete.

»Ich schätze: Wie lange weißt du es schon?«, sagte Teddy schnell. Arthur ahnte, dass ihm diese Frage schon auf der Zunge gelegen hatte.

»Würdest du es mir glauben, wenn ich sage, schon immer?«

»Wirklich?«, wollte Teddy mit erhobenen Brauen wissen.

»Ich glaube schon. Es war eine andere Zeit. Sogar in einer Stadt, die so nahe am goldenen Glanz der Hauptstadt liegt, war es unmöglich, so zu leben.«

»Und du bist trotzdem hiergeblieben. Du hättest weglaufen und dein eigenes Leben irgendwo anders leben können.«

»So einfach war es nicht, Teddy. Ich konnte nicht einfach davonlaufen. Ich hatte Verantwortung für die Familie. Das Geschäft. Du hast das Universitätsstudium aufgegeben und bist wegen deiner Mutter und den Mädchen hiergeblieben, nachdem dein Vater gestorben ist. Wir treffen Entscheidungen und müssen mit ihnen leben.«

»Aber du hast aufgegeben, der zu sein, der du bist.«

»Das ist schwer zu verstehen, ich weiß. Ich will die Opfer, die ich gebracht habe, aber nicht bereuen. Wie könnte ich das auch, wenn ich mit dir hier sitze? Wir treffen gute und schlechte Entscheidungen, doch wir sollten uns nicht von dem definieren lassen, was wir bereuen. Ich bin nicht perfekt, aber ich hoffe, dass die Leute, die ich liebe, sich nach meinem Tod wegen der guten Dinge an mich erinnern. Und dass sie wissen, dass ich mein Bestes für sie gegeben habe.«

»Ich bin wirklich stolz auf dich«, sagte Teddy.

Diese Aussage überrumpelte Arthur. Es war eine Sache, von den Leuten aus seinem Umfeld akzeptiert zu werden, doch dass sein einziger Enkelsohn sagte, er sei stolz auf ihn, das bedeutete ihm alles.

»Bist du das wirklich?«

»Natürlich bin ich stolz auf dich. Es steht dir zu, glücklich zu sein, egal in welchem Alter. Als Dad gestorben ist, dachte ich, ich würde nie mehr glücklich sein, aber du hast mir gezeigt, dass ich es kann. Wenn Nan es versteht, solltest du dir über niemanden sonst Gedanken machen.«

»Ich wünschte, das wäre so.«

»Es ist wegen Mum, oder?«

»Ich würde alles dafür geben, dass sie jetzt durch diese Tür hereinkommt und mich einfach umarmt.«

»Ich finde, sie denkt nur an sich.«

Arthur kniff die Augen zusammen und schüttelte den Kopf. »Ich weiß, dass sie hart sein kann, aber deine Mutter ist eine unglaublich liebenswerte Person. Wenn sie bereit dazu ist, wird sie mit mir reden, und dann kann ich ihr hoffentlich helfen, es zu verstehen.«

»Ich werde alles tun, was ich kann, damit sie klarsieht.«

»Dräng sie nicht zu sehr. Lass sie in ihrem eigenen Tempo zu dem Punkt kommen.«

»Aber das ist nicht fair dir gegenüber.«

»Teddy, ich habe all diese Jahre gewartet. Ich kann deiner Mutter so viel Zeit geben, wie sie braucht.«

»Aber das kann ich nicht«, sagte Teddy und sprang so schnell von seinem Stuhl auf, dass Arthur erschrak. Er beobachtete, wie sein Enkelsohn, mit dem Kopf in den Händen vergraben, im Raum auf und ab marschierte und dabei irgendetwas vor sich hinmurmelte, das er nicht wirklich verstand. So hatte er ihn noch nie zuvor gesehen.

»Was ist los, Teddy?«

»Das alles. Ich will einfach nur, dass alles wieder normal ist. Ich will meine Familie zusammen haben.«

»Das wird sie wieder sein. Deine Mum wird wieder zu sich kommen, und alles wird seinen normalen Gang gehen.«

»Du verstehst nicht, was ich meine. Das wird es nicht sein. Ich habe doch jetzt erlebt, was sie empfindet.«

Arthur schüttelte den Kopf. Teddy hatte recht. Er verstand nicht, was er meinte. Er sah, wie sein Enkel stehen blieb und tief einatmete.

»Es geht nicht nur um dich, Grandad. Es geht auch um mich.«

»Du hast deine Mum verärgert?«

»Sie weiß es nicht einmal. Wahrscheinlich wird sie mich genauso ausstoßen, sobald sie es weiß.«

»Teddy, willst du sagen …«

»Ich bin schwul! Ich bin auch schwul.«

Für den Bruchteil einer Sekunde dachte Arthur, Teddy würde gleich umkippen, denn es sah so aus, als würden seine zitternden Beine unter ihm nachgeben.

»Setz dich hin«, sagte er und half Teddy auf den Stuhl. »Besser?«

Teddy sah mit Tränen in den Augen zu ihm auf.

»Ich kann nicht fassen, dass ich das gerade einfach laut gesagt habe. Es tut mir leid, ich wollte nicht einfach so damit herausplatzen. Ich hatte nicht geplant, es heute zu sagen, aber als ich dich reden gehört habe über die Dinge, die du bereust, und darüber, die richtigen Entscheidungen zu treffen ... Ich kann nicht hier sitzen und dich anlügen, nicht, nachdem du so mutig warst.«

Arthur konnte gar nicht glauben, was er gerade gehört hatte. Fast war er versucht, ihn zu bitten, es zu wiederholen, aber das Lächeln auf dem Gesicht seines Enkels schien dafür zu genügen. Er hatte schon immer gewusst, dass Teddy ein bisschen anders war als die anderen Jungen seines Alters, aber sie hatten das immer auf seine schüchterne Art geschoben. Als Arthur jetzt Teddys Lächeln erwiderte, ergab plötzlich alles mehr Sinn.

»Du hast wirklich nicht gewusst, dass ich schwul bin?«

»Genauso wenig, wie du gewusst hast, dass ich es bin.«

Sie brachen beide in lautes Gelächter aus. Arthur konnte sich gar nicht daran erinnern, wann ihm zum letzten Mal der Bauch vom Lachen so wehgetan hatte. Der Geräuschpegel war so hoch, dass Madeleine mit besorgtem Gesichtsausdruck zu ihnen ins Wohnzimmer geeilt kam.

»Ist alles in Ordnung bei euch?«, fragte sie und sah die beiden an.

»Entschuldige, Nan. Uns geht es gut. Wir schwelgen nur in alten Erinnerungen.«

»Oh, gut, der Krach hat mich nur überrascht. Kommt ihr beiden zum Tee?«

»Wir kommen sofort«, sagte Arthur, während er sich mit einem leisen Stöhnen vom Sofa hochstemmte.

»Weiß es sonst noch irgendjemand, Teddy?«, fragte er, sobald sie wieder allein waren.

»Noch nicht. Ich weiß nicht, was ich tun soll. Wie kann ich es Mum nur sagen, wenn sie bei dir so schlecht reagiert hat?«

»Sie ist immer noch deine Mutter.«

»Und du bist immer noch ihr Vater. Ich weiß, was du meinst, aber ich bin einfach noch nicht bereit dazu, mit allem umzugehen. Jetzt noch nicht.«

»Das verstehe ich. Denk nur daran: Jeder Tag, an dem du nicht ehrlich dazu stehst, wer du bist, ist ein verschwendeter Tag. Ich weiß, dass ich sehr viel Glück hatte, ein gutes Leben zu haben, aber du verdienst das beste Leben, das Leben, das du wirklich willst, nicht eines, von dem die anderen denken, du solltest es führen. Lern aus meinen Fehlern, Teddy, das ist der wichtigste Ratschlag, den ich dir geben kann. Jetzt komm, deine Nan wollte mich diese Scones nicht probieren lassen, bevor du da warst.«

Kapitel acht

Teddy

Den Rest des Nachmittags konnte Teddy nicht aufhören zu lächeln. Es erinnerte ihn an die Ferien von der Uni, in denen er viel Zeit mit Shakeel hier verbracht hatte. Glücklich und zufrieden hatten sie stundenlang den Geschichten seines Grandads gelauscht, während seine Nan sich um ihr leibliches Wohl gekümmert hatte.

Als Teddy nach Hause kam, holte er sich eine Flasche Wasser aus dem Kühlschrank und flüchtete damit nach oben, ohne dass er jemandem begegnete. Sein Zimmer war sein Safe Space. Die Regale, die sein Vater für ihn aufgestellt hatte, waren immer noch mit verschiedenen Preisen aus seiner Schulzeit gefüllt. Er war immer stolz auf seine Erfolge gewesen, auch wenn die Auszeichnung »Excellence in English« in vier aufeinanderfolgenden Jahren bedeutet hatte, dass er von seinen Klassenkameraden gehänselt wurde.

Und dann war sein Vater gestorben. Danach kamen die Streitigkeiten mit seiner Mutter, als Teddy beschlossen hatte, in Northbridge zu bleiben, statt sein Studium an der Universität wieder aufzunehmen. Teddy konnte sich nicht dazu durchringen, den Ort zu verlassen, an dem er sich seinem Dad am nächsten fühlte. Nachdem Shakeel fort war, hatte sich Teddy vom Familienleben abgekapselt. Erst nach einigen regelmäßigen Terminen bei einer Trauerberatung – was seine Nan vorgeschlagen hatte – hatte Teddy wieder einen Weg nach vorn gesehen. Er musste für seine Mum und seine Schwestern da sein, und das war unmöglich, wenn er sie zurückließ. Er musste aber auch an seine eigene Zukunft denken; das hätte sein Vater so gewollt.

Teddy ließ sich auf sein Bett fallen und stopfte sich zwei Kissen unter die Brust. Dann öffnete er den Laptop und klickte bei Shakeels Namen auf Anrufen. Er würde nicht zulassen, dass der vergangene Kneipenabend sich zu mehr als einer bedeutungslosen Unstimmigkeit entwickelte. Es klingelte fast eine ganze Minute, bevor Shakeel den Anruf endlich entgegennahm.

»Hallo«, sagte er und sein Gesicht ploppte auf dem Bildschirm auf. Es leuchtete knallrot und glänzte vor Schweiß.

»Entschuldige, Kumpel, wenn ich dich in einem privaten Augenblick störe.«

»Reiß dich zusammen.« Shakeel grinste. »Der verdammte Spin-Kurs hat mich fertiggemacht, aber das habe ich gebraucht nach gestern Abend.«

»Da geht es uns ähnlich.« Teddy lachte. »Hör mal, wegen gestern Abend, ich will mich einfach noch mal bei dir entschuldigen.«

»Ist schon vergessen, aber wenn wir schon dabei sind: Mir tut es auch leid. Ich weiß, dass du es gut meinst und dass du dich nur einmischen wolltest, weil du dich um mich sorgst. Egal, wie lief es heute mit Arthur?«

Shakeel richtete seine Kamera anders aus, sodass sein ungemachtes Bett nicht mehr zu sehen war. Teddy hatte noch keine Gelegenheit gehabt, ihn in seiner neuen Einzimmerwohnung zu besuchen. Shakeel hatte erklärt, dass sie lächerlich klein sei, dass er sie wegen der Lage aber nicht hatte ausschlagen können. Er musste nur fünf Minuten bis zu seinem Arbeitsplatz laufen, und sie war von Bars und Cafés umgeben.

»Ehrlich? Besser, als ich erwartet hatte«, entgegnete Teddy. »Am Anfang war es ein bisschen seltsam, bei ihm und Nan zu sein, aber nach einer Weile war es, als hätte sich nichts geändert.«

»Hat er verraten, warum er sich entschlossen hat, sich jetzt zu outen?«

»Nö, nur dass er älter wird und gewusst hat, dass er die Gelegenheit jetzt ergreifen muss.«

»Ich kriege das immer noch nicht alles in den Schädel. Ich hätte niemals so lange abwarten können.«

»Nur weil du unbedingt schneller sein wolltest als ich«, zog Teddy ihn auf. »Und wo wir schon dabei sind: Ich habe da gute Nachrichten für dich.«

»Oh, wirklich?«, fragte Shakeel und lehnte sich auf seinem Stuhl zurück, bis sein Kopf fast den Bildschirm verließ.

»Ich habe Grandad erzählt, dass ich schwul bin.«

Die Sekunden, die verstrichen, bis Shakeel die Worte nicht nur gehört, sondern auch begriffen hatte, kamen Teddy wie eine Ewigkeit vor. Teddy brach in Lachen aus, als er sah, wie der verwirrte Gesichtsausdruck seines besten Freundes einem strahlenden Lächeln wich.

»Verdammte Scheiße! Das ist unglaublich, Teddy! Ich bin so stolz auf dich. Erzähl mir alles.«

»Das war überhaupt nicht geplant. Wir haben uns einfach unterhalten, und dann habe ich es plötzlich gesagt.«

»Was hat er gesagt?«

»Typisch Grandad.« Teddy lachte, er spürte, wie ihn bei der Erinnerung an das gute Gefühl ein leichter Schwindel packte. »Er ist ganz selbstverständlich damit umgegangen.

Aber er hat keine Ahnung gehabt, da haben wir also etwas gemeinsam, nehme ich an.«

»Heißt das, du wirst es den anderen auch sagen?«

»Jetzt noch nicht. Ich kann es einfach nicht erzählen, solange Mum immer noch nicht mit Grandad redet. Hör mal, Shak, da ruft mich irgendjemand, ich sollte besser nach unten gehen. Wir hören dann morgen voneinander, ja?«

»Kein Problem. Schreib mir einfach, wenn du dich bei noch irgendjemandem outest.«

Teddy grinste und winkte in die Kamera, dann klappte er den Laptop zu.

Unten angekommen, setzte sich Teddy neben Eleanor, gegenüber von seiner Mum und seiner jüngeren Schwester, an den Tisch. Sie hatten sich ihre Teller bereits mit dem chinesischen Essen beladen, das ihre Mutter mitgebracht hatte. Teddy hatte gar nicht bemerkt, wie hungrig er war, bis er sich jetzt das Essen auf den Teller schaufelte.

»Nett von dir, dass du uns Gesellschaft leistest, Edward. Ich war mir nicht sicher, ob du in der Stadt schon isst, bevor du heimkommst.«

»Nein, da hab ich mir nur eine Kleinigkeit geholt.«

»Gut, es ist doch nett, wenn wir alle zusammen essen. Wir haben dich die ganze Woche ja kaum gesehen.«

»Entschuldigt, die Arbeit war recht herausfordernd.«

Bei der Erwähnung der Arbeit leuchteten die Augen seiner Mutter auf. Augenblicklich bereute er, was er gesagt hatte. »Wie findest du es? Ist es nicht fürchterlich aufregend bei den Nachrichten?«

»Ja, es ist gut. Ich denke, ich lerne eine Menge.«

»Das ist hervorragend. Ich wusste, dass Dylan ein großartiger Mentor für dich sein würde.«

»Woher hast du gewusst, dass ich mit Dylan arbeite?

Halt, beantworte das nicht. Ich glaube nicht, dass ich es wissen will.« Er aß ein Stück Frühlingsrolle.

»Entschuldige, Edward, pass bitte auf deinen Tonfall auf, wenn du mit mir redest.«

»Ich habe gar keinen Tonfall. Ich habe nur vergessen, dass du über jedes kleine Detail informiert sein musst.«

»Ich finde, dass ich jedes Recht habe, zu wissen, wie sich mein Sohn so schlägt, vor allem nachdem ich mich so bemüht habe, dir diese Gelegenheit zu verschaffen.«

»Das hast du, Mum. Du hast jedes Recht dazu. Aber du kannst mich einfach fragen. Ich bin hier und kann dir alles erzählen, was du wissen willst.«

»Reagier nicht über, Edward. Ich dachte, es könnte eine gute Idee sein, hin und wieder bei Dylan nachzufragen, ob alles gut läuft. Du bist ja nicht immer so gesprächig, wie du sein könntest, weißt du.«

»Ich hätte es dir erzählt, wenn du gefragt hättest.« Teddy spürte, wie ihm das Blut zu Kopf stieg, obwohl er versuchte, ruhig zu bleiben. Genau über solche Dinge gerieten sie am Ende immer in Streit. »Und vielleicht würde ich auch mehr über diese Dinge mit dir reden, wenn du nicht immer automatisch davon ausgehen würdest, dass du weißt, was am besten für mich ist.«

Eleanor schlug mit der flachen Hand auf den Tisch, sodass beide zusammenschraken. »Das reicht!«, fauchte sie und starrte sie an. »Können wir einfach nur ein Abendessen haben, bei dem wir so tun, als wären wir irgendwie normal?«

»Entschuldige, El, das wollte ich nicht …«

»Nein, Teddy, du willst es nie, aber es endet immer gleich. Redet einfach miteinander, statt zu streiten, oder was auch immer ihr macht.«

Nach Eleanors Standpauke aßen sie einige Minuten schweigend. Teddy blickte mehrmals zu seiner Mutter. Er hasste diese verordnete Stille. Sie hatte sie regelmäßig angewendet, wenn ihre Kinder sie enttäuscht hatten. Sie hielt ihren Blick auf ihr Essen gerichtet, das sie mit der Gabel ziellos auf dem Teller herumschob. Danach wartete sie nicht lange, entschuldigte sich und verließ die Küche.

»Gut gemacht, Edward«, sagte Evangelina, sobald sich die Küchentür hinter ihr geschlossen hatte.

»Mach das nicht«, warnte Eleanor sie. »Ich halte das gerade so bei Teddy und Mum aus, da darfst du nicht auch noch mitmachen und einen neuen Streit anfangen.«

»Du musst ihr eine Pause gönnen«, merkte Evangelina an. »Wir haben dir Zeit und Raum gegeben, als du es gebraucht hast, Teddy, sogar als dein Verhalten uns alle verletzt hat. Ihre Woche war ganz offensichtlich schwer genug, mit allem, was passiert ist. Lass sie sich auf irgendetwas konzentrieren, auch wenn das bedeutet, dass sie sich auf dich stürzt.«

»Leichter gesagt als getan.«

»Du könntest weniger stur bei manchen Sachen sein, Teddy.«

Teddy wollte sich nicht mit seinen Schwestern darüber streiten. Sie hatten ihre eigenen Schwierigkeiten mit ihrer Mutter gehabt, vor allem in der Zeit nach dem Tod ihres Vaters. Trotzdem hatten sie immer Verständnis gehabt für den Druck, den ihre Mutter vor allem auf ihn ausübte.

»Behaltet das für euch, aber ich habe heute Grandad und Nan besucht«, sagte Teddy und ergriff damit die Möglichkeit, das Thema zu wechseln. Eleanor und Evangelina wirbelten zu ihm herum und rissen überrascht die Augen auf.

»Wie war es?«

»Es war wunderbar. Ich musste mich einfach vergewissern, dass es Grandad gut geht.«

»Und, geht es ihm gut?«

»Ich denke schon, er hat sich nach euch beiden erkundigt.«

»Und Nan?«, wollte Eleanor wissen.

»Sie hat gebacken. Alles war seltsam normal. Ich glaube, sie versucht die Zeit einfach noch zu genießen, bevor es sich überall herumgesprochen hat.«

»Das könnte früher der Fall sein, als sie denkt«, warf Evangelina ein. »Ich habe heute schon ein paar Textnachrichten bekommen. Die Leute in der Stadt reden, und nicht nur Gutes.«

»Ernsthaft? Was sagen sie denn?«

»Es geht vor allem darum, wie er Nan so verletzen konnte und warum er das jetzt tut. Wahrscheinlich würden wir so etwas auch sagen, wenn es um eine andere Familie gehen würde.«

»Aber das wissen wir immer noch nicht, oder?«

»Was wissen wir nicht?«

»Warum jetzt? Die Leute werden weiter fragen, wie er das Nan antun konnte und warum sie so ruhig dabei geblieben ist. Ich weiß nicht, was ich sagen soll, denn ich verstehe es auch nicht.«

»Ich weiß, aber darauf sollten wir uns nicht konzentrieren. Wir müssen akzeptieren, dass sie beide ihre Gründe haben und unsere Unterstützung benötigen. Sie werden das alles durchhalten, wenn sie wissen, dass sie uns und Mum an ihrer Seite haben.«

»Sie wird das schaffen«, sagte Eleanor. »Es mag ein bisschen länger dauern, als uns lieb wäre, aber sie wird an den Punkt kommen. Sie liebt ihn.« Eleanor war schon immer eine Optimistin gewesen. Lächelnd stellte sie vorsichtig die leeren Teller aufeinander.

»Ich hoffe, du hast recht«, sagte Teddy. »Ich weiß nicht, wie lange wir alle noch so weitermachen können.«

Aus irgendeinem Grund schweiften Teddys Gedanken zu Ben, als er sich am nächsten Morgen seine Kleidung für die Arbeit heraussuchte. Er fragte sich, wie sein Date wohl gelaufen war. Würde er es herausfinden können, ohne fragen zu müssen? Teddy wollte auf keinen Fall den Eindruck bei Ben erwecken, es würde ihn kümmern, was sein Kollege so trieb. Er öffnete Instagram und ging auf Bens Profil. Teddy sah sich die Posts an. Er öffnete einen, auf dem Ben seinen Arm um einen anderen Typen legte. Das Bild war vor vier Monaten veröffentlicht worden. Teddy machte schon der Anblick ihrer lächelnden Gesichter verdrießlich. Warum kümmerte es ihn überhaupt? Er knallte den Laptop zu und legte ihn auf die Kommode neben seinem Bett. Er dachte daran zurück, wie Shakeel ihn am Freitagabend vor Ben gewarnt hatte. Er musste vorsichtig sein, vor allem bei der Arbeit.

Die Suche nach neuen Möglichkeiten, um Teddy und Ben gegeneinander antreten zu lassen, schien Dylan zu gefallen. Jede Aufgabe verwandelte sich so schnell in einen Wettbewerb, dass Teddy beinahe die Vermutung hegte, seine Mutter würde dahinterstecken. Das entsprach genau ihrer Handschrift. Selbst die einfachsten Haushaltstätigkeiten, die er und seine Schwester erledigt hatten, waren immer ein Wettkampf gewesen. Dabei hatte sie, natürlich, als einzige Schiedsrichterin fungiert, und hatte entschieden, wer von ihnen die Aufgabe nach ihren Vorgaben erfüllt hatte.

Teddy konnte gar nicht anders, als mit zu wetteifern: Das war ihm schon seit frühester Kindheit eingeimpft worden. Seine Mutter glaubte nicht daran, dass schon die Teilnahme zählte, oder – Gott bewahre! – der zweite Platz. Ganz egal, wie viele Lehrkräfte das unterstrichen hatten: Er war unfähig gewesen, es zu kontrollieren. Der Wettstreit lag ihm im Blut.

Doch das war *zuvor* gewesen. Nachdem sein Vater gestorben war, hatte all das nicht mehr gezählt. Keine noch so große Wettbewerbsbereitschaft konnte ihm seinen Dad zurückbringen. Er hörte auf, sich mit anderen zu messen, sowohl in der Schule als auch zu Hause. Teddy wusste, dass die Bemühungen seiner Mutter, ihn in – wie sie es nannte – harmlose Spielchen zu verwickeln, nur gut gemeint waren. Doch er hatte es einfach nicht mehr drauf.

Das hatte er zumindest gedacht. Doch jetzt, da Dylan ihn anstachelte, verspürte er wieder diesen Drang zu gewinnen. Es half außerdem, dass er schließlich gegen jemanden antrat, den er auch wirklich besiegen wollte.

»Gut, eine kleine Aufgabe für euch beide«, kündigte Dylan an. »Ich will sechshundert Wörter über ein Thema eurer Wahl. Stellt den Artikel bis zum Mittag auf die Website, und dann sehen wir, wessen Beitrag bis zum Ende des Tages die meisten Klicks hat.«

»Schreib bloß nicht deinen Kumpeln, damit sie auf deine Story klicken«, sagte Ben, als Dylan zu seinem Schreibtisch zurückging.

»Hast du Angst vor ein bisschen echter Konkurrenz?«

»Es wäre nett, mal ein bisschen echte Konkurrenz zu haben«, erklärte Ben lachend. Teddy schäumte vor Wut.

Kapitel neun

Arthur

In Coras Café kehrte Stille ein, sobald Arthur durch die Tür trat, nur die Stimme aus dem Radio war weiter zu hören. Die Teestuben hatten Arthur und Madeleine in Northbridge schon immer am liebsten besucht. Cora Woods, die ungefähr im selben Alter wie Elizabeth war, gehörte zu den wenigen Zugereisten, die hier Erfolg gehabt hatten. Normalerweise sparten sich die Ortsansässigen ihr Geld für jene Ladenbesitzer mit Verbindungen zur Stadt auf, am liebsten war ihnen jemand, dessen Nachname Erinnerungen bei ihnen weckte. Nachdem Arthur Cora ein Auto verkauft und dabei von ihren Plänen für das Café erfahren hatte, hatte er darauf bestanden, sie zu unterstützen. Fast fünfzehn Jahre später war der kleine Laden besser besucht als je zuvor und erstreckte sich jetzt auch auf das benachbarte Grundstück.

»Hallo, Arthur.« Cora tauchte hinter der Kühltheke auf, ihr rundliches Gesicht war vom Herumeilen gerötet. Sie beachtete weder die plötzliche Veränderung der Stimmung noch die auf den Stühlen herumrutschende Kundschaft, die die Hälse reckte, um den Mann zu beäugen, der gerade die Räumlichkeiten betreten hatte. Arthurs Herz schlug schneller, als er auf die Theke zustolperte.

»Morgen, Cora, könnte ich bitte das Übliche für mich und Madeleine bekommen?«

»Kein Problem, mein Lieber. Geh und setz dich, ich bin gleich da.«

Arthur suchte sich einen Tisch im hinteren Teil aus: so weit wie möglich entfernt vom Eingang und von dem großen Fenster zur Hauptstraße. Einige Kunden und Kundinnen starrten ihn immer noch an, als er Platz nahm und darauf wartete, dass Madeleine eintraf. Arthur wünschte sich, er hätte eine Zeitung mitgebracht. Auch wenn er es nicht geschafft hätte, sich auf das Lesen zu konzentrieren, so hätte er damit doch etwas gehabt, hinter dem er sich verstecken konnte.

»Dort, das ist sie«, hörte er den Versuch einer Kundin, zu flüstern, noch bevor sich die Tür des Cafés überhaupt geöffnet hatte. Er beobachtete, wie sie die Köpfe reckten und Madeleine mit den Blicken bis zu ihrem Tisch folgten.

»Alles in Ordnung?«, fragte sie, setzte sich und stellte ihre Handtasche auf dem leeren Stuhl neben sich ab.

»Der Zirkus ist in der Stadt, und wir sind die Hauptattraktion«, antwortete Arthur grimmig.

»Hat irgendjemand etwas gesagt?«

»Nein, und es wäre auch weniger unangenehm, wenn sie das tun würden.«

Madeleine drehte sich um und blickte zu den umstehenden Tischen. Einige Leute rutschten auf den Stühlen herum und senkten die Augen unter ihrem strengen Blick. Cora kam mit einem Tablett zu ihnen, sodass der stumme Austausch unterbrochen wurde.

»Hallo, Madeleine, wie reizend, dich zu sehen«, sagte sie. »Ein Americano für dich und ein Espresso mit Milch für Arthur. Kann ich euch noch etwas zu essen bringen?«

»Nein danke, Cora. Das ist wunderbar«, entgegnete Madeleine und trank einen Schluck aus ihrer dampfenden Tasse.

»Ich will nur, dass ihr beide wisst: Ihr seid hier immer willkommen. Wenn euch irgendjemand irgendwie zu nahe tritt, schickt ihr diejenigen einfach zu mir, und ich kümmere mich darum. Unter meinem Dach wird es kein solch ungehobeltes Verhalten geben.«

»Das ist sehr nett von dir, dass du das sagst, Cora. Wir sind dir beide wirklich sehr dankbar dafür«, sagte Arthur und spürte, wie sich ihm das Herz erwärmte. Gott sei Dank war sie nach wie vor ihre Freundin.

Cora hatte den Tisch gerade erst wieder verlassen, als sich die Tür zum Café erneut öffnete. Madeleine stöhnte, als sie sah, wer die Gruppe aus drei Frauen anführte. Es war zu spät, sich zu verstecken. Harriet Parker kam bereits durch den Raum auf sie zu geschritten.

»Guten Morgen!«, sagte sie, als sie bei ihnen ankam. »Madeleine, wir haben dich beim Planungstreffen für das Frühlingsfest gestern vermisst. Ich hoffe, wir werden nicht allzu lang ohne unsere Vorstandsfrau auskommen müssen.«

»Mach dir keine Sorgen, Harriet, das werdet ihr nicht.«

»Wir haben absolutes Verständnis dafür, wenn du ein bisschen kürzertreten willst. Ich würde die Gerüchteküche auch nicht noch mehr befeuern wollen.«

»Befeuere ich jetzt die Gerüchteküche, Harriet?«

»Du weißt, ich bin keine Klatschtante, Madeleine, aber es wird so einiges geredet.«

»Irgendetwas Spezielles, das du wiederholen könntest?«

»Ich hoffe einfach nur, dass es dir gut geht und dass du weißt, was du tust.«

Arthur hatte genug gehört.

»Was soll das sein, das Madeleine tut, Harriet? Meinst du, dass sie mit mir gesehen wird?«, fragte er und war sich dabei des wachsenden Zorns in seiner Stimme bewusst.

»Nun, Arthur, du weißt doch, wie die Leute reden. Sie sind einfach schockiert und machen sich Sorgen, das ist alles.«

»Sie müssen sich absolut keine Sorgen machen, danke, Harriet. Ich bin schwul, kein Serienmörder.«

Das leise Keuchen vom Nachbartisch brachte Arthur fast zum Lächeln. Harriet schürzte die Lippen.

»Jetzt sei doch nicht so, Arthur. Wir kennen uns jetzt schon wirklich lange. Ich wollte keine Szene machen. Genau wie du mache ich mir nur Gedanken über meine liebe Freundin.«

»Wenn du meine Freundin bist, Harriet, dann hörst du jetzt mit dem auf, was du hier machst, und gibst uns ein bisschen Privatsphäre«, sagte Madeleine. »Wir wollten nur in Ruhe einen Kaffee trinken und uns nicht wie Tiere in einem Zoo anstarren lassen. Du solltest dich doch noch daran erinnern können, wie sich das anfühlt.«

»Und was soll das jetzt bitte heißen?«

»Wir können uns alle noch an das Gerede über Brian und seine Assistentin vor ein paar Jahren erinnern, Harriet. Du würdest gut daran tun, wenn du dir ins Gedächtnis rufst, wie es sich anfühlt, die Topnachricht in dieser gottverdammten Stadt zu sein.«

Harriet keuchte auf, bevor sie aber etwas sagen konnte, erschien Cora wieder.

»Ist hier alles in Ordnung?«, fragte sie.

»Es ist alles gut, Cora, danke. Harriet wollte gerade gehen.«

Harriet zog die linke Augenbraue hoch und seufzte dramatisch. »Ich habe versucht, eine gute Nachbarin zu sein.

Aber ich fürchte, wir werden heute Morgen doch nicht hierbleiben, Cora.«

Sie sahen, wie Harriet ihre kleine Gruppe wieder auf die Straße hinausscheuchte.

»Das tut mir leid, Cora«, merkte Arthur an. »Ich habe so das Gefühl, dass sie nicht die Letzte sein wird.«

»Bah«, entgegnete Cora. »Wer braucht die denn? Neugierig und übergriffig, dieser ganze Haufen. Du wurdest bei dem Treffen vermisst. Lass dich nicht von solchen Leuten abhalten.«

Madeleine wartete, bis Cora sie wieder allein gelassen hatte, dann lehnte sie sich über den Tisch.

»Machst du dir Sorgen wegen heute Abend?« Ihre Stimme war ernst.

»Nicht wirklich Sorgen, ich habe nur das Gefühl, dass das lediglich der Auftakt war. Ich bin froh, dass du nicht dabei sein und damit klarkommen musst.«

Madeleine griff über den Tisch und drückte ihm leicht die Hand.

Arthur sollte der Versammlung der Northbridge Foundation beiwohnen, einer Wohltätigkeitsorganisation, die vor fast fünfundsiebzig Jahren von seinem Vater mitgegründet worden war. Die Gruppe sammelte das Jahr über Spendengelder, die sie an verschiedene Gemeinschaftsprojekte in der Region verteilte. Das würde Arthurs erste Versammlung seit seinem Coming-out sein, das erste Mal, dass er einige der Ortsansässigen treffen würde, mit denen er aufgewachsen war. Davor fürchtete er sich schon eine ganze Weile.

Die fünfzehn Mitglieder des Ausschusses trafen sich einmal im Monat, um über neue Ideen zu diskutieren und alle Spendenanfragen zu prüfen. Arthur hatte früher den Vorsitz geführt, aber diese Rolle war inzwischen an Eric

Brown gefallen, den Geschäftsführer eines Transportunternehmens, das eröffnet worden war, als Arthur sieben gewesen war. Er dachte daran, wie sein Vater sich mit Erics Vater getroffen hatte; die beiden waren gute Freunde gewesen, weshalb Arthur und Eric dann als Jungen auch unzertrennlich gewesen waren. Im Lauf der Jahre waren sie gute Bekannte geblieben, und Eric war der Taufpate von Patrick.

»Wie, glaubst du, wird es mit Eric werden?«, fragte Madeleine, kurz bevor er das Haus verließ.

»Es könnte so oder so laufen. Er ist stockkonservativ, aber ich habe ihn nie etwas sagen hören, das mich beunruhigt.« Arthur machte sich allerdings schon Sorgen, mehr, als er Madeleine wissen lassen wollte. Eric war ein guter Freund, aber er war nicht immer sehr verständnisvoll.

Arthur parkte vor dem Gemeindezentrum. Erics Auto stand als einziges hier. Es war leer; er musste schon drinnen sein, um alles vorzubereiten. Arthur holte tief Luft, bevor er hineinging, um seine Hilfe anzubieten.

Der Haupteingang war verschlossen. Arthur drückte auf den Türöffner und wartete. Das Schild an der Wand neben dem Eingang stach ihm ins Auge.

CHARLES-EDWARDS-GEMEINDEZENTRUM OFFIZIELL ERÖFFNET AM 17. JUNI 1958

Arthur erinnerte sich daran, wie er der Eröffnung gemeinsam mit seinen Eltern und seinen Geschwistern beigewohnt hatte. Er hatte seinen Vater nie so stolz gesehen wie an diesem Tag, als er neben dem Bürgermeister gestanden hatte, um das Schild zu enthüllen. Arthur wusste, dass die Spende, die ihm diese Ehre verschafft hatte, Teil einer größeren, gut kalkulierten Strategie gewesen war, einer Strategie, die sich einige Jahre später ausgezahlt hatte, als er selbst Bürgermeister geworden war. So war sein Vater immer vorgegangen. Nichts hatte er je dem Zufall überlassen. Alles war im Voraus durchgeplant gewesen. Das war auch in erster Linie der Grund, aus dem Arthur und Madeleine beschlossen hatten, ihre Beziehung weiter zu verfolgen.

»Arthur, ich wusste nicht, ob du kommst.«

Erics schroffe Stimme erschreckte ihn.

»Entschuldige, ich weiß, ich bin ein paar Minuten zu früh dran, aber ich dachte, ich schaue mal, ob du Hilfe bei der Vorbereitung brauchst.«

»Oh, nun, ähm, ich bezweifle, dass heute Abend viele kommen werden. Ich hätte die Versammlung schon fast verschoben.«

»Nun sind wir ja hier, also können wir auch abwarten, wer sonst noch kommt, und schauen, was wir schaffen.«

Arthur folgte Eric in den Saal. Der große Tisch war in die Mitte gestellt worden, daneben warteten zwei Stapel alter Plastikstühle darauf, verteilt zu werden.

»Ich dachte, wir könnten uns vielleicht unterhalten, bevor die anderen kommen«, sagte Arthur, während Eric zwei Stühle für sie herunterhob. »Ich gehe davon aus, dass du in den letzten Tagen ein paar Sachen gehört hast«, fügte er hinzu. Seine verschwitzten Hände zitterten.

Eric nickte.

»Es tut mir leid, dass ich nicht mit dir reden konnte, bevor du es von jemand anderem gehört hast.«

»Ich kann nicht leugnen, dass ich das nicht erwartet hatte: solche Neuigkeiten wie Klatsch und Tratsch zu erfahren. Ich hatte gedacht, dass du eine höhere Meinung von mir hast.«

»Es tut mir leid, hoffentlich weißt du, dass ich das nie

gewollt habe, dass du es so erfährst. Die Dinge haben sich überschlagen, und ich musste mich zuerst um meine Familie kümmern.«

»Wie geht es Madeleine?«

»Sie ist unglaublich gewesen. Ich weiß, einige Leute hätten es lieber, dass ich aus der Stadt flüchte, aber du weißt ja, wie sie ist.«

Eric rutschte unruhig herum. »Warum hast du sie überhaupt geheiratet? Warum hast du sie all dem ausgesetzt?«

»So einfach war es nicht, Eric. Du weißt doch, wie es damals gewesen ist; wie mein Vater gewesen ist.«

»Du hättest jede haben können. Jedes dieser Mädchen. Du wusstest, dass du dir irgendeine von ihnen hättest aussuchen können, aber du hast sie gewollt.«

»Das ist nicht wahr, und das weißt du. Ich kann gar nicht glauben, dass wir uns immer noch deshalb streiten.«

»Ich bin da gewesen und habe dich unterstützt, obwohl du gewusst hast, dass es mir das Herz bricht.«

Arthur hatte nicht damit gerechnet, dass Eric als Folge seiner Neuigkeiten diese Geschichte zwischen ihnen wieder herausholen würde. Ja, Eric war damals in Madeleine verliebt gewesen – aber das war mehr als fünfzig Jahre her. Deshalb konnte er doch nicht mehr verbittert sein? Ihre Freundschaft hatte diese Prüfung doch überstanden.

»Eric, du warst dabei. Du weißt, dass wir getan haben, was wir tun mussten. Mein Vater ...«

»Dein Vater hier und dein Vater da. Du hattest eine Stimme, Arthur. Du hast dich von ihm in ein Leben drängen lassen, das du jetzt als Lüge bezeichnen willst.«

»Das ist nicht fair. Madeleine und ich haben die Entscheidung gemeinsam getroffen. Das kannst du nicht wirklich verstehen.«

»Vielleicht will ich das gar nicht, Arthur. Es ist mir peinlich, dass du mein Freund bist.«

Arthurs Magen zog sich zusammen, als hätte er gerade einen Schlag abbekommen.

Das Geräusch von Stimmen drang in den Saal, und die Tür öffnete sich für eine Gruppe von Leuten, die zur Versammlung kamen. Eric stand von seinem Stuhl auf und ging ihnen entgegen.

Niemand von ihnen kümmerte sich darum, dass Arthur nur ein paar Schritte entfernt saß.

Der Stuhl neben Arthur blieb leer, als sich alle Neuankömmlinge gesetzt hatten. Er musste sich zurückhalten, um nicht aufzustehen und zu gehen. Als Eric seine Hand hob, um ihre Aufmerksamkeit zu bekommen, verfiel die Gruppe in Schweigen.

»Bevor wir heute Abend anfangen: Arthur hat mir mitgeteilt, dass er sich für die nächste Zeit aus dem Ausschuss zurückziehen wird.«

Arthur spürte, wie sein Gesicht brannte, als die Köpfe in seine Richtung gedreht wurden. Er saß da wie angewachsen.

»Solange sein Privatleben nicht in geordneten Bahnen verläuft, will er nicht, dass das für Ablenkung sorgt und unserer wichtigen Arbeit hier im Weg steht.«

»Was ... was soll das?« Arthur schaffte es gerade so, die Worte hervorzupressen.

»Es ist das Beste, Arthur. Du weißt doch, wie das aussehen wird.« Eric sah ihm nicht einmal in die Augen.

»Das ist totaler Quatsch, und das weißt du.«

Eric wandte sich schließlich um und starrte Arthur an. Arthur war entsetzt von der Wut in den Augen seines Freundes.

»Du solltest jetzt gehen, sonst werden wir darüber abstimmen, ob deine Mitgliedschaft überhaupt noch bestehen soll.«

Arthur stand auf und sah den Leuten am Tisch, die er für seine Freunde gehalten hatte, nacheinander ins Gesicht. Nicht einer oder eine von ihnen konnte ihm direkt in die Augen sehen.

»Ich werde gehen«, sagte er. »Aber ich hoffe, dass ihr euch alle gründlich selbst hinterfragt. Ihr dürft mich gerne für die Entscheidungen kritisieren, die ich getroffen habe, aber kritisiert mich nicht dafür, wer ich bin. Was wäre, wenn es sich um euren Sohn oder eure Tochter handeln würde? Um euer Enkelkind? Würdet ihr ihn oder sie aus einer Versammlung werfen? Würdet ihr sie aus ihrem Zuhause vertreiben? Northbridge ist *mein* Zuhause. Es sollte ein fröhlicher und sicherer Ort sein. Wir wissen alle, dass diese Stadt das schon immer nur für die richtigen Leute gewesen ist, für die Leute mit Geld oder dem richtigen Nachnamen. Ich hatte ein sehr privilegiertes Leben, aber bevor ich sterbe, werde ich dafür sorgen, dass diese Stadt auch anderen Leuten als den hier sitzenden hilft.«

Ohne eine Antwort abzuwarten, wandte sich Arthur um und verließ den Saal. Als er zurück im Auto war, atmete er schwer. So hatte er sich den Abend nicht vorgestellt. Er schäumte vor Wut. Wie hatte er zulassen können, dass Eric so mit ihm sprach und ihn aus dem Ausschuss ausschloss? Und niemand hatte sich auf seine Seite gestellt. Sie mussten alle genauso empfinden wie Eric.

Er konnte jetzt noch nicht heimgehen. Das hätte bedeutet, dass er Madeleine erklären musste, was geschehen war, und sie musste es nicht wissen. Zumindest jetzt noch nicht.

Ein plötzliches Klopfen gegen das Fenster auf der Beifahrerseite ließ Arthur zusammenschrecken. Das Gesicht von

Patrick starrte ihn an. Er entriegelte die Tür, sodass Patrick sie öffnen und sich auf den Vordersitz fallen lassen konnte.

»Woher wusstest du, dass ich hier sein würde?«, fragte Arthur.

»Von Mum. Ich habe zu Hause vorbeigeschaut, und sie sagte, dass du zu der Versammlung gegangen bist.«

»Ich hätte mir die Mühe sparen können.«

»Was ist passiert? Bist du nicht hineingegangen?«

»Das wäre fast besser gewesen. Eric hat mich aus dem Ausschuss geworfen. Keiner von ihnen hat versucht, ihn davon abzuhalten. Sie haben alle einfach nur dagesessen und waren zu feige, mir in die Augen zu sehen.«

»Ich weiß, er ist ein alter Freund von dir, aber ich habe diesen Typen noch nie gemocht«, sagte Patrick durch zusammengepresste Zähne hindurch. »Und sein Sohn ist auch nicht viel besser. Kümmert sich nur um sich selbst, diese Bagage, schmierige Idioten. Kommst du klar?«

»Es geht mir gut, Sohn, mach dir keine Sorgen. Ich habe gewusst, dass die Leute, die mir am nächsten sind, verletzt sein würden. Aber man kann sich einfach nicht darauf vorbereiten, wie es sich anfühlt, wenn das in eine solch tief sitzende Wut umschlägt.«

»Es tut mir leid, dass ich das alles noch schlimmer gemacht habe, weil ich nicht für dich da war, seit du es uns mitgeteilt hast«, sagte Patrick vorsichtig.

»Du musst dich gar nicht entschuldigen. Du hast um nichts von alldem gebeten.«

»Das spielt keine Rolle. Während du und Mum meine Unterstützung am dringendsten gebraucht hättet, habe ich mich nur um mich gekümmert und habe euch beide allein gelassen mit dieser Art von Menschen und ihrem Getratsche.«

Arthur streckte den Arm aus und nahm die Hand seines Sohnes.

»Jetzt bist du hier. Das ist das Wichtigste für mich. Ich hatte einen Vater, der von seinen Kindern erwartet hat, dass sie ihr eigenes Leben vergessen und nach seinen Regeln leben. Auch deine Mutter hatte so einen Vater. Ich möchte niemals, dass du dich so fühlst. Es spielt keine Rolle, ob du glücklich, traurig oder wütend bist: Ich bin und bleibe immer dein Dad, und ich werde immer für dich da sein.«

»Ich bin glücklich, solange du und Mum glücklich seid«, sagte Patrick und wischte sich die Augen mit dem Jackenärmel trocken. »Ihr beiden habt mir durch meine eigenen schlechten Zeiten geholfen, und trotzdem vertraut ihr mir noch die Führung des Betriebes an, den ihr aufgebaut habt.«

»Ich könnte nicht stolzer darauf sein, was für ein Mann du geworden bist, Patrick. Du und Elizabeth: Ihr habt allem im Leben dieses dummen, alten Narren einen Wert gegeben.«

»Aber bist du glücklich, Dad? Hilft es, dass du es uns erzählt hast?«

»Es ist unmöglich zu erklären, aber das tut es tatsächlich. Ich verstecke mich nicht mehr. Ich bin einfach ich, und ich werde ich sein, solange ich noch Zeit habe.«

»Du hast noch Jahre vor dir. Du wirst uns noch alle überleben, warte nur ab.«

Arthur starrte zum Fenster. Sein Mund war trocken.

»Kannst du dir vorstellen, dich mit jemandem zu verabreden oder jemanden kennenzulernen?«, wollte Patrick wissen. »Hast du darüber überhaupt nachgedacht?«

Arthur zögerte. Er konnte nicht abstreiten, dass er es in Betracht gezogen hatte. Er wusste, dass die Leute vermutlich annahmen, seine Entscheidung, sich zu outen, müsste mit seinem Wunsch zusammenhängen, mit jemand anderem zusammen zu sein. Doch das war nicht vorrangig für ihn.

»Ich glaube nicht, dass das irgendwann in nächster Zeit passieren wird.«

»Nun, falls du es tust, hast du meine Unterstützung. Geh da raus und lebe, Dad. Das verdienst du. Verzichte nicht auf etwas wegen der möglichen Reaktion der anderen. Hast du uns nicht genau das immer beigebracht?«

»Ich bin mir nicht sicher, ob deine Schwester das genauso sehen würde.«

»Mach dir keinen Kopf wegen Lizzie, Dad. Sie muss all das einfach nur auf ihre eigene Art verarbeiten. Egal, ich gehe besser wieder, damit du heimfahren kannst.«

Patrick breitete die Arme aus und beugte sich vor, um Arthur zu umarmen, der beide Arme um seinen Sohn schlang.

»In Ordnung«, sagte Patrick, als er sich nach einem langen Moment zurückzog. »Ich gehe jetzt. Scarlett wird sich schon fragen, wo ich bleibe. Hab dich lieb, Dad.« Patrick stieg aus dem Wagen aus und winkte Arthur noch zu, während er zu seinem eigenen ging.

Den ganzen Weg nach Hause lächelte Arthur. Das war ein Fortschritt. Wenn Patrick ihm vergeben konnte, lohnte es sich zu hoffen, dass Elizabeth es auch schaffen würde.

Kapitel zehn

Teddy

Etwas widerstrebend hatte Teddy mit Ben vereinbart, dass sie sich um einundzwanzig Uhr vor dem Riverside Hotel treffen würden. Dylan hatte ihm am Vorabend nur mitgeteilt, dass sie gemeinsam Neena Anderson interviewen sollten, die aus dem Reality-TV bekannt war.

»Ihr werdet das Interview gemeinsam machen, müsst also mal die Köpfe zusammenstecken und über Fragen reden«, erklärte Dylan. »Ich will achthundert Wörter, und diesmal kommt derjenige, der die beste Geschichte abliefert, in die gedruckte Ausgabe. Ich glaube, das Thema wird es sowieso schaffen, aber vielleicht sollte ich das noch mal überprüfen.«

Teddy hatte es etwas überrascht, wie aufgeregt Ben wegen dieses Auftrags gewesen war, als sie das Büro verlassen hatten. »Ich habe sie geliebt in *The Dating Game*. Seit dem Ende der Show hatte sie tatsächlich ein paar echt schwierige Monate, aber ich bin mir nicht sicher, ob wir das Interview darauf ausrichten sollten.«

»Ja, das ist vermutlich nicht der beste Einstieg.« Teddy seufzte. Vor Ben wollte er es nicht zugeben, aber er hatte absolut keine Ahnung gehabt, wer Neena Anderson war, bis er sie im Internet gesucht hatte. Sobald er das getan hatte,

hatte er Shakeel und Lexie in ihrem Gruppenchat über die Neuigkeit informiert. Als große Reality-TV-Fans waren sie beide extrem aufgeregt gewesen und hatten Teddy sofort geholfen, Fragen über Neenas erinnerungsträchtigste Auftritte zu formulieren.

»Frag sie nach ihrer Verhaftung«, schlug Lexie später an diesem Abend bei einem Face-Time-Gespräch vor. »Das war ganz groß in den Schlagzeilen!«

»Oh ja, ich bin mir sicher, das würde ihrem Presseagenten gefallen.«

Teddy kannte die Geschichten seiner Mutter über Interviews mit Berühmtheiten, bei denen die wichtigtuerischen Presseagenten Fragen abblockten, die ihnen nicht gefielen. Bei seinem allerersten Interview wollte er weder die berühmte Person noch ihren Presseagenten vergraulen.

Er sah an der Fassade des Hotels hoch. Es war ein für die Großstadt typisches Boutique-Hotel, das normalerweise von Männern und Frauen in Businessanzügen besucht wurde, die unterwegs zu wichtigen Geschäftsterminen waren. Er hasste diese Orte und die versnobten Gäste, die auf alle heruntersahen, von denen sie dachten, sie würden nicht hierhergehören. Während er draußen wartete, begutachtete er seine eigene Reflexion in der Glastür. Widerwillig hatte er zum ersten Mal seit mehreren Jahren eine Krawatte umgelegt, allerdings hatte er sich erst endgültig dafür entschieden, als er aus dem Zug ausgestiegen war.

In der Glasscheibe entdeckte er Ben, der sich von hinten näherte. Er trug ein dunkelblaues, eng anliegendes Hemd.

»Stimmt etwas nicht?«, fragte Teddy, als er sah, wie Ben ihn mit den Augen scannte.

»Überhaupt nicht, ich wusste nur nicht, dass das ein Anlass für eine Krawatte sein würde, das ist alles.«

Teddy stöhnte.

»Ich bin mir sicher, Neena wird die Bemühung zu schätzen wissen«, sagte Ben grinsend.

»Das kann man nie wissen. Vielleicht beeindruckst du sie aber auch mit deiner umwerfenden Ausstrahlung.«

Ben ließ spielerisch die Hände über die Brust wandern.

»Weißt du, du kannst wirklich gut mit Worten umgehen, du solltest dir überlegen, einen Beruf daraus zu machen.«

»Da ist heute aber jemand gut aufgelegt«, merkte Teddy an, als ein Mann an ihnen vorbeiging, dessen Gesicht ihm von seiner Recherche her vage bekannt vorkam. »Ist das nicht Neenas Freund Joey?«

Ben warf einen Blick nach hinten und nickte. »Du meinst Ex-Freund, aber das ist er. Ich frage mich, warum er hier herumhängt.«

»Ja, genau … Vielleicht sind sie ja wieder zusammen«, meinte Teddy. Er war sich sicher, dass Lexie erwähnt hatte, sie seien gemeinsam fotografiert worden am Wochenende. Er musste das noch einmal überprüfen, bevor sie hineingingen. Die Showbiz-Abteilung würde liebend gern ein Exklusiv-Interview über ihre Versöhnung bringen. Er konnte sich Bens Gesichtsausdruck schon vorstellen, wenn er Dylan die Neuigkeit überbringen würde.

»Los, komm schon, wir sollten besser reingehen«, sagte Ben. »Ihr Presseagent Stuart will uns an der Rezeption treffen.«

Stuart, der kaum von seinem Smartphone aufsah, kam zehn Minuten zu spät, um sie abzuholen, doch kurz darauf saßen sie an einem großen, rechteckigen Tisch im Restaurant und warteten auf das Eintreffen von Neena.

»Ihr seid das erste Interview für heute«, erklärte Stuart ganz geschäftlich. »Also haltet es nett und locker. Sie ist hier, um ihre Make-up-Linie zu promoten, ihr könnt aber natürlich auch über die Show und ihre anderen Projekte reden. Kein blödes Zeug, bitte. Sie wird nicht mit euch über Joey und ihr Verhältnis zu ihm sprechen, verschwendet also gar nicht erst eure Zeit mit dem Versuch.«

Nachdem er seine Warnung losgeworden war, verschwand Stuart wieder im Foyer, um seine Klientin zu holen, die sich irgendwie auf dem Weg von ihrem Zimmer nach unten verlaufen hatte.

Teddy überflog die Fragen, die er sich auf seinem Notepad notiert hatte. Er war sich nicht sicher, was Ben zu fragen plante, aber er hatte einige vermutlich toughere Fragen für das Ende des Interviews in petto. Er wusste: Wenn er herausstechen wollte, würde er ein Risiko in Kauf nehmen müssen und durfte sich nicht davor scheuen, die Fragen zu stellen, die ihm eine gute Story liefern konnten. Der stolze Gesichtsausdruck seiner Mutter blitzte vor ihm auf, als er sich die letzte Frage durchlas. Er schüttelte das Bild ab und sah gerade rechtzeitig auf, um Stuart mit Neena ins leere Restaurant zurückkommen zu sehen. Sie war leger gekleidet, mit Jeans und einem schulterfreien Oberteil. Teddy war überwältigt davon, wie attraktiv sie in echt aussah.

»Neena, das sind Teddy und Ben von *The Post*«, sagte Stuart, als sie sich ihnen gegenüber hinsetzte.

»Hi Jungs, nett, euch beide kennenzulernen. War das einer von euch, der letztens diese Geschichte über mich und Joey geschrieben hat?« Ihre Stimme klang sanft und nett, aber ihre stechend blauen Augen verengten sich zu Schlitzen, als sie nach einer direkten Reaktion bei ihnen suchten.

Teddy und Ben schüttelten beide den Kopf. Teddy konnte an Bens Gesichtsausdruck ablesen, dass er nicht der Einzige war, der keine Ahnung hatte, welchen Artikel sie meinte.

»Das waren nicht wir, und machen Sie sich keine Sorgen:

Wir werden uns heute auf die Make-up-Linie konzentrieren«, erwiderte Teddy schnell in der Hoffnung, dass sie nicht bereits genervt davon war, mit ihnen zu reden.

»Sicher«, sagte sie und klang bereits sehr viel fröhlicher. »Also, dann legen wir los. Ich bin bereit zu reden.«

Teddy achtete immer wieder penibel auf die Uhr, damit sie alle ihre Fragen in der vereinbarten Zeit unterbringen konnten. Sie hatten noch fünf Minuten, als er Ben wieder das Fragen überließ. Der sprach über die Leute, mit denen Neena nach ihrer Zeit bei *The Dating Game* Kontakt gehalten hatte.

»Wenn Sie wieder mit Joey zusammen sind: Bedeutet das, Sie haben ihm verziehen, dass er Sie betrogen hat?«

Teddy sah gerade rechtzeitig auf, um mitzubekommen, wie das Lächeln von Neenas Gesicht verschwand. Er hatte angenommen, Ben würde es nach der Warnung des Presseagenten nicht riskieren, nach ihrer Beziehung zu fragen.

»Wie bitte?«, antwortete sie barsch. »Wer hat gesagt, dass wir wieder zusammen sind?«

»Nein, ich wollte nicht …«

»Nur weil euer Blatt irgendwelche Fotos abdruckt, heißt das noch nicht, dass ihr alles wisst, was in meinem Leben passiert. Wie könnt ihr es wagen, hier zu sitzen und bloße Vermutungen anzustellen?«

Ben stand der Mund offen, seine Augen waren vor Entsetzen geweitet. Er hatte eindeutig nicht mit so einem Stimmungsumschwung gerechnet. Als er sah, wie Ben darum kämpfte, entschuldigende Worte zu finden, verspürte Teddy beinahe Mitleid mit ihm. Es wäre verlockend gewesen, ihn damit allein zu lassen. Doch dann sah Teddy, dass ihm Tränen in den Augen standen. Gewarnt von der Geschwindigkeit, mit der die Situation eskaliert war, räusperte sich Teddy.

»Neena«, mischte er sich ein. »Entschuldigen Sie, wir

wollten keine Vermutungen anstellen, wir wissen nur, dass Ihre Fans schon länger danach fragen und sich wirklich Sorgen um Sie machen. Sie wollen einfach nur beruhigt sein, dass Sie das tun, was für Sie am besten ist.«

»Nun, das tue ich. Ich habe Joey nicht verziehen. Er weiß, dass er es grandios vermasselt hat. Er muss noch viel mehr vor mir zu Staube kriechen, bevor ich auch nur in Betracht ziehe, ihm zu verzeihen. Das bedeutet nicht, dass wir nicht befreundet sein können, aber mehr ist da im Moment nicht zwischen uns.«

Die letzten paar Minuten des Gesprächs waren mehr als ein bisschen angespannt, obwohl Teddy seine eigenen geplanten Fragen strich, zugunsten von unverfänglichen Themen wie die verschiedenen Produkte, die sie promotete. Bis sie ihre Diktiergeräte dann vom Tisch nahmen und sich verabschiedeten, lächelte Neena zu seiner Erleichterung wieder.

»Entschuldigung wegen der Sache vorhin, ich wollte sie nicht angreifen«, sagte Ben zu Stuart, als sie hinausgingen.

»Jedem, der das heute noch einmal probiert, wünsche ich viel Glück«, schnaubte Stuart, der immer noch auf seinem Smartphone herumtippte. »Normalerweise ist sie nicht so nachsichtig.«

»Ich bin dir echt was schuldig«, sagte Ben, sobald Stuart außer Hörweite war. »Ich wusste, dass die Zeit abläuft, und hab wirklich gedacht, es wäre das Risiko wert.«

Teddy nickte. Nach Bens verpatztem Versuch war es ihnen nicht gelungen, noch etwas besonders Interessantes aus Neena herauszubekommen. So leid es ihm für Ben auch tat: Falls Dylan wissen wollte, warum sie keinen besseren Inhalt hatten, würde er nicht davor zurückscheuen, ihm genau zu sagen, wer schuld daran war.

»Wir haben ein paar gute Statements bekommen, oder?«,

fragte Ben. Teddy wusste, dass er versuchte, möglichst hoffnungsvoll hinsichtlich der Artikel zu sein, die sie aus ihrem Interview würden herausholen können. Selbst verunsichert, überlegte Teddy während des Großteils der Fahrt, welches Zitat von Neena er als Überschrift verwenden konnte und wie er den Text aufbauen sollte.

Sie waren erst seit fünfzehn Minuten wieder an ihren Schreibtischen, als ein mitgenommen aussehender Ben Teddy auf die Schulter klopfte und ihn bat, mit ihm in die Küche zu kommen. Mit vor Angst weit aufgerissenen Augen stand er vor Teddy und wartete, bis sie allein waren, bevor er sprach.

»Ich habe Mist gebaut. Ich habe keinen Ton.« Seine Stimme klang panisch.

»Was? Dein Diktiergerät war an, ich habe das Lämpchen gesehen.«

»Ich weiß nicht, was schiefgelaufen ist. Da ist nur eine Menge Lärm. Ich habe nichts!«

Derselbe hilflose Gesichtsausdruck, mit dem Ben an diesem Morgen schon Neena angesehen hatte, war nun auf Teddy gerichtet. Er hatte noch gar nicht bemerkt, wie dunkel Bens Augen waren, bis jetzt, wo er direkt vor ihm stand und in sie hineinstarrte. Erst in diesem Moment konnte er ganz einschätzen, wie viel Ben all das hier wirklich bedeutete und wie sehr er jetzt fürchtete, dass ihn seine zwei Fehler in Folge um die ersehnte Chance gebracht hatten.

»Teddy, ich bin wirklich am Arsch. Was soll ich denn Dylan sagen?«

»Beruhig dich. Meine Aufnahme läuft wunderbar, ich schicke dir einfach die Datei.«

»Meinst du das ernst? Du würdest ... das würdest du wirklich für mich machen?«

»Du hättest die genau gleiche Aufnahme gehabt wie ich. Das ist echt keine große Sache.«

»Ich weiß gar nicht, was ich sagen soll. Du hättest mich in die Wüste schicken können, und ich wäre vermutlich gefeuert worden.«

Ehe Teddy reagieren konnte, warf Ben beide Arme um ihn und drückte ihn an sich. Er konnte gar nicht glauben, was gerade geschah, und stand nur mit hängenden Armen da. Das hier sollte eigentlich gar nicht passieren. Der starke, blumige Geruch von Bens Aftershave irritierte ihn auf eine unangenehme Weise, und doch: Für den Bruchteil einer Sekunde schloss er seine Augen und stellte sich vor, sie wären allein auf einer riesigen Wiese mit Blumen in allen Farben. Ben trat ungelenk einen Schritt zurück, als wäre er selbst überrascht von dem, was er eben getan hatte. Ohne irgendetwas zu sagen, eilte er aus der Küche und ließ Teddy mit seiner Verwirrung über den gerade gemeinsam erlebten Moment allein.

Nachdem ihre Artikel geschrieben und an Dylan übergeben waren, saßen sie an ihren Tischen und warteten ängstlich auf sein Feedback. Stumm sahen sie ihm dabei zu, wie er ihre Dokumente überflog und unleserliche Anmerkungen auf die Seiten vor sich kritzelte.

»Bevor wir anfangen«, sagte Dylan, während er sich zu ihnen rollte, damit er zwischen ihnen beiden saß. »Ich habe vorhin mit Stuart gesprochen, um auch sein Feedback einzuholen.«

Teddy hörte Ben stöhnen. Keiner von ihnen hatte mit einem Feedback von Stuart gerechnet.

»Er war voll des Lobes für euch beide. Ihr seid pünktlich gewesen, habt euch überwiegend an die besprochenen

Themen gehalten, und als ihr einmal abgewichen seid, habt ihr schnell reagiert, um die Situation wieder zu verbessern und die Interviewte fröhlich und redefreudig zu stimmen.«

»Wirklich? Das ist super, ich dachte, wir hätten vielleicht … nun, ich wusste nicht, dass es so gut gelaufen ist.«

»Oh, mach dir da keine Sorgen. Wenn du einen Presseagenten verärgerst, bekommst du das deutlich mit«, entgegnete Dylan grinsend. »Er hat dich besonders hervorgehoben, Teddy. Hat gesagt, er wäre wirklich beeindruckt gewesen, wie schnell du reagiert und die Frage so abgewandelt hast, dass sie sie gut beantworten konnte.«

»Das stimmt«, warf Ben zu Teddys Überraschung ein. »Du hast mir den Hintern gerettet, und das hat Stuart gemerkt.«

»Lass dir das nicht zur Gewohnheit werden, Ben«, warnte Dylan. »Allerdings wird es immer wieder solche Tage geben. Warte mal ab, bis dich ein Politiker anruft, der dich ein … nennt. Ihr dürft raten, was.«

Dylan hatte in ihren beiden Vorlagen verschiedene Sachen hervorgehoben, die er anders gemacht hätte. Teddy konnte einiges sehen, was mit Rotstift in die zwei Artikel hineingekritzelt war.

»Ihr habt eure Sache beide gut gemacht«, schloss er. »Es ist ein ziemliches Kopf-an-Kopf-Rennen, also fände ich es letzten Endes besser, ihr würdet daraus *einen* Artikel machen. Könnt ihr zusammenarbeiten, um die Texte zu kombinieren?«

»Dann würden wir beide namentlich erwähnt in der richtigen Zeitung?«, fragte Ben, so als könnte er das Ergebnis gar nicht fassen. »Falls die Geschichte tatsächlich reinkommt, natürlich.«

»Das wird sie nicht, wenn ihr die Deadline um vier nicht

einhaltet«, drohte Dylan ihnen und stieß sich wieder vom Tisch ab, um zu seinem eigenen zu rollen.

»Ich kann es nicht glauben«, erklärte Ben. »Aber ich verdiene das eigentlich gar nicht.«

»Natürlich tust du das. Du hast Dylan doch gehört: Offensichtlich hast du einen guten Artikel geschrieben.«

»Ich habe das Interview noch nicht einmal aufgenommen!«

»Das hätte jedem passieren können. Beim nächsten Mal weißt du, dass du es noch mal überprüfen solltest.«

»Ein richtiger Artikel in der Zeitung, ich kann es nicht glauben«, wiederholte Ben. Er klang aufgekratzt.

Bei Bens Aufregung musste Teddy lächeln. Plötzlich wurde er sich gezwungenermaßen bewusst, dass er es für selbstverständlich gehalten hatte, eine Chance bei *The Post* zu bekommen, und dass ihm gar nicht klar gewesen war, wie viel es ihm bedeuten würde, seinen Namen gedruckt zu sehen. Durch die Jahre, in denen er die Artikel seiner Mum gelesen und ihren Namen darunter gesehen hatte, war ihm das schon beinahe normal vorgekommen. Es spielte dabei keine Rolle, dass sein Name neben dem von Ben stehen würde. Nachdem er gesehen hatte, wie viel das Ben bedeutete, war dieser Augenblick sogar noch einmaliger.

»Entschuldigung wegen der Umarmung vorhin«, sagte Ben kurze Zeit später verschämt. »Keine Ahnung, warum ich das gemacht habe. Ehrlich gesagt ist es mir ein bisschen peinlich.«

»Das muss es dir überhaupt nicht sein«, beruhigte ihn Teddy. Gegen seinen Willen musste er an den Moment denken, als Ben ihm beide Arme um den Körper gelegt hatte, und an den Geruch seines Aftershaves. Es war schön gewesen, diese Nähe zu jemandem zu verspüren.

»Hör mal, ich treffe mich nach der Arbeit mit meinen Freunden Shakeel und Lexie. Du kommst zur Feier des Tages mit. Ich akzeptiere kein Nein.«

Er wusste nicht, was ihn dazu veranlasst hatte, das zu sagen, in jedem Fall hatten die Worte seinen Mund verlassen, noch ehe er die Chance gehabt hatte, sich davon abzubringen.

Lexie grinste fast von einem Ohr bis zum anderen, als sie sich Ben vorstellte. Ohne eine Sekunde zu zögern, durchlöcherte sie ihn auf dem kurzen Weg zum Pub mit unzähligen Fragen über die Zusammenarbeit mit Teddy. Übers ganze Gesicht strahlend erklärte Ben, dass Teddy und er gemeinsam einen Artikel in der gedruckten Ausgabe der Zeitung haben würden.

»Ich kann einfach nicht glauben, dass du sie weitergegeben hast«, sagte Shakeel, als Ben und Lexie vorgingen.

»Was?« Teddy war erstaunt von Shakeels Tonfall.

»Die Aufnahme. Du hattest die perfekte Gelegenheit, ihn zu übertrumpfen, als er das vermasselt hat. Du schadest dir selbst, wenn du so nett bist, Kumpel.«

»Das konnte ich doch nicht machen, Shak. Er hat ja sowieso gewusst, dass ich genau die gleiche Aufnahme hatte.«

»Frag dich einfach mal selbst: Glaubst du, er hätte dasselbe für dich getan? Ich glaube, wir kennen die Antwort beide.«

In diesem Augenblick drehte sich Ben um und lächelte ihn an. Teddy verspürte ein kurzes Flattern im Bauch, versuchte aber, es zu unterdrücken, weil Shakeels Worte in seinen Ohren widerhallten.

»Die finde ich toll!«, sagte er und zeigte dabei auf eine ahnungslose Lexie, die immer noch vor sich hin plapperte.

Lexie schien es zu gefallen, dass sie ihr Verhör mit Ben fortsetzen konnte, nachdem sie sich ihre Drinks geholt und sich gesetzt hatten. Teddy konnte erkennen, dass sich Shakeel wirklich bemühte, etwas beizutragen, denn er lachte und nickte während der ganzen Unterhaltung. Hin und wieder fing er Shaks Blick ein und lächelte ihn leicht an. Lexie und Shakeel blieben nur für zwei Drinks, bevor sie erklärten, sie müssten gehen. Teddy spürte, dass sie sich dazu verabredet hatten, ihn mit Ben allein zu lassen. Als sie sich einen Weg zum Ausgang bahnten, warf Shakeel kurz einen Blick zurück. Teddy war sich sicher, dass er stehen bleiben und wieder an den Tisch kommen wollte.

»Bist du jetzt ein bisschen entspannter nach dem Tag?«, fragte Teddy, während Ben den Stuhl tauschte, damit er direkt neben Teddy saß.

»Viel besser, nur dank dir. Ich weiß, wir hatten einen echt schlechten Start mit dem ganzen Konkurrenzdenken und so, aber du sollst einfach nur wissen, wie sehr ich schätze, was du heute für mich getan hast.«

Teddy spürte wieder dieses Kribbeln in seinem Bauch, als sich Bens Mundwinkel hoben, wodurch die tiefen Grübchen in seinen Wangen stärker sichtbar wurden. Was zum Teufel geschah hier? Das war das Letzte, was er erwartet – oder gewollt – hatte. Er schüttelte den Kopf. Er brauchte keine Ablenkung von dem Job. Was, wenn Shakeel recht hatte? Hätte Ben heute wirklich dasselbe auch für ihn getan? Immerhin war Teddy das Einzige, was zwischen ihm und dem Job stand, den er so dringend haben wollte.

»Ich nehme an, du hast dich bei deiner Familie noch nicht geoutet«, sagte Ben und lehnte sich so weit zu ihm, dass Teddy seinen Atem im Nacken spürte.

Teddy spürte, wie sich ihm die Brust zusammenschnürte. »Ähm, nein. Woher … woher wusstest du es?«

»Hab nur geraten. Du erinnerst mich an mich selbst, als ich mich noch nicht geoutet hatte. Ich hatte den Verdacht, dass du auch schwul bist, aber die Tatsache, dass du es weder erwähnt noch dir irgendwas hast anmerken lassen, hat mich dann überzeugt. Machst du dir Sorgen, es könnte jemand herausfinden, und dann würde es deine Mum erfahren?«

»So ziemlich. Ich kann das nicht riskieren, noch nicht.«

Ben hörte Teddy zu, als dieser ihm sein Verhältnis zu seiner Mutter erklärte und ihm erzählte, warum er immer noch zögerte, sich zu outen.

Teddy wusste, dass der Tag irgendwann kommen würde, an dem er sich der Situation stellen musste. Er konnte es nicht ewig hinausschieben.

»Seit Dads Tod war es nicht einfach, mit mir zusammenzuleben, das weiß ich«, sagte Teddy und spielte dabei mit dem feuchten Bierdeckel auf dem Tisch herum. »Ich habe viel von meiner Wut auf die Welt an Mum ausgelassen, vor allem, nachdem sie begonnen hatte, sich regelmäßig mit Dads Geschäftspartner Ralph zu treffen. Es kam mir so vor, als würden alle nach vorne schauen, nur ich wusste nicht wirklich, wie ich das tun sollte. Vor Kurzem hat sich ein anderer Verwandter geoutet, und sie ist nicht gerade gut damit umgegangen. Deshalb habe ich es nicht wirklich eilig, das auch durchzumachen.« Teddy überlegte einen Moment, ob er von seinem Großvater erzählen sollte, aber es kam ihm zu früh vor, um so etwas Persönliches mit ihm zu teilen.

»Auf alle Fälle hatte ich gerade nicht so viel vor, als Mum mir von dieser Gelegenheit erzählte, also habe ich mich einverstanden erklärt, um den Frieden zu wahren.«

»Also bist du nicht zur Uni gegangen?«

»Nein, ich wollte Northbridge einfach nicht verlassen nach dem Tod meines Vaters.«

»Das ist verständlich«, antwortete Ben. »Du wolltest für deine Familie da sein. Ich bin mir sicher, dass sie froh darüber sind.«

Teddy verdrehte die Augen.

»Vielleicht vor ein paar Jahren. Bis ich zugesagt habe, diesen Job zu machen, bin ich nur zu Hause gewesen und habe allen anderen dabei zugesehen, wie sie mit ihrem Leben weitermachten. Entschuldige, es reichen schon ein paar Drinks, und ich quatsche dich mit all dem Zeug voll.«

»Das passt schon, Kumpel. Es ist gut, den echten Teddy kennenzulernen«, sagte Ben. »Du bist so viel mehr als dein Nachname oder der Sohn einer Journalistin. Du kannst eindeutig gut schreiben und bist ein guter Kerl, also hör auf, dich selbst klein zu machen.«

»Lass mal. Hör auf, so verdammt nett zu sein, sonst denke ich nur, du willst dich wegen irgendwas bei mir einschmeicheln.«

Ben erwiderte sein Grinsen und trank dann noch einen Schluck von seinem Drink.

Kurze Zeit später verließen sie den Pub. Teddy zog den Schal um seinen Hals fester, während sie sich durch den stürmischen Herbstwind kämpften. Er sah, wie Ben beide Hände in seine Jackentaschen steckte, um sie vor der Kälte zu schützen. Dieser Typ hatte etwas. Sicher, er war sein Konkurrent, dachte Teddy bei sich, aber sie hatten auch viel gemeinsam. Allerdings konnten sie doch nicht mehr sein als nette Kollegen, oder? Doch im selben Augenblick, als er das dachte, spürte er wieder ein Flattern im Bauch. Verdammt. Das hatte definitiv nicht passieren sollen.

Kapitel elf

Arthur

»Warum genau sortieren wir dieses ganze Zeug jetzt aus, Grandad?«

»Was du heute kannst besorgen, das verschiebe nicht auf morgen«, erwiderte Arthur keuchend, als er endlich oben auf der schmalen Leiter angekommen war und den großen Dachboden betreten hatte.

Teddy war direkt zu seinen Großeltern gegangen, sobald er nach der Arbeit wieder in Northbridge angekommen war. Arthur verschwendete keine Zeit, sondern durchwühlte gleich die Kartons. Dabei untersuchte er vorsichtig verschiedene Gegenstände, von denen er die meisten nicht wiedererkannte.

»Deine Nan wüsste viel besser als ich, was mit dem ganzen Zeug zu tun ist«, grummelte er. »Bei der Hälfte davon habe ich gar keine Ahnung, warum wir das überhaupt aufgehoben haben, doch da ist es jetzt.«

Kurze Zeit später rief Madeleine sie zum Essen nach unten und wollte gleich wissen, was sie gefunden hatten. Besonders begeistert war sie von einer hohen, schmalen Vase, die ihr Teddy beschrieb, weil sie überzeugt davon war, dass es sich um eine Vase handelte, die ihrer verstorbenen Mutter gehört hatte. Arthur machte ihr ebenfalls eine Freude, indem er eine goldene Brosche aus der Tasche zog.

»Arthur!«, rief Madeleine und hatte sofort Tränen in den Augen. »Wo hast du die gefunden?«

»Ganz unten in einer verdammt riesigen Schachtel. Sie lag einfach da drin. Ich hab nur im Augenwinkel ein schwaches Glitzern gesehen und ein bisschen gewühlt: Da lag sie, genauso schön wie am ersten Tag, als ich sie entdeckt habe.«

»Was ist das?«, fragte Teddy.

»Vor Jahren hat dein Großvater, der alte Romantiker, mich zu einem Flohmarkt mitgenommen. Ich war stinksauer auf ihn, weil er mich mitgeschleppt hat, damit ich mir diesen ganzen Mist anschaue. Dann hat er die hier entdeckt. Wir wussten beide, dass sie mehr wert war als der dafür angesetzte Preis, aber der da konnte es trotzdem nicht lassen, darum zu feilschen.« Sie sah mit leuchtenden Augen zu Arthur hinüber.

»Ich wusste sofort, als ich sie entdeckt habe, dass sie etwas Besonderes ist«, erzählte Arthur stolz. »Schau sie dir jetzt noch an: Das ist achtzehnkarätiges Gold, hat mir William vom Juwelier gesagt.«

»Ich habe ganz vergessen, dass du Flohmärkte so liebst, Grandad«, warf Teddy ein.

Er erinnerte sich daran, wie er früher mit seinem Dad auf einige Trödelmärkte gegangen war. Sie waren meistens als Verkäufer dort gewesen, aber Teddy hatte es genossen, herumzuwandern und sich die Dinge anzusehen, die andere Leute loswerden wollten.

»Es ist schon Jahre her, seit ich zuletzt einen besucht habe. Ich weiß nicht einmal, ob es den einen auf dem großen Parkplatz neben dem Krankenhaus noch gibt.«

»Oh!«, rief Madeleine. »Das hat mich an etwas erinnert, sie haben wegen deiner nächsten Kontrolle angerufen. Doktor Thomas ist nächste Woche aus dem Urlaub zurück.«

»Das ist gut, ich rufe zurück und bestätige es ihnen. Tatsächlich will ich auch kurz mit ihm sprechen«, sagte Arthur, bevor er seine Aufmerksamkeit wieder Teddy widmete. »Könntest du das mit dem Flohmarkt bitte für mich herausfinden, Teddy?«

»Sicher – willst du herausfinden, ob du noch einen guten Blick für Schnäppchen hast?«

»Noch besser: Ich dachte, wir könnten hingehen und selbst ein paar Pfund verdienen.«

Der Gedanke, er könnte so ein paar der Fundstücke vom Speicher loswerden, gab Arthur neue Energie, als er an diesem Abend vollgestopfte Kartons durchwühlte. Jetzt war es ihr Ziel, die Gegenstände für einen möglichen Verkauf auf einen Haufen zu legen, damit Madeleine ihre Zustimmung geben konnte. Teddy sah einen Karton mit alter Kleidung durch. Eine abgenutzte Lederjacke stach ihm dabei besonders ins Auge.

»War die von dir?«, fragte er und hielt sie hoch.

Beinahe hätte Arthur nach Luft geschnappt.

»Um Gottes willen, ich kann gar nicht glauben, dass dieses Ding die ganze Zeit hier oben gelegen hat. Das versetzt mich gleich in die Zeit zurück.«

»Das ist eine wirklich coole Jacke, Grandad.«

»Ich kann mich daran erinnern, dass ich sie mit meinem ersten Gehalt gekauft habe. Mit diesem Ding habe ich mich für den absoluten Hit gehalten.« Arthur lächelte zärtlich.

»Da hättest du nur noch das richtige Motorrad gebraucht.« Teddy lachte.

»Das hatte ich!«

»*Hattest du nicht!*«

»So wahr ich hier stehe, die Norton Commando, die mir mein Onkel Frank geschenkt hat. Deine Großmutter hat das Ding gehasst. Sie war sich sicher, dass ich damit stürzen würde. Kurz nach der Geburt von deiner Mutter hab ich sie verkauft. Hat mir das Herz gebrochen, sie wegzugeben.«

»Wow, du hattest so ein tolles Leben. Ich meine …« Peinlich berührt unterbrach Teddy sich selbst.

»Ist schon in Ordnung. Ich hatte sehr viel Glück, da hast du recht. Es ist gut, sich daran zu erinnern, was für ein schönes Leben ich im Grunde hatte.«

Sie verfielen für eine Weile in Schweigen.

»Willst du die auf den Verkaufen-Stapel legen, Grandad?«, fragte Teddy vorsichtig.

Arthur starrte sie an, und seine Augen weiteten sich, als ihm eine Idee kam.

»Warum probierst du sie nicht an? Komm schon, zeig mir, wie sie bei dir aussieht.«

Teddy zog sich die Jacke über das T-Shirt. Er war beeindruckt, als er an sich heruntersah.

»Jetzt schaut euch das einmal an, sie passt wie angegossen. Ich glaube, diese Jacke hat sich ihren neuen Eigentümer selbst ausgesucht.« Arthur wurde warm ums Herz, als er Teddy in seiner geliebten alten Jacke sah.

»Bist du dir sicher, Grandad?«

»Wenn du sie willst, natürlich. Aber fühl dich meinetwegen nicht dazu verpflichtet.«

»Nein! Ich *liebe* sie. Vielen, vielen Dank.«

»Dann ist das ja geregelt. Sagen wir, fünfundzwanzig Pfund mit Familienrabatt.«

Teddy lachte.

Aus dem Verkaufen-Stapel wurden zwei große Haufen.

Es waren jetzt gar nicht mehr so viele Kartons übrig, nur unter einem Dachbalken standen noch ein paar einzelne.

Mehrere Spinnen huschten schnell davon, als Arthur den obersten davon aufzog und von Staub und Spinnweben befreite. Es war eindeutig schon mehrere Jahrzehnte her, seit diese Kartons zuletzt geöffnet worden waren. Seine Hände verharrten. Arthur wusste sofort, was sich darin befand.

»Alles in Ordnung, Grandad?«

Arthur sah zu Teddy auf, der ihn erstaunt anstarrte.

»Es sind nur Erinnerungen. Manchmal vergisst man die Sachen, die man aufbewahrt hat.«

»Was ist es?«

»Nichts Wertvolles. Alter Kram.«

»Grandad, mit mir kannst du reden. Du musst nichts mehr verstecken, schon vergessen?«

Arthur griff in den Karton und zog ein Fotoalbum daraus hervor. Der flaschengrüne Einband war ausgebleicht und abgenutzt. Er schaffte es nicht, es zu öffnen.

»Schau du es dir an, wenn du willst«, sagte er und gab es Teddy.

Während Teddy das Album öffnete, griff Arthur wieder in den Karton und hob ein schmales Bündel weißer Umschläge heraus. Ihm klopfte das Herz bis zum Hals, als er die ordentliche Handschrift auf dem obersten sah. Sein eigener Name sprang ihm entgegen. Jeder einzelne Buchstabe war mit äußerster Sorgfalt geschrieben. Vor seinem inneren Auge sah er genau den Füller, der dafür verwendet worden war.

»Was ist das?«, fragte Teddy, nachdem er vom Album aufgesehen hatte.

»Nur ein paar alte Briefe.«

»Von Nan?«

»Ja, nichts, was du lesen müsstest.«

Arthur stopfte sich das Bündel in die hintere Hosentasche. Er wollte sich jetzt nicht mit den Briefen beschäftigen.

»Grandad, ich weiß bei der Hälfte der Leute nicht, wer sie sind«, stellte Teddy fest und drehte das Album so, dass Arthur sich die Fotografien ansehen konnte.

»Das ist dein Urgroßonkel Gregory mit seiner Frau Margaret. Sie sind in die Vereinigten Staaten ausgewandert, kurz nachdem das aufgenommen wurde«, erklärte Arthur und zeigte auf das Bild.

»Und das ist Frank mit dem Motorrad?«

»Ja, das ist er. Er war echt ein Spaßvogel. Der arme Mann, ist an einem Nachmittag einfach tot umgefallen. Das war das erste Mal, dass ich meinen Vater weinen gesehen habe.«

»Dein Dad ist hier auch einmal drauf«, sagte Teddy und blätterte ein paar Seiten zurück, um die Fotografie zu finden, die er entdeckt hatte. »Hier ist er.«

Arthur blickte auf das Album, aus dem ihn die jüngere Version seines Vaters anlächelte.

»Er sieht fröhlich aus«, merkte Teddy an.

»Das tut er. In meinen Erinnerungen ist er das aber nicht oft.«

»Wirklich? Das ist traurig.«

»Andere Zeiten. Er hatte so viel um die Ohren.«

»Vermisst du ihn, Grandad?«

»Das tue ich. Er war nicht perfekt, und ich hatte im Lauf der Jahre oft eine große Wut auf ihn, aber er war trotzdem mein Vater. Er hat mir ermöglicht, mir das Leben aufzubauen, das ich habe.«

Arthur starrte auf das Bild. Er kannte den Anzug, den sein Vater darauf trug. Es war einer seiner Lieblingsanzüge gewesen, die normalerweise nur für die wichtigsten Termine oder Festlichkeiten angezogen wurden. Arthur wusste: Als das Bild gemacht worden war, musste er noch ein Kleinkind gewesen sein. Also hatte er keine Ahnung, was der Anlass gewesen sein konnte.

»Hat dein Vater gewusst, dass du schwul bist?«

Teddys Frage überraschte Arthur. Er schloss das Album und drückte es sich an die Brust. Er spürte, wie sein Herz pochte, als er sich auf seine Jugenderinnerungen konzentrierte.

»Er wusste es. Wir haben aber nicht über das Thema als solches geredet. Es ging auch nicht darum, wen ich vielleicht liebe. Er hat es als ein Leiden bezeichnet, als eine Krankheit.«

»Grandad, das ist entsetzlich. Ich verstehe nicht, warum du hiergeblieben bist.«

»Aus Angst, Teddy. Ich hatte nichts, außer dem, was er mir zu haben erlaubt hatte. Und dann ...« Arthur versiegte die Stimme. Er hatte seit über fünfzig Jahren mit niemandem darüber gesprochen.

»Du musst es mir nicht erzählen, wenn es dir schwerfällt.«

Arthur gab Teddy mit einem Handzeichen zu verstehen, dass die Unterhaltung für ihn in Ordnung war. Zu wissen, dass Teddy ebenfalls homosexuell war, schien es ihm irgendwie zu erleichtern, sodass er sich öffnen und sich seinen schmerzhaften Erinnerungen stellen konnte.

»Es war im Jahr 1963, als Jack Johnson in Northbridge ankam. Mein Vater hatte ihn angestellt. Er sollte mit mir in der Werkstatt arbeiten und mit dem alten Derek Brady, einem liebenswürdigen Kerl, der mehr als zwanzig Jahre für ihn geschuftet hatte. Jack war ein begnadeter Mechaniker. Er ist hier einfach hereinspaziert und hat ausgesehen wie direkt von der Leinwand, wie ein junger Marlon Brando. Ich habe alles an ihm gehasst.«

»Du hast ihn gehasst?«, fragte Teddy und lehnte sich vor. »Das Gefühl kenne ich.«

»Er war alles, was ich sein wollte, das habe ich zumindest gedacht. Er wurde von meinem Vater respektiert und hatte das Selbstvertrauen, es ihm zu sagen, wenn er bei etwas falschlag.«

»Und was hat sich daran geändert?«

»Ich habe mich verändert«, gestand Arthur leise. »Ich habe begriffen, warum ich mich selbst dazu zwang, alles an Jack zu verabscheuen. Er wusste es ebenfalls. Eines Abends, nun, wir hatten etwas getrunken, und wir … nun, das sind längst alte Geschichten, oder?«

»Wie lange habt ihr es geheim gehalten?«

»Das ging fast drei Jahre. Er wartete die ganze Zeit auf mich. Ich habe ihm immer wieder versprochen, dass ich es meinen Eltern sagen würde und dass wir dann endlich von diesem Ort verschwinden könnten.«

»Warum hast du es nicht getan?«

»Ich konnte mich am Ende nicht dazu durchringen, konnte es weder meiner Mutter noch meinem Vater sagen. Ich dachte, es würde alles gut gehen und wir würden schon den richtigen Zeitpunkt finden. Es war idiotisch von mir, dass ich geglaubt habe, das könnte jemals passieren.«

Teddy runzelte die Stirn und schüttelte langsam den Kopf. »Jack hat Northbridge verlassen?«

»Derek Brady hat uns erwischt. Er hatte eigentlich nicht mehr in die Werkstatt zurückkommen sollen. Er ist direkt zu meinem Vater gegangen. Ich habe Dad nie so wütend gesehen. Bis zu diesem Abend war er nie körperlich gewalttätig mir gegenüber gewesen.«

»Es tut mir so leid, Grandad. Das ist entsetzlich.«

Arthur hielt inne. Er hatte es so lange vermieden, über das Geschehene nachzudenken, dass ihm jetzt die Worte fehlten.

»Ich dachte, wenn es einmal raus wäre, würden sich die Dinge vielleicht verbessern«, sagte er schließlich. »Aber es wurde nichts besser. Am nächsten Tag attackierten einige Schläger Jack und ließen ihn liegen, als sie dachten, er wäre tot.«

»Ernsthaft? Willst du sagen, dass dein Dad ...«

»Er hat dafür gesorgt, dass es passiert. Dann hat er mich gewarnt, dass Jack nicht mehr lange überleben würde. Er hat mir mitgeteilt, ich wäre als Nächster dran, wenn ich mein Problem nicht *in den Griff* bekäme.«

Teddy saß völlig stumm da.

»Ich habe Jack gehen lassen, damit er woanders das Leben führen konnte, das er verdient hatte.«

»Aber du hattest dieses Leben doch auch verdient!«

»Ich dachte, ich hätte mir meine Chance verbaut. Jack ist deswegen beinahe umgebracht worden. Ich habe deine Großmutter geheiratet und alles getan, was ich konnte, damit wir glücklich waren.«

»Und was war mit Jack?«

»Er hat ein paarmal geschrieben. Dabei hat er es vermieden, zu sagen, wohin er von hier aus gegangen war. Ich habe ihm mitgeteilt, dass er mit dem Briefeschreiben aufhören soll. Das war für keinen von uns gut, wir mussten beide nach vorne schauen.«

»Und?«

»Ich vermute, das hat er getan. 1967 habe ich das letzte Mal von ihm gehört.«

Teddy schwieg. Arthur wartete geduldig.

»Wie viel von dem allen weiß Nan?«, wollte er schließlich wissen.

»Alles. Sie war diejenige, die Jack nach dem Angriff gefunden hat. Ich war völlig fertig, aber sie war für mich da. Sie wusste, wie es ist, so einen Vater wie meinen zu haben. William Montgomery war ein brutaler Kerl. Er hat zu dem Zeitpunkt bereits versucht, deine Nan mit dem Sohn eines Geschäftspartners zu verheiraten.«

»Was?«, fragte Teddy, schockiert zu erfahren, welchem Leben seine Großmutter entkommen war. »Wie ist sie da rausgekommen?«

»Ich habe um ihre Hand angehalten. Wir hatten das wochenlang geplant. Zuerst dachte ich nur, unsere Verbindung könnte uns beide vor unseren Familien schützen, aber im Lauf der Zeit fanden wir unsere Art von Glück. Und aus einem Jahr wurden zehn.«

»Hast du Nan geliebt?«

Arthur schloss die Augen, als wollte er sich selbst über fünfzig Jahre zurückversetzen.

»Wir haben uns mit der Zeit ineinander verliebt. Das war eine sehr echte Liebe, ich kann es gar nicht erklären. Ich werde deine Großmutter immer lieben, aber es war nie so eine Liebe, wie ich sie für Jack empfunden hatte.«

»Fragst du dich jemals, was er jetzt wohl macht?«

Arthur hatte feuchte Hände. Es war schon viele Jahre her, dass er zuletzt mit einer anderen Person frei über Jack geredet hatte.

»Manchmal«, sagte er leise. »Ich hoffe einfach nur, dass er ein gutes Leben hatte, was auch immer er tut, wo auch immer er ist.«

»Du weißt, dass wir ihn wahrscheinlich finden können, wenn du das willst, oder?«

»Nein«, entgegnete Arthur entschlossen und richtete sich auf seinem Hocker auf. »Das darfst du nicht machen. Bitte, versprich es mir. Ich bewahre mir lieber die Erinnerungen an ihn.«

»Das verstehe ich. Ich verspreche dir, dass ich ihn nicht suche.«

»Danke. Ich will sein Leben nicht durcheinanderbringen. Das habe ich nicht bezweckt mit all dem.«

Teddys Smartphone klingelte. Arthur sah zu, wie sein Enkel auf das Display schaute und das Gerät dann zurück in die Tasche schob.

»Willst du mit irgendjemandem nicht sprechen?«, fragte er.

»Mum. Vermutlich muss ich bald heimkommen.«

»Wie geht es ihr?« Er fühlte sich schuldig, weil er Teddy so viel erzählte und von ihm erwartete, alles für sich zu behalten, vor allem, solange er selbst Elizabeth sein Geheimnis noch nicht offenlegte.

»Es geht ihr gut. Mit ihrer Arbeit und den Hochzeitsvorbereitungen ist sie zu beschäftigt, als dass sie mich auf Schritt und Tritt verfolgen könnte.«

»Sei nett zu ihr, junger Mann.« Arthur lachte. »Du hast eine Mum, die dich liebt und sich um dich sorgt.«

»Vermutlich. Ich glaube immerhin auch nicht, dass sie den Jungen aus der Stadt jagen würde, von dem ich glaube, dass ich ihn mag.«

Arthur stellte die Ohren auf.

»Den Jungen, von dem du *glaubst*, dass du ihn magst? Seit wann ist das denn schon so?«

Er hörte Teddy zu, als dieser ihm alles über Ben erzählte: von den Spannungen zwischen ihnen wegen der Konkurrenzkämpfe bis zu den Nachrichten, die sie sich jetzt nach der Arbeit noch schrieben. Als Teddy fertig erzählt hatte, klatschte Arthur in die Hände.

»Dieses Schmetterlingsgefühl in deinem Bauch, von dem du erzählst, weckt Erinnerungen. Du lächelst sogar, wenn du über ihn redest. Ich glaube, du weißt ganz genau, was du empfindest. Du musst nur *mit ihm* reden. Was ist das Schlimmste, das passieren könnte?«

Teddy gab ein hohles Lachen von sich.

»Die Sache ist die: Ich kann überhaupt nichts deswegen unternehmen, warum sollte ich also mit ihm reden?«

»Hast du mir gerade eigentlich zugehört, junger Mann?«, rief Arthur und warf die Hände in die Luft. »Verschwende diese Jahre nicht mit dem Versuch, anderen Leuten zu gefallen. Dieser Junge wird vielleicht nicht deine ewige große Liebe sein, aber gib dir selbst die Möglichkeit, das herauszufinden. Deine Mum hat zweimal ihr Glück gefunden. Lass dir deine eigene Chance nicht entgehen.«

»Danke, Grandad. Ich werde versuchen, den richtigen Moment zu erwischen.«

Schon ein paar Minuten später, während sie weiter alte Besitztümer durchsahen, sagte Teddy, er habe eine Idee, die er gerne mit ihm absprechen würde.

»Schieß los«, erwiderte Arthur aufgeregt.

»Wenn wir auf den Flohmarkt gehen, könnte ich da Ben fragen, ob er mitkommt?«

»Aber natürlich! Ich kann mich unauffällig im Hintergrund halten«, erklärte Arthur entzückt.

»Sei nicht albern, wir brauchen dich doch, damit uns diese Feilscher nicht über den Tisch ziehen!«

Ihr Gelächter wurde von einem abrupten Geräusch unterbrochen, als irgendjemand die Leiter hochkam.

»Edward Marsh!«

Beim Klang von Elizabeths Stimme wurde es Arthur kalt und heiß gleichzeitig.

Teddy stolperte zur Leiter vor und sah zum Treppenabsatz hinunter. Arthur bemerkte, wie seinem Enkel das Blut aus dem Gesicht wich.

»Ich hätte es wissen müssen«, sagte sie, sodass Arthur den spöttischen Tonfall in ihrer Stimme hören konnte. »Natürlich schleichst du dich hierher, obwohl ich dir doch extra gesagt habe, dass du das nicht sollst.«

»Du kannst mich nicht daran hindern, meinen eigenen Großvater zu besuchen.«

»Ich habe es dir schon einmal gesagt: Solange du in meinem Haus lebst, wirst du meine Wünsche respektieren. Jetzt komm runter, wir fahren.«

Arthur nickte ihm zu. »Komm schon, tu jetzt, was sie sagt, guter Junge.«

Er beobachtete, wie Teddy widerwillig auf die Leiter kletterte und hinunterzusteigen begann. Arthur zögerte erst, folgte ihnen aber dann. Sie waren bereits wieder unten im Erdgeschoss.

»Elizabeth«, rief er ihr nach, als er die Treppenstufen zu ihnen hinunternahm. »Bitte, sei nicht so streng mit ihm. Er hat uns nur dabei geholfen, den Dachboden aufzuräumen.«

Sie blieb stehen, hatte die Hand aber noch auf der Türklinke liegen.

»Weil er ein guter Junge ist. Er verehrt dich, aber das bedeutet nicht, dass du ihn dazu anstiften sollst, sich meinen Wünschen zu widersetzen. Das ist das Mindeste, das du für mich tun könntest.«

»Ich vermisse euch alle«, stieß Arthur hervor, als Elizabeth die Tür aufzog.

»Weißt du was, Daddy? Heute Morgen bin ich aufgewacht und habe zum ersten Mal gedacht, dass ich dich auch vermisse. Dann finde ich heraus, dass ihr beide hier seid und die Köpfe zusammensteckt, als wäre ich einfach nicht wichtig, als wäre das, was ich will, es nicht wert, darauf zu achten. Lamentiert ihr beiden einfach nur darüber, was für eine fürchterliche Person ich bin? Eine grauenhafte Tochter und Mutter?«

»Das hat niemand je gesagt oder gedacht, Lizzie. Deine Mum und ich meinen es ernst, wenn wir sagen, dass ihr euch so viel Zeit nehmen sollt, wie ihr braucht, und dass wir da sein werden, wenn ihr bereit seid.«

»Gut! Wenn du das wirklich ernst meinst, dann sag Teddy, dass er von dir wegbleiben soll.« Sie ging ohne einen Blick zurück hinaus. Teddy formte mit den Lippen stumm einen Abschiedsgruß, dann folgte er ihr.

Madeleine kam aus der Küche und wischte sich die mehligen Hände an der Schürze ab.

»Warum lächelst du, Arthur?«

Er drehte sich zu ihr und nahm ihre beiden warmen Hände in seine. »Du hast sie gehört: Sie hat mich vermisst. Das ist vielleicht nicht viel, aber es ist ein Anfang. Das ist alles, was ich hören musste.«

Madeleine zog ihm die Hände weg und schlang die Arme um ihn, wobei sie zwei kleine, weiße Handabdrücke auf seinem Rücken hinterließ.

Kapitel zwölf

Teddy

Seine Mum und Ralph hatten sich den Großteil der Woche mit der Aufstellung der Gästeliste für ihre Hochzeit beschäftigt. Trotz ihrer ursprünglichen Beteuerungen, sie würden die Sache in kleinem Rahmen abhalten wollen, wusste Teddy, dass sich Ralph seiner Mutter nicht in den Weg stellen würde, sobald die Pläne größer würden.

»Wenn wir mit hundertfünfzig bei der Zeremonie rechnen, kann ich den Empfang auf ungefähr zweihundertfünfzig begrenzen.«

»Darf ich fragen, wie viele davon von meiner Seite sind?«, fragte Ralph und sah Teddy dabei mit im Spaß verdrehten Augen an.

»Du weißt, dass ich immer noch Leute enttäuschen muss, selbst bei dieser Anzahl von Gästen.«

»Das weiß ich, Liebling. Sie werden sich mit den Fotos begnügen müssen.«

»Hast du Stacey und Oliver bei diesem Plan berücksichtigt, Mum?«, meldete sich Eleanor zu Wort.

»Klar doch, alles bedacht.«

»Wartet mal«, mischte sich Teddy ein, der plötzlich aufmerksam geworden war. »Du bringst deine beste Freundin und deinen Freund zu Mums Hochzeit mit?«

»Stacey gehört quasi zur Familie, und wir müssen doch sehen, wie gut Oliver der Smoking steht.«

»Halt, Mum! Er hat noch nicht einmal eine Andeutung gemacht, dass er um meine Hand anhalten will«, erklärte Eleanor und wurde rot.

»Entschuldigt bitte, bevor wir anfangen, Eleanor und Oliver zu verheiraten, kann ich Shak und Lexie mitbringen?«

Seine Mum biss sich auf die Unterlippe. »Ich habe bei dir auch eine Begleitperson vorgesehen. Ich dachte, du möchtest vielleicht versuchen, jemanden aus einer leicht anderen Richtung mitzubringen.«

Teddy spürte den Blick von Eleanor auf sich.

»Ich hatte nicht wirklich darüber nachgedacht. Es wäre einfach lustig, die zwei auch dazuhaben, weißt du. Shakeel kennst du schon genauso lange wie Stacey.«

»Das ist in Ordnung. Ich kann sie beide noch hineinquetschen. Es ist nur schade, dass du keine besondere Person dabeihaben wirst, so wie deine Schwestern. Es wäre sehr schön, dich glücklich zu sehen.«

Für einen ganz kurzen Augenblick hatte Teddy den Impuls, die Gelegenheit mit beiden Händen zu ergreifen, doch ehe er auch nur darüber nachdenken konnte, hatte Eleanor schon das Thema gewechselt. Er hörte nicht mehr zu, als sie begann, von ihrem Tag in der veterinärmedizinischen Notfallambulanz zu erzählen.

»Ich hab gehört, es läuft gut bei der Arbeit«, sagte Ralph und lehnte sich zu ihm vor.

»Ja, es ist überhaupt nicht schlecht. Ich habe mehr Spaß dabei, als ich angenommen hatte.«

»Das dachte ich mir.«

»Oh? Wieso sagst du das?«

Ralph wartete eine Sekunde ab und ließ den Blick kurz zu Elizabeth wandern.

»Nun, uns ist einfach aufgefallen, dass du einen etwas beschwingteren Gang hattest in den letzten Tagen. Du hast außerdem, wenn ich das sagen darf, ein bisschen mehr gelächelt zu Hause, vor allem, wenn du mit dem Ding da beschäftigt bist.« Er zeigte auf das Smartphone in Teddys Hand.

War er wirklich so leicht zu durchschauen gewesen? Es war viel einfacher gewesen, als Ben bloß der nervige Besserwisser gewesen war, über den er sich hatte beschweren können. Jetzt musste er sowohl zu Hause als auch bei der Arbeit aufpassen, dass er nicht mit einem permanenten Grinsen im Gesicht herumlief.

»Hat Mum deswegen von einer Begleitperson für die Hochzeit gesprochen?«

»Sagen wir einfach einmal: Wir haben darüber gesprochen.«

»Oh Gott, das ist ja peinlich!«

»Du weißt, dass sie euch Kids einfach nur glücklich sehen will, besonders nach allem, was ihr in den letzten Jahren durchgemacht habt.«

»Danke, Ralph, ich werde das bedenken.«

Teddy dachte an diesem Abend noch lange und intensiv über das nach, was Ralph gesagt hatte. Es sprach alles dafür, dass er es endlich tat, dass er endlich die Kontrolle übernahm und mutig war. Schließlich war er doch stolz darauf, wer er war, oder? Als er so dreizehn oder vierzehn gewesen war, hatte es eine kurze Zeit gegeben, in der er versucht hatte, sich selbst zu überzeugen, dass er nicht schwul war, doch die war von kurzer Dauer gewesen. Er hatte es nun schon zu lange hinausgeschoben. Er wollte den Menschen, die ihm am nächsten standen, endlich die Wahrheit erzählen.

Sein Smartphone vibrierte. »Hey, Shak«, sagte Teddy, als das Gesicht seines Freundes auf dem Display erschien.

»Hallo. Wollte mich mal melden und hören, wie es so läuft.«

»Nicht schlecht. Du weißt ja, wie es ist. Es war ein bisschen unangenehm, als Mum mich bei Grandad zu Hause erwischt hat, aber sie scheint es schon vergessen zu haben. Dass sie und Ralph nur noch an die Hochzeit denken, ist da ganz gut. Wo wir gerade dabei sind: Du wirst noch einen Smoking brauchen für den großen Tag.«

»Ich bin eingeladen?« Shakeel klang überrascht.

»Natürlich bist du das!« Teddy grinste. »Du bist schließlich fast ein Bruder für mich.«

Teddy war so sehr mit Reden beschäftigt, dass ihm gar nicht auffiel, wie Shakeels Mundwinkel plötzlich nach unten zeigten.

»Ich muss dich und Lex dort dabeihaben. Ehrlich, ich glaube nicht, dass ich es sonst durchstehen würde. Eleanor übt praktisch schon das Fangen des Brautstraußes.«

»Komm nicht auf die Idee, sie darin schlagen zu wollen«, zog Shak ihn auf, nachdem er sich schnell zusammengenommen hatte. »Wenn du mich allerdings nett fragst, überlege ich es mir, ob ich dich heirate.«

»Du bist viel zu gut für mich, da hätte ich ja überhaupt keine Chance.«

»Ich könnte meine Ansprüche schon eine Weile zurückschrauben.«

»Den Ärger erspare ich dir«, sagte Teddy lachend. »Wie auch immer, ich will Ben nicht verschrecken, aber glaubst du, er würde mich begleiten?«

»Du ... du denkst wirklich noch darüber nach, dich mit ihm zu verabreden?«

»Echt, Shak, seit diesem Tag, an dem wir Neena interviewt haben, hat sich irgendwas verändert. Er ist wirklich richtig süß. Ich weiß, wir hatten einen schlechten Start, aber vieles davon lag an mir, weil ich ihn falsch eingeschätzt habe. Er ist nicht ...«

»Ich gehe heute Abend tatsächlich zum zweiten Mal mit jemandem aus«, stieß Shakeel hervor. »Ich will es nicht verschreien, aber er ist wirklich toll.«

»Shak!«, rief Teddy aus und hatte total vergessen, was er gerade über Ben erzählt hatte. »Das sind fantastische Neuigkeiten. Erzähl mir alles.«

»Das mache ich. Aber noch nicht jetzt, es ist ja noch ganz frisch.«

»Bitte, bitte, bitte, komm schon, verrat mir seinen Namen.«

»Keine Chance! Ich erzähl dir am Wochenende mehr, falls du Zeit hast, okay?«, gab er schließlich Teddys Dackelblick nach. »Ich weiß, dass Lex nicht da ist, aber ich würde mich freuen, dich zu sehen.«

»Oh, sorry, Kumpel, nicht an diesem Wochenende. Ich muss am Samstag wirklich noch was für die Arbeit fertig machen und am Sonntag gehe ich mit Grandad auf einen Flohmarkt.«

Falls Shak enttäuscht war, so verbarg er es gut. »Ich könnte auf den Flohmarkt mitkommen und euch beiden helfen, wenn du magst? Ich habe Arthur schon so lange nicht mehr gesehen.«

»Also, eigentlich ...«, Teddy zögerte. »Ich hatte überlegt, ob ich Ben frage.«

»Okay, das ist in Ordnung.«

»Das ist eine blöde Idee, oder? Was zum Teufel denke ich mir dabei? Warum sollte er in seiner Freizeit Lust haben, mit mir und meinem Großvater herumzuhängen?«

»Hey, ich würde alles stehen und liegen lassen, um den Tag mit deinem Grandad verbringen zu können, sogar wenn du nicht dabei wärst.«

»Du kannst mich mal!« Teddy lachte. »Aber wenn du vorbeischauen willst, würde ich mich freuen.«

»Entschuldige bitte, mir ist gerade erst eingefallen, dass Sonntag doch nicht so gut ist. Ich habe vergessen, dass ich schon andere Pläne hatte. Hör mal, ich muss aufhören, mein Essen ist fast fertig.«

»Okay, Shak. Wir hören ...«

Klick. Das Display wurde schwarz.

Teddy starrte sich selbst darin an. Das war so ... abrupt vorbei gewesen. Shakeel musste es eilig gehabt haben, wegzukommen. Vielleicht war er schon spät dran gewesen für sein mysteriöses Date. Teddy wollte daran denken, weitere Details von Lexie zu erfragen. Vielleicht würde sie mehr Glück haben und bekäme Informationen von Shakeel über diesen geheimnisvollen neuen Mann.

*

Teddy wartete bis zum Freitagnachmittag, erst dann brachte er den Mut auf, Ben nach Northbridge einzuladen. Er war sich nicht sicher, wie Ben auf das Angebot reagieren würde, aber sie waren in letzter Zeit viel besser miteinander ausgekommen. Er konnte nicht abstreiten, dass es nett war, jeden Tag gemeinsam zu Mittag zu essen. Bei ihren Gesprächen fand er mit der Zeit heraus, dass Ben immer noch Single war und sich oft verabredete, um sich abends die Zeit zu vertreiben.

»Magst du den Sonntag vielleicht mit mir in Northbridge verbringen?«, fragte Teddy zwischen zwei Bissen von seinem Mittagessen. Er beobachtete, wie Ben die Einladung verarbeitete und dabei an seinem eigenen Sandwich kaute.

»Da bin ich neugierig«, entgegnete Ben. »Was hast du denn geplant?«

»Nichts Großes, ich helfe nur meinem Großvater bei einem Flohmarkt und dachte, es wäre vielleicht lustig, zusammen abzuhängen.«

»Ich hatte noch nie ein Date auf einem Flohmarkt, Teddy.« Ben grinste.

»Ich … habe ich etwas von einem Date gesagt?«

»Ich habe es dir an der Nasenspitze abgelesen. Und du warst die ganze Woche über viel zu neugierig, was meine Dates angeht. Allerdings kann ich gar nicht glauben, dass du erst heute Nachmittag den Mut hast, mich zu fragen. Hast du befürchtet, dass ich Nein sage?«

»Pass auf, dass ich es nicht jetzt schon bereue«, sagte Teddy, obwohl er genau wusste, dass er es nicht bereuen konnte, selbst wenn er wollte. »Aber es ist in Ordnung, wenn du schon was vorhast.«

»Ich habe nichts vor«, antwortete Ben schnell. »Und wenn ich mit jemandem was ausgemacht hätte, würde ich es wieder absagen.«

Gegen seinen Willen musste Teddy lächeln, und seine Wangen färbten sich rot. Ben hatte Ja gesagt, und er konnte endlich wieder atmen. Jetzt musste er das Date nur noch geheim halten, direkt vor den Augen seiner ganzen Familie.

»Eine schöne Zeit euch beiden«, rief Teddy, als er sich an der Haustür von seiner Mum und Ralph verabschiedete. Ralph hatte Elizabeth mit einer Übernachtung in einem

Wellnesshotel überrascht. Teddy hatte sein Glück gar nicht fassen können, als er das am Abend zuvor erfahren hatte. Er würde sich nicht ständig umschauen müssen, aus Angst davor, seine Mutter könnte ihn mit seinem Großvater und Ben in der Stadt entdecken. Als er später im Bett gelegen hatte, hatte er sich gefragt, welcher Teufel ihn geritten hatte, Ben nach Northbridge einzuladen. So ein Risiko wäre er normalerweise überhaupt nicht eingegangen. Sogar wenn seine Mutter fort war, hatte sie ihre Ohren und Augen überall im Ort. Da müsste nur ein einziger neugieriger Nachbar im Vorbeigehen eine Bemerkung machen.

»Keine Partys«, warnte Ralph augenzwinkernd.

»Er macht nur Scherze, aber du weißt ja, wie deine Schwestern sind«, fügte seine Mum hinzu. »Gebt mir keinen Grund, euch euren Großvater zur Kontrolle zu schicken.«

Die Worte waren ihr über die Lippen geschlüpft, bevor sie sich hatte bremsen können. Als sie merkte, was sie da gesagt hatte, riss sie die Augen auf. »Sei still«, sagte sie und zeigte mit dem Finger auf Teddy. »Bloß, benehmt euch, bitte.« Teddy war sich sicher, dass er gesehen hatte, wie ihr Tränen in die Augen stiegen, als sie ins Auto kletterte.

Teddy hatte mit Ben vereinbart, dass er ihn am Sonntag gleich morgens am Bahnhof abholen würde. Davor war er bereits bei seinen Großeltern gewesen und hatte ihnen geholfen, das Auto zu beladen. Arthur wollte früh mit dem Wagen zu dem Parkplatz fahren, wo ihn Teddy und Ben dann um zehn Uhr für den Aufbau treffen sollten.

»Wie nett, dich hier zu treffen«, witzelte Ben.

Dann umarmte er Teddy. Anders als bei der ersten Umarmung erwiderte Teddy die Geste diesmal. Der Geruch von Bens frisch aufgelegtem Aftershave schlug Teddy entgegen, und sein Herz pochte schneller, als er ihn tief einatmete.

»Du, ähm, riechst echt gut«, sagte er und trat zurück, wobei er fast einen Passanten angerempelt hätte.

»Extra für dich. Das ist tatsächlich das erste Mal, dass ich das verwende.«

»Ich fühle mich geehrt. Hast du Hunger?«

»Wenn du bezahlst, ja.«

»Nun, wenn ich bedenke, dass du die Reise aus der Stadt auf dich genommen hast, könnte ich schon ein Wurstsandwich springen lassen.«

»Würstchen beim ersten Date? Ich wusste doch: Du steckst voller Überraschungen.«

Coras Café lag nicht weit vom Bahnhof entfernt. Dort angekommen, stellte Teddy überrascht fest, dass nur eine Handvoll Tische frei waren.

»Viel los heute, Cora«, merkte Teddy an, während sie den kleinen Tisch neben der Theke belegten. Cora ging mit ihnen mit, um die leeren Teller der letzten Gäste abzuräumen.

»Der Flohmarkt zieht immer Massen von Leuten an, Süßer«, erwiderte sie. »Sie kommen von weit her, um ihren Kram loszuwerden. Das wäre nicht meine Vorstellung von einem vergnüglichen Tagesausflug, so viel kann ich dir verraten.«

Er sparte es sich, ihr zu erklären, dass sie sich genau zu diesen Leuten gesellen wollten, um ebenfalls Kram loszuwerden. Inzwischen war sie wieder in der Küche verschwunden. Da er so abgelenkt von seiner Idee, Ben einzuladen, gewesen war, hatte Teddy bisher eigentlich noch nicht darüber nachgedacht, wie sie die Sachen verkaufen würden, die sein Grandad für diesen Tag herausgesucht hatte.

»Hast du so etwas schon einmal gemacht, Ben?«, fragte er.

»Mit jemandem gefrühstückt?«

»Nein«, seufzte Teddy und verdrehte die Augen. »Hast du schon einmal Zeug auf einem Flohmarkt verkauft?«

»Nein, aber so schwer kann das doch nicht sein, oder?«

»Ich hoffe nicht. Die Ortsansässigen werden Großvater alle kennen, was es ein bisschen einfacher machen dürfte.«

»Du wirst mir noch eine richtige Stadtführung geben müssen. Nach allem, was du erzählt hast, bin ich echt neugierig«, erklärte Ben und lehnte sich dabei auf seinem Stuhl vor.

»So wirklich aufregend ist es hier nicht, aber wir können durch den Ort laufen, wenn wir fertig sind.«

Cora kam mit zwei Portionen Englischem Frühstück und zwei Bechern Tee wieder zu ihnen. Bei dem Geruch von knusprig gebratenem Speck mit Tomaten lief Teddy das Wasser im Mund zusammen. Er hatte gar nicht bemerkt, wie hungrig er war, bis er sich das warme Essen auf die Gabel schob.

»Bis jetzt bin ich allerdings wirklich beeindruckt davon, was Northbridge so zu bieten hat«, bemerkte Ben, während er sich sein Frühstück hineinschaufelte. Er sah zu Teddy hoch, und der fragte sich plötzlich, ob Ben über die Stadt oder über ihn sprach.

Nachdem sie Coras Café verlassen hatten, führte Teddy seinen Gast die High Street hinauf zu dem Parkplatz neben dem Krankenhaus.

»Es ist gar nicht so übel hier«, stellte Ben mit einem Blick auf die Läden fest. Dem konnte Teddy nicht wirklich widersprechen. Die Stadt sah immer freundlich aus, besonders an so einem sonnigen Herbsttag wie heute. Die Vorderseiten der Geschäfte mit ihren perfekten Auslagen warteten nur auf Käuferinnen und Käufer, die sich nach drinnen locken ließen, wo sie ihr Geld bereitwillig ausgeben würden.

»Lebst du gerne hier?«, fragte Ben, als sie die ruhige Straße überquerten.

»Denke schon. Ich habe immer gedacht, ich sollte hier weggehen, aber jetzt bin ich mir nicht mehr sicher.«

»Wolltest du fortgehen, weil du schwul bist?«

»Hauptsächlich«, entgegnete Teddy und sah sich um, ob Ben irgendjemand gehört haben konnte. »Ich weiß, dass es ein Klischee ist, aber haben wir nicht alle einmal davon geträumt, in der großen Stadt zu leben, wo es niemanden wirklich interessiert, wer man ist?«

»Ich weiß, was du meinst. Mir ging es genauso, aber ein Teil von mir sehnt sich immer noch nach diesem Leben im Vorort mit allem Drum und Dran, das ich schon von meiner Kindheit kenne.«

»Wirklich?«, fragte Teddy, überrascht von Bens Bekenntnis.

»Eines Tages, vielleicht. Ich könnte mir vorstellen, an einem Ort wie diesem zu wohnen.«

»Und du hast gesagt, ich wäre für Überraschungen gut! Ich bin gespannt, ob du immer noch so denkst, wenn du dich erst mal ein paar Stunden mit meinem Großvater unterhalten hast.«

Arthur hatte bereits geparkt und sich einen der besten Plätze auf dem riesigen Parkplatz gesichert, als Teddy und Ben eintrafen. Es kamen immer noch mehr Autos, während kleine Gruppen eifriger Leute bereits die Tische umrundeten.

»Schaut euch diese Halunken an, sie stellen sich vor dich, während du auspackst, nur damit sie die Ersten sind, die ein Schnäppchen entdecken«, sagte Arthur und zeigte dabei auf die ersten Kundinnen und Kunden.

»Grandad, das ist Ben King«, erklärte Teddy und ignorierte dabei das Paar, das schon vor dem Tisch stand.

»Freut mich, dich kennenzulernen, Benjamin. Vielen Dank, dass du zum Helfen vorbeikommst.«

»Es freut mich auch, Sie zu treffen, Arthur. Sagen Sie mir, was ich tun kann.«

»Da will einer gleich mit beiden Händen anpacken«, stellte Arthur fest und legte eine Hand liebevoll auf Bens Schulter, bevor er sich Teddy zuwandte. »Der gefällt mir jetzt schon.«

»Oh ja, und zwar überall«, flüsterte Ben Teddy zu, während Arthur begann, den Kofferraum auszuladen. Teddy hielt sich gerade noch davon ab aufzukeuchen und eilte vorwärts, um seinem Großvater einen schweren Karton abzunehmen.

Es wollten ihnen schon einige Leute Sachen abkaufen, bevor die drei genug Zeit gehabt hatten, das Auto fertig auszuräumen. Arthur kümmerte sich um die Verkäufe, während Teddy und Ben neue Gegenstände auf dem Tisch platzierten, um die zu ersetzen, die bereits veräußert waren.

»Er ist der geborene Verkäufer«, bemerkte Ben, nachdem er gesehen hatte, wie Arthur einen alten Gürtel für das Doppelte des ursprünglich angesetzten Preises verkauft hatte.

»Sie haben keine Chance gegen seine Überredungskünste.« Teddy lachte. »Wer würde sich auch mit einem fast Achtzigjährigen um ein paar Mäuse streiten?«

Den ganzen Vormittag und bis in den Nachmittag hinein kamen unablässig jede Menge Leute an den Stand. Teddy erkannte ein paar Gesichter, aber insgesamt kannte er nicht viele der Menschen, die in den Sachen auf ihrem Tisch stöberten. Er musste an das denken, was Cora erzählt hatte: dass der Flohmarkt immer Leute von weit her in die

Stadt zog. Dass sie alle fremd waren, gefiel ihm. So musste er sich nicht wie unter ständiger Beobachtung fühlen, und er musste sich auch nicht überlegen, wer seiner Mutter berichten könnte, dass er ihn mit seinem Großvater zusammen gesehen hatte.

Teddy spürte einen sanften Ellbogenstoß von Ben, der ihn von dem älteren Ehepaar ablenkte, das gerade aufgeregt über ein paar Gegenstände auf ihrem Tisch diskutierte.

»Was ist?«, fragte Teddy.

»Dieser Typ da, kennst du den?« Ben zeigte mit dem Kinn auf einen kahlköpfigen Mann mittleren Alters, der zu ihnen herüberstarrte. Er unterhielt sich eigentlich gerade mit einem anderen Mann gleichen Alters, schien aber von ihrer Anwesenheit abgelenkt zu sein. Teddy kannte keinen der beiden. Der Größere von ihnen blickte sie finster an, doch erst, als er auf ihren Stand zukam, konnte Teddy erkennen, dass er es auf Arthur abgesehen hatte.

»Denken Sie wirklich, Sie sollten hier bei einer Familienveranstaltung aufkreuzen?«

Die Stimme des Mannes dröhnte hinter einigen Leuten hervor, die unmittelbar am Tisch standen. Arthur hob den Kopf, seine Augen weiteten sich plötzlich vor Angst. Der Mann ragte über den Leuten auf, die sich inzwischen umgedreht hatten, um zu sehen, wer den plötzlichen Tumult verursacht hatte.

»Warum packen Sie und Ihre Freunde nicht zusammen und verschwinden. Hier will niemand solche wie Sie haben«, sagte der kahlköpfige Mann mit tragender Stimme. »Hier laufen Familien herum, die den Tag genießen wollen.«

Diejenigen, die zwischen Arthur und dem Mann standen, warteten nun auf Arthurs Antwort, als wären sie Ehrengäste in der Royal Box auf dem Centre-Court in Wimbledon.

»Entschuldigen Sie, für wen glauben Sie, sprechen zu können?«, fragte Teddy. Er spürte das schnelle Klopfen seines Herzens bis zum Hals. Shakeels warnende Worte und der Ratschlag, Situationen wie diese nicht eskalieren zu lassen, kamen ihm in den Sinn.

»Ich spreche für alle, die sich nicht zu sagen trauen, was sie wirklich denken«, rief der Kahlköpfige. »Eine widerwärtige Vorstellung, dass irgendjemand den Kram von diesem alten Perversen anfasst oder sogar kauft.«

Teddy ballte eine Faust, bemerkte aber, wie Arthur seine Schulter umfasste, ehe er dem Mann selbst antwortete.

»Es tut mir sehr leid, wenn Sie ein Problem mit meiner Anwesenheit als Trödelverkäufer haben«, sagte Arthur sanft. »Ich glaube nicht, dass ich Sie kenne, also gehe ich davon aus, Sie haben ein Problem damit, dass ich ein schwuler Mann bin?«

»Verdammt widerlich. Packen Sie zusammen und hauen Sie ab«, spie der Mann zurück.

»Sie müssen mir ganz bestimmt nichts abkaufen, aber wir werden nirgendwohin gehen.«

Kopfschüttelnd stürmte der Mann davon. Einige der Leute, die stehen geblieben waren, um bei dem Wortgefecht zuzusehen, gingen ohne ein Wort weiter. Andere senkten den Kopf und verteilten sich auf andere Stände.

»Geht es dir gut?«, fragte Teddy. Sein eigenes Herz raste immer noch und seine Hände zitterten.

»Du musst mir versprechen, dass du dich nicht in Schlägereien verwickeln lässt, Teddy«, erklärte Arthur und sah ihn dabei an. »Wenn dir je solche Männer begegnen, gönn ihnen nicht die Befriedigung, dich von ihnen reizen zu lassen. Ich würde es nicht ertragen, wenn dir irgendetwas passiert.«

»Ich werde mich nicht provozieren lassen, Grandad. Aber es tut mir leid, dass dir das passieren musste.«

»Er ist nicht der Erste, und er wird auch nicht der Letzte sein. Es hat sich viel verändert, seit ich ein junger Mann war, Teddy. Doch es gibt immer noch viele Leute, die glauben, sie müssten dich hassen, weil du Männer liebst. Sie schreien am lautesten, damit sie jemand hört.«

Teddy schüttelte den Kopf. »Also müssen wir sie einfach weiter ignorieren? Das will mir wirklich nicht in den Kopf.«

Sobald er sich etwas ruhiger fühlte und sich sicher war, dass es seinem Grandad gut ging, kehrte Teddy zum Tisch zurück.

Nach einer Weile schloss sich Arthur ihnen wieder an und war schon bald ganz in seinem Element. Wenig später hatten sie nichts mehr im Kofferraum des Wagens, und auch auf dem Tisch lagen nur noch ein paar Gegenstände, die von Nachzüglern durchgesehen wurden.

»Lust auf einen kleinen Bummel?«, fragte Teddy Ben, während eine Frau gerade versuchte, den Preis für eine Tasse mit Untertasse herunterzuhandeln.

»Klar, ich will sehen, was der Wagen dort drüben noch übrig hat.«

»Du hast auf die Konkurrenz geachtet?«

»Klar doch, verdammt, bei denen war sogar noch mehr los als bei uns!«

Sie gingen in die Richtung des schwarzen BMW Estate. Mehrere Leute drängten sich an einer Ecke des Tisches, anscheinend angeregt ins Gespräch vertieft mit dem Besitzer des Fahrzeugs. Teddy sah sich den Tisch an. Die Schnäppchenjäger hatten auch hier nichts besonders Interessantes zurückgelassen. Er wollte schon fast weitergehen, als Ben nach Luft schnappte.

»Ich habe schon seit Jahren keinen Zauberwürfel mehr in der Hand gehabt!«, rief er und hob das Spielzeug hoch, das unter einer alten Ausgabe der *Radio Times* gelegen hatte. »Früher konnte ich den in fünfundvierzig Sekunden lösen.«

»Das macht dich jetzt aber wirklich doppelt so attraktiv für mich.« Teddy lachte.

»Du findest das witzig, aber die Leute an meiner Schule haben tatsächlich dafür gezahlt, das zu sehen.«

»Dann kauf ihn halt! Wie teuer ist er?«

»Entschuldigung«, rief Ben dem Mann zu. »Wie viel kostet der Würfel?«

»Zwei Mäuse, Kumpel.«

»Ich gebe Ihnen ein Pfund. Kommen Sie schon, jede Kleinigkeit hilft Ihnen, den Tisch freizuräumen.«

»Oder …«, mischte sich Teddy ein. »Wenn er ihn in weniger als einer Minute richtig drehen kann, geben Sie ihn ihm kostenlos.«

Der Mann verschränkte die Arme vor der Brust, kniff die Augen zusammen und dachte über das Angebot nach. »Fünfzig Sekunden oder weniger, dann kannst du ihn haben.«

»Abgemacht!«, rief Teddy so aufgeregt, dass er dabei ganz vergaß, Ben zu fragen, ob er die Herausforderung annehmen wollte.

»Was tust du? Ich habe das schon seit Jahren nicht mehr gemacht«, flüsterte Ben, der mit einem Mal leicht nervös aussah.

»Ich weiß, dass du es schaffst.«

Die anderen Trödelfans waren stehen geblieben, um dem Gespräch zu lauschen, und beobachteten Ben jetzt genau.

Einer von ihnen rief auch noch einem Freund zu, er solle herkommen, und so scharte sich schon bald eine kleine Menschentraube um den Tisch. Ben sah Teddy kopfschüttelnd an, doch dieser musste einfach über die Situation lachen, in der sie sich so plötzlich befanden.

»Fünfzig Sekunden«, wiederholte der Mann. »Und die beginnen in drei … zwei … eins.«

Die Menge feuerte Ben an, als er den Würfel zu verdrehen begann. Seine Finger bewegten sich so schnell, dass Teddy nicht im Ansatz erkennen konnte, was genau er tat. Doch was es auch war, es schien zu funktionieren, denn die farbigen Seiten wurden einheitlicher.

»Weiter so, Ben!«, rief Teddy.

»Zehn Sekunden.«

»Fünf Sekunden.« Die Zuschauerinnen und Zuschauer begannen, den Countdown mitzuzählen.

»Vier …«

»Drei …«

»Fertig! Ich bin fertig!«, rief Ben, dessen Gesicht inzwischen knallrot leuchtete. Er hob den Würfel hoch in die Luft.

In der Menge wurde begeistert applaudiert.

»Er gehört dir«, sagte der Mann hinter dem Tisch, während er ebenfalls klatschte. »Dieses Ding hat jahrelang bei uns im Haus herumgelegen, und niemand hat auch nur annähernd das geschafft, was du gerade getan hast.«

»Ich wusste, dass du es schaffen kannst«, erklärte Teddy und ergriff Bens Hand. »Das war echt fantastisch!«

»Stimmt, das war es«, mischte sich eine vertraute Stimme ein.

Eleanor trat neben Teddy und lächelte, als hätte sie soeben ein lange ungelöstes Rätsel geknackt.

Teddy sackte das Herz in die Hose, und er ließ Bens Hand los.

»Hi«, sagte sie und winkte Ben kurz zu. »Ich bin Eleanor, die ältere Schwester.«

»Was tust du denn hier?«, zischte Teddy.

»Beruhig dich, Teddy. Ich dachte nur, ich mache mal einen kleinen Spaziergang und sehe mich um.«

»Ja klar, weil du Flohmärkte so liebst.«

»Okay. Daisy ist von Cassie angeschrieben worden, und sie hat erwähnt, dass sie Grandad mit dir hier gesehen hat. Dann hat sie etwas über den schnuckeligen Typen geschrieben, mit dem du hier bist. Also …«

»Das ist genau das, was ich meinte, als ich davon gesprochen habe, hier wegzukommen«, raunte Teddy Ben zu, der den Würfel inzwischen in seine Jackentasche gesteckt hatte. »Du bist nur aus Neugierde hierhergekommen, Eleanor?«

»Ich konnte mir doch nicht die Gelegenheit entgehen lassen, den Jungen zu treffen, wegen dem mein Bruder grinst wie ein liebeskranker Welpe.«

Teddy spürte, wie ihm alles Blut aus dem Gesicht wich.

»Wa… Was?«

»Oh, komm schon, Teddy!« Eleanor lachte. »Glaubst du, ich komme von einem anderen Stern?«

Ben wollte sich zurückziehen. »Ich sollte euch beide in Ruhe reden lassen.«

»Nein!«, sagten Teddy und Eleanor wie aus einem Mund.

»Seid ihr euch sicher?«

»Absolut. Was zum Teufel, Eleanor?«

»Ich dachte, du würdest dich darüber freuen, dass ich es weiß.« Ihre Augen verengten sich.

»Das tue ich. Versteh mich nicht falsch, ich habe nur nicht damit gerechnet, dass ich heimlich beobachtet werde.«

»Übertreib mal nicht, Teddy. Es ist ja nicht so, dass Mum hier ist.«

Teddy gefror das Blut in den Adern. »Warte, weiß sie es?«

»Oh, sie hat keinen Schimmer. Ich bin mir ziemlich sicher, dass sie total ahnungslos ist. Vermutlich denkt sie immer noch, dass du total verschossen in Lexie bist.«

Teddy schwand der Mut. Das war nicht die Antwort, die er gerne gehört hätte. Tief drin hatte er irgendwie gehofft, dass seine Mutter eine ähnliche Überraschung in petto hätte und dass sie ihm erklären würde, sie hätte es die ganze Zeit gewusst.

»Glaubst du, sie wird genauso reagieren, wie sie es bei Grandad getan hat?«

»Sie wird damit klarkommen«, erklärte Eleanor unbekümmert. »Es ist nicht das Gleiche wie bei Grandad. Ganz egal, was du manchmal über sie denkst: Du wirst immer ihr kleiner Junge bleiben.«

Eleanor blieb stehen, beugte sich hinunter und band sich ihre Schuhbänder neu.

Als sie langsam weitergingen, fühlte Teddy, wie Ben ihn anstupste. »Ich wusste gar nicht, dass du mich so sehr magst.«

»Das könnte sich schnell ändern, wenn du dir noch mehr darauf einbildest.«

»Weißt du was?« Ben lachte und hüpfte beinahe auf dem Weg zurück zu Arthurs Wagen. »Ich fange schon an, es hier in Northbridge richtig zu genießen.«

Kapitel dreizehn

Arthur

»Was ist los? Du bist so still, seit du gestern vom Flohmarkt zurückgekommen bist«, sagte Madeleine, während sie es sich gemütlich machte, um ihre letzte Aufnahme der *Antiques Roadshow* anzuschauen. »Ich dachte, ihr hättet eine gute Zeit dort gehabt?«

Arthur zuckte nichtssagend mit den Schultern. Er hatte versucht, nicht darüber nachzudenken, aber die Worte des Kahlköpfigen gingen ihm nicht aus dem Sinn.

»Was ist passiert?«, fragte Madeleine und stoppte die Sendung.

»Da war nur irgend so ein Idiot. Ich habe ihn nicht einmal erkannt, aber er wusste irgendwie, wer ich bin.«

»Oh, Arthur. Lass dich von denen nicht unterkriegen.« Sie beobachtete ihn genau, doch bei dem verzagten Ton seiner Stimme wurde ihre Miene sorgenvoll.

»Normalerweise würde ich das auch nicht, aber es war einfach das Letzte, was ich erwartet hatte, und es ist vor Teddy passiert. Was ist mit den Kindern von diesem Mann? Wachsen die so auf, mit diesen Ansichten?«

»Haben Teddy und sein Freund gar nichts gesagt?«, wollte Madeleine von ihm wissen.

»Doch, das haben sie. Ich will nicht, dass er sich meinetwegen Sorgen macht, aber es hat mir noch mal vor Augen geführt, dass sich manche Dinge eben nie ändern. Diese Worte versetzen mich direkt zurück in diese längst vergangene Zeit ... und dann bin ich wieder der Feigling, wegen dem beinahe ein Mann gestorben wäre.«

»Arthur Edwards, wag es nicht. Du bist nicht verantwortlich für Männer wie deinen Vater.«

Er wollte sich nicht länger mit dem Thema befassen, also entschied er sich, etwas anderes anzusprechen.

»Der junge Freund von Teddy war sehr nett«, sagte er. »Es ist wirklich schade, dass er nicht mehr zum Abendessen mitkommen konnte.«

»Ich bin mir sicher, dazu wird es noch viele Gelegenheiten geben. Es ist doch nett für Teddy, dass er noch einen Freund hat, mit dem er etwas unternehmen kann.«

Arthur nickte. Madeleine wusste immer noch nichts von Teddy, und Arthur würde auch weiterhin seinen Wunsch respektieren, es für sich zu behalten. Madeleine drückte auf Play und widmete sich ganz der Wertbestimmung von zwei alten Gemälden. Sie hatte Kunst schon immer geliebt und war verantwortlich gewesen für die Gründung eines Seniorenkurses zu künstlerischen Themen, der immer noch gut besucht wurde. Da er für dieses Wochenende genug davon hatte, den richtigen Preis für alten Kram festzusetzen, entschuldigte sich Arthur und ging hinaus in den Garten hinter dem Haus.

Er schlenderte den schmalen Gartenweg entlang bis zu einem alten Metalltisch und einem Stuhl, die versteckt unter einem großen Weidenbaum standen. Früher einmal war das sein »Platz zum Nachdenken« gewesen, oder, wie Madeleine ihn korrekterweise genannt hatte: seine »geheime Raucherecke«. Er hatte inzwischen schon seit mehr als zwanzig Jahren nicht mehr geraucht, doch das Verlangen nach einer Zigarette war in dieser Woche täglich gewachsen. Das spielte allerdings keine Rolle: Er würde nie wieder rauchen. Er war gerade erst achtundfünfzig gewesen, als er im Verkaufsraum zusammengebrochen war. Die darauffolgende Implantation eines Stents war ein Weckruf für ihn gewesen, sodass er mit Madeleines Unterstützung das Rauchen aufgegeben hatte, ohne es je zu bereuen. Sein Vater war vor seinem achtzigsten Geburtstag nach einem Herzinfarkt gestorben, was Arthur in den letzten Jahren immer rund um seinen Geburtstag schwer beschäftigt hatte. Jetzt, da er auf seinen eigenen achtzigsten Geburtstag zuging, hatte er das Gefühl, er müsse sich darüber freuen, dass er noch eine zweite Chance bekam. Doch stattdessen fühlte er sich völlig hin- und hergerissen.

Er hatte nicht sehr viel über das nachgedacht, was nach seinem Coming-out in der Familie passieren würde. Das Leben war auch einfach weitergegangen, und von ihm schien das ebenso erwartet zu werden. Es gab keine Anleitung hierfür, niemanden, der einem Neunundsiebzigjährigen Ratschläge gab, wie er plötzlich das Leben führen konnte, das er sich immer nur vorgestellt hatte. Er musste jetzt alles ganz allein für sich selbst herausfinden. Er dachte an Teddy und Ben, die sich vermutlich gerade auf etwas Neues und Aufregendes einließen und die ihr ganzes Leben noch vor sich hatten.

Arthur fühlte das Gewicht seiner Jahre sehr deutlich. Er hatte angefangen, die Zeitungen jeden Tag nach irgendetwas zu durchforsten, das ihn vielleicht wieder zu alten Leidenschaften inspirieren oder ihm die Aufregungen der Jugend näherbringen konnte. Seine Suche war vergeblich geblieben: Das meiste davon hatte er schon einmal versucht.

Beim Bowling fühlte er sich älter, als er war.

Angeln erforderte viel Geduld, die ihm noch nie zu eigen gewesen war.

Scrabble hatte Spaß gemacht, bis er von Maureen Greens Enkelin geschlagen worden war, die ihn immer noch mit dem größten Vergnügen daran erinnerte, wann immer sie aufeinandertrafen.

Mit Madeleine über seine Gedanken zu sprechen, war unmöglich geworden. Sie musste nichts von seinen Sorgen wissen, nachdem sie ihn bereits so sehr unterstützt hatte. Obwohl sie darauf beharrte, für ihn da sein zu wollen, wusste er, dass sie etwas Ähnliches durchmachte in dem Versuch herauszufinden, wie es für sie weitergehen würde.

»Können wir reden?«, fragte Arthur Madeleine an diesem Abend nach den Nachrichten.

»Was ist los?«

Bei dem besorgten Tonfall ihrer Stimme fühlte er sich sofort schlecht.

»Das wollte ich dich fragen.«

»Wirklich? Warum?«

»Ich habe nachgedacht ...«

»Oje.«

»... und ich will nicht, dass du das Gefühl bekommst, du müsstest zu leben aufhören, nur wegen mir und der Entscheidungen, die ich getroffen habe.«

»Darüber haben wir doch schon gesprochen, Arthur.« Sie löste die Arme von der Brust.

»Ich weiß, dass wir darüber geredet haben, aber ich kann das nicht ewig tun.«

»Was tun?«

»Einfach nur hier herumsitzen, Tag und Nacht. Wir existieren beide nur unter demselben Dach.«

»Ich bemühe mich nach Kräften, Arthur.«

»Das weiß ich, und ich bin dir so dankbar.«

»Also, was willst du sagen? Dass du ausziehen willst?

Denn du weißt ja, dass wir darüber diskutiert haben, und ich halte das wirklich für keine gute Idee.«

»Nein, nein, ich verstehe es ja. Ich will einfach nur, dass du weißt: Du sitzt hier nicht fest, du bist nicht an das Haus gefesselt wegen mir. Ich kann nicht mit dem Wissen leben, dass du dein Leben für mich aufgibst.«

»Das habe ich dir doch schon gesagt: Es ist egal, wie viel Zeit wir noch haben, ich werde dich nichts von alldem alleine durchstehen lassen. Lass dir von Leuten, die uns nicht kennen, keine Zweifel daran einreden.«

»Aber ich weiß nicht, was ich tun soll, das ist das Problem. Ich weiß nicht, was ich jetzt tun soll, nachdem ich den ersten Schritt unternommen habe. Ich habe mir nie ein Leben vorgestellt, in dem das real werden könnte.«

Madeleine stand vom Stuhl auf und setzte sich mit einem leisen Seufzen neben Arthur aufs Sofa.

»Du musst das tun, was sich richtig anfühlt. Egal ob das bedeutet, dass du einfach hierbleibst oder mit Freunden zum Essen gehst: Du kannst beides tun. Verschwende keine Zeit mehr mit Grübeleien.«

Sie nahm seine Hand und sah ihm direkt in die Augen. Er konnte erkennen, wie sich seine Zweifel in ihren Augen spiegelten.

»Ich glaube nicht, dass mich irgendjemand bald zum Essen einladen wird«, sagte Arthur traurig.

»Arthur«, wies Madeleine ihn streng zurecht. »Was sagst du Elizabeth und Patrick, was sie tun sollen, wenn sie sich so fühlen?«

»Was?«

»Geht nach draußen. Seid mutig. Knüpft neue Freundschaften.«

»Ich bin fast achtzig, Madeleine! Ich melde mich doch

nicht bei diesen dämlichen Dating-Sendungen im Fernsehen an.«

»Du musst nicht gleich ins Fernsehen gehen, aber es hält dich auch nichts davon ab, neue Leute kennenzulernen, auch wenn es dabei nur um neue Freundschaften geht.«

Arthur blieb stumm sitzen und versuchte sich vorzustellen, wie es wäre, mit einem völlig Fremden eine Mahlzeit zu teilen. Bei dem bloßen Gedanken daran, in einem vollen Restaurant von Leuten aus Northbridge umgeben zu sein, bekam er feuchte Hände.

»Ich weiß nicht, Madeleine.«

»Neue Leute in deinem Leben sind vielleicht genau das, was du brauchst. Du kannst nicht aufgeben, wenn du noch nicht einmal begonnen hast. Ein Misserfolg ist noch lange keine Niederlage, es sei denn, du gibst auf.«

»Und was ist mit dir? Wenn ich mich mit jemandem verabrede, mache ich mir immer noch Sorgen um dich.«

»Ich will nicht, dass du dir meinetwegen Sorgen machst. Was soll ich noch tun, um dich davon zu überzeugen?«

»Ich hab's«, rief Arthur und klatschte in die Hände. »Wir sollten uns beide verabreden!«

»Du hast den Verstand verloren.« Sie kicherte. »Die Kinder werden uns bestimmt enteignen lassen, wenn wir zu einem Zweier-Date gehen.«

»Nicht *gemeinsam*!« Er lachte. »Aber wir sollten das beide tun. Auf diese Art wissen wir, dass wir unser Leben genießen und das Beste aus dem machen, was wir haben.«

»Ich kann gar nicht glauben, dass ich mich darauf einlasse. Gut.« Sie lächelte und ihre Augen strahlten. »Lass es uns versuchen.«

Arthur sprang vom Sofa auf. Er lehnte sich vor und gab Madeleine einen Kuss auf die Stirn.

»Ich muss natürlich sicher sein, dass er gut genug für dich ist.«

»Du hast mich davor bewahrt, mich mit Eric Brown zu verabreden, weißt du noch?«, sagte Madeleine und runzelte die Stirn bei der Erinnerung an den längst vergangenen Sommer, als Eric sie mehrmals gefragt hatte. »Ich vertraue dir.«

Am nächsten Tag kamen nachmittags Patrick und Scarlett vorbei, um Madeleine ein Geburtstagsgeschenk zu bringen. Sie hatte entschieden darauf beharrt, dass niemand irgendetwas organisieren oder sich irgendeine wie auch immer geartete Arbeit machen sollte. Das hatte Arthur nicht davon abgehalten, sie mit einem Strauß ihrer Lieblingsblumen zu überraschen, gefolgt von ihrem traditionellen Frühstück in Coras Café.

»Ich wusste nicht, dass ihr kommt!«, rief Madeleine aus und zeigte dabei auf den Geschenkkorb, den Patrick in den Händen hielt.

»Kommt herein, kommt doch herein, geht einfach durch.«

Arthur wartete an der Küchentür. Patrick umarmte ihn, bevor sie gemeinsam zur Kücheninsel hinübergingen.

»Es ist gut, dich zu sehen, Dad«, sagte er und stellte den Geschenkkorb auf der Kücheninsel ab. Dann setzten sie sich einander gegenüber hin.

»Wie läuft es so bei der Arbeit?«

»Gut. Die Verkaufszahlen sind diesen Monat wieder gestiegen. Es dürfte nicht mehr lang dauern, dann haben wir den Sommer wieder ausgeglichen. Erinnerst du dich noch an Thomas Breen? Er hat sich nach dir erkundigt.«

»Sie reden schon über das Geschäft.« Scarlett seufzte,

während sie und Madeleine sich auf den Hockern neben ihnen niederließen.

»Nichts ändert sich«, bestätigte Madeleine. »Der da brennt darauf, zurück in den Verkaufsraum zu gehen und zu verkaufen. Ich habe ihm allerdings gesagt, er soll sich ein paar Gruppen anschließen, damit er was zu tun hat. Die von der hiesigen Men's Shed würden ihn liebend gerne nehmen.«

»Ich *brenne* nicht darauf, wieder zu arbeiten«, widersprach Arthur und blickte Bestätigung suchend zu Patrick hinüber. »Ich bin absolut glücklich, zu wissen, dass das Geschäft in guten Händen ist. Du bist seine Zukunft.«

»Danke, Dad. Du bist jederzeit willkommen, wenn du vorbeischauen willst, das weißt du.«

»Ich weiß, doch an dem Tag, an dem du mich kommen siehst, wirst du wissen, dass ich endgültig den Verstand verloren habe.«

Scarlett und Patrick lachten beide.

»Das sieht bezaubernd aus«, stellte Madeleine fest, als sie den Geschenkkorb öffnete und begann, verschiedene Päckchen herauszuholen. »Das sind einige meiner Leibspeisen.«

Während sie aßen, unterhielten sie sich über ihre Pläne für die familiäre Weihnachtsfeier.

»Ich finde immer noch, dass ihr alle wieder hierherkommen solltet«, sagte Madeleine. »Es war in den letzten Jahren so wunderbar, euch alle zusammenzuhaben.«

»Was ist mit der, deren Name nicht genannt werden darf?«, flüsterte Patrick.

»Reiß dich zusammen, Patrick!« Scarlett gab ihm einen Klaps auf den Arm.

»Ich meine es ernst. Wie groß ist die Wahrscheinlichkeit, dass sie einverstanden ist, zum Festessen am Weihnachtsabend hierherzukommen? Bei Teddy bin ich mir sicher, dass er darauf bestehen wird«, sagte Patrick. »Sie könnte den Knaben nie davon abhalten, mit euch zweien Weihnachten zu feiern.«

»Ich will so viel Zeit mit allen verbringen, wie ich kann. Wir verschwenden zu viele Tage mit dieser Funkstille.«

»Das ist so lieb, wie du das sagst, Arthur«, meinte Scarlett und tupfte sich die Augenwinkel mit ihrer Serviette ab.

»Bring sie nicht zum Weinen, Dad. Diese Wimperntusche hinterlässt wirklich eine Sauerei.«

Er jaulte auf, als er noch einen Klaps, diesmal auf das Handgelenk, einstecken musste.

»Du solltest deinem Vater besser zuhören!«

»Wo wir schon hier sind: Warum erzählst du Dad nicht von deiner Idee, ihm ein Datingprofil aufzusetzen?«

Scarletts Augen verengten sich, als sie Patrick einen wütenden Blick zuwarf.

»Ich kann nicht glauben, dass du das jetzt ansprichst«, brummelte sie. »Wir sind wegen des Geburtstags deiner Mutter hier.«

»Zankt euch nicht. Tatsächlich ist das lustig, dass ihr das erwähnt«, sagte Madeleine leise, wobei sowohl Patrick als auch Scarlett sofort den Kopf wandten und sie anstarrten.

»*Du* willst ein Datingprofil, Mum?«

»Wir beide wollen eines!«, stieß sie mit einem nervösen Lachen hervor.

Scarlett quietschte so laut, dass sich Arthur wunderte, wieso die Alarmanlage des Autos nicht anging. »Das ist eine *fantastische* Neuigkeit! Ihr wollt euch beide wieder auf dem Markt umschauen?«

»Ich bin mir nicht sicher, ob du sagen kannst, dass einer von uns schon jemals wirklich auf dem Markt war, Scarlett«, schränkte Madeleine ein.

147

»Tu nicht so, Madeleine.« Scarlett lachte. »Ich könnte wetten, dass du damals schon ein paar Herzen gebrochen hast.«

»Damals«, wiederholte Madeleine lachend. »Du meine Güte, du lässt es mich jetzt schon bereuen.«

»Unsinn! Wir werden das noch *heute* erledigen. Wo ist dein Laptop?«

Erleichtert zog sich Arthur in seinen Armsessel zurück, als sich Scarlett gemeinsam mit Madeleine am Laptop zu schaffen machte. Er fürchtete sich bereits davor, all die Fragen selbst beantworten zu müssen, die Madeleine gerade gestellt bekam. Er hatte nicht einmal ein passendes Foto, das sie nutzen konnten. Dating kam ihm langsam wie ein richtig blöder Einfall vor. Es war ohnehin zwecklos. Sicher suchten Leute ihres Alters nicht online nach Dates?

»Es geht aber nicht nur um Dates, Arthur«, sagte Scarlett, nachdem er ihr seine Zweifel eingestanden hatte. »Du wirst da alle möglichen Leute finden, die nach unterschiedlichen Dingen suchen. Einige wollen sich vielleicht verabreden, andere wollen vielleicht nur Freunde finden und interessante Menschen kennenlernen.«

»Wirklich?«

»Absolut. Wart einfach ab. Los, lass uns ein nettes Foto von dir machen.«

Madeleine schob Arthur mit den Fingern die Haare zurück und platzierte ihn vor dem offenen Kamin. Es kam ihm unmöglich vor, sich natürlich zu geben, solange er in die kleine Kameralinse des Smartphones starrte.

»Muss ich lächeln?«

»Ein bisschen vielleicht, nur so viel, wie es dir angenehm ist.«

»*Nichts* von alldem ist angenehm.«

»Wir sind auch schon fertig!«, rief Scarlett und drehte das Display so, dass Madeleine es sah.

»Du hast ein Foto gemacht? Du hast gar nicht bis drei gezählt.«

»Schau, ich habe ein paar gemacht, während du dich hingestellt hast. Dieses hier ist echt süß.«

Arthur begutachtete das Bild auf dem Display. Er fand es nicht fürchterlich, das war ein Anfang.

»Das wird reichen, das wird reichen«, sagte er, damit er die Nummer auf keinen Fall wiederholen musste.

Gerade als er mit Scarletts Hilfe sein Profil fertigstellte, platzte Patrick wieder in den Raum und verkündete das Eintreffen von Elizabeth. Arthur folgte Patrick in Richtung der Stimmen aus der Küche.

»Hallo«, sagte Elizabeth, als er in den Raum kam. Ihre Stimme klang vorsichtig und zurückhaltend.

»Hi, Liebling.«

»Ich schaue nur kurz vorbei, um Mum ein Geschenk zu bringen.«

Madeleine hielt ein verpacktes Geschenk mit einer Karte in der Hand.

»Das ist nett, es ist schön, dich zu sehen.«

»Nun, ich wollte nicht ungeladen auf der Party auftauchen und euch stören.«

»Sei nicht dumm, du störst doch nie«, wies Madeleine sie zurecht. »Patrick und Madeleine haben nur gerade diesen hübschen Geschenkkorb vorbeigebracht, und wir haben uns ein bisschen unterhalten. Tatsächlich haben wir über unsere Pläne für Weihnachten gesprochen. Bist du …« Madeleine ließ die Frage offen, damit Elizabeth sich nicht unter Druck gesetzt fühlte, das wusste Arthur.

»Entschuldige, Mum, ich bin so beschäftigt mit den

Hochzeitsplanungen, da habe ich noch überhaupt keine Zeit gehabt, mir Gedanken über Weihnachten zu machen. Ich werde dir da später Bescheid geben.«

»Kein Problem. Es ist einfach nur lieb von dir, dass du vorbeischaust. Das hat mir den Tag versüßt.«

»Mir auch«, sagte Arthur strahlend.

Elizabeths Mundwinkel zuckten leicht.

»Arthur!«, rief Scarlett, während sie mit dem Laptop in der Hand in die Küche eilte. »Da kommst du nicht drauf.«

»Was ist passiert?«

»Du hast bereits zwei Nachrichten erhalten.«

»Was?«

»Zwei verschiedene Leute haben dir Nachrichten geschickt! Dabei ist dein Profil erst seit ein paar Minuten online.«

»Was ist los?«, wollte Elizabeth wissen. »Nachrichten von wem?«

»Wir haben Datingprofile für eure Mum und euren Dad aufgestellt!«

Arthur starrte Scarlett an. Er wünschte sich, er könnte sofort im Boden versinken. Sein Mund war trocken. Das war nicht das Gespräch, das er gerne mit Elizabeth geführt hätte, nachdem sie sich überwunden hatte herzukommen, auch wenn sie es nur getan hatte, um Madeleine ein Geschenk zu bringen.

»Schau, dieser Mann wirkt wirklich nett! Er hat so ein fürsorgliches Gesicht, weißt du, was ich meine? Man sieht diese Sachen immer sofort, oder nicht?« Scarlett redete aufgeregt weiter, während sie den Laptop herumdrehte, um ihm das Profil eines der Männer zu zeigen, die so schnell Kontakt aufgenommen hatten.

Schweigen senkte sich über die Küche. Arthur wusste,

dass Madeleine und Patrick auf die Reaktion von Elizabeth warteten. Darauf war auch Arthur gespannt. Elizabeths Antwort würde ihnen alles verraten: Wo sie bei dem allen stand, was sie empfand. Würde sie hinausstürmen? Davor hatte Arthur Angst.

Nach einem langen Augenblick sprach Elizabeth endlich. Ihre Stimme klang bewusst neutral. »Nun, ich mache mich auf den Weg. Ich muss los, um das Abendessen herzurichten. Alles Gute zum Geburtstag, Mum.«

Elizabeth nickte nur kurz in Arthurs und Scarletts Richtung, wobei ihr Blick auf das Profil des Mannes fiel, der gerade auf dem Bildschirm des Laptops zu sehen war. Ohne ein weiteres Wort eilte sie aus der Küche.

Kapitel vierzehn

Teddy

Ihre Ecke des Großraumbüros hatte sich früh geleert. Nur eine Handvoll an Leuten war noch an den Schreibtischen geblieben, um Updates für die Website zu erstellen. Teddy und Ben hatten den ganzen Nachmittag nicht sehr viel zu tun bekommen, sodass sie sich hauptsächlich miteinander unterhalten hatten.

Obwohl er seinem Großvater versprochen hatte, Stillschweigen darüber zu bewahren, hatte Teddy Ben von Arthurs und Jacks geheimer Beziehung erzählt. Er hatte nicht aufhören können, darüber nachzudenken, wie es wäre, mehr über den geheimnisvollen Jack Johnson herauszufinden. Bisher hatten ihm seine ersten Versuche noch keine Ergebnisse geliefert. Dass er so wenig wusste über den Mann, den sein Großvater einmal geliebt hatte, machte es nicht einfacher. Und es war absolut unmöglich, herauszufinden, wohin es ihn nach seiner Flucht aus Northbridge vielleicht verschlagen hatte. Er konnte nicht zu viele Fragen stellen, ohne dass sein Grandad hellhörig wurde, und das war das Letzte, was er wollte.

»Ich helfe dir«, erklärte Ben. »Ich bin bei einer Ahnenforschungswebsite registriert. Den Sommer über habe ich meinem Onkel geholfen, einen Familienstammbaum aufzustellen. Wir haben sogar so ein DNA-Test-Set bekommen.«

»Meinst du wirklich, dass wir ihn mit so wenigen Informationen finden können? Ich kann Grandad nach nichts mehr fragen. Ich habe ihm versprochen, dass ich da nicht herumschnüffle.«

»Überlass das mir. Ich liebe dieses Zeug. Ich werde alle Datenbanken überprüfen, und vielleicht finde ich heraus, ob er Familienangehörige hat. Damit könnten wir die Suche eingrenzen.«

»Danke, Ben«, sagte Teddy. »Steck nicht zu viel Zeit in die Suche, ich weiß ohnehin nicht, ob ich Grandad jemals erzählen kann, was wir eventuell herausfinden.«

Teddy war bewusst, dass er nur seine eigene Neugierde befriedigte, indem er versuchte, mehr über Jack herauszufinden. Er hatte sich auch nicht wirklich mit dem Gedanken befasst, er könnte auf schlechte Neuigkeiten stoßen, und damit, ob er das Arthur beibringen könnte (oder wie).

»Aber was wirst du dann machen, wenn du ihn gefunden hast? Was ist, wenn er tot ist?«

»Ich weiß nicht, lass uns einfach erst schauen, was wir herausfinden. Davor hat es keinen Zweck, sich den Kopf zu zerbrechen.«

Teddy durchforstete ein weiteres Wählerverzeichnis aus den 1970er-Jahren, aber bei seinem neuesten Jack Johnson stellte sich heraus, dass er damals schon über sechzig gewesen war. Frustriert gab er auf und begann, seinen Rucksack zu packen.

»Hat sich Dylan von dir verabschiedet?«, wollte Ben von Teddy wissen.

»Jetzt, da du es erwähnst: Nein. Ich weiß nicht, wo er

hingegangen ist.« Dylan war ein paar Stunden zuvor weggegangen und hatte dabei ungewöhnlich abgelenkt gewirkt.

»Wie seltsam«, merkte Ben an. Er klang verärgert.

»Warum, was ist los?«

»Nun ja, ich hatte ihn gefragt, ob ich ihn zu dieser Medientagung begleiten könnte, die er letztens erwähnt hat. Er sagte, es wäre noch eine Karte übrig, aber er müsste erst überprüfen, ob ich sie haben kann. Das macht dir doch nichts aus, oder?«

»Überhaupt nicht«, log Teddy. Schon als er Dylan zum ersten Mal von der Tagung hatte reden hören, war er versucht gewesen, ihn zu fragen, ob er mitkonnte. Doch als er dann erfahren hatte, dass nur noch eine Karte übrig war, hatte er sich dagegen entschieden, weil das bedeutet hätte, Ben zu übergehen. »Das klang wirklich interessant, du musst mir dann alles darüber erzählen.«

»Natürlich, vielleicht schaffe ich es diesmal ja auch, mein Diktiergerät anzuschalten, dann kann ich alles für dich aufnehmen.«

Teddy zwang sich zu lachen, doch er war immer noch wütend auf sich selbst, weil er diese Gelegenheit verpasst hatte. Fürs Erste würde er den Gedanken daran aber beiseiteschieben, vor allem, weil sie sich noch mit Shakeel und Lexie treffen würden. Am Abend zuvor hatte Teddy den beiden bei einem Videochat vorgeschlagen, sich mit ihm und Ben im Pub zu treffen. Er hatte schon fast damit gerechnet, dass sie das Angebot ausschlagen würden, war dann aber positiv überrascht worden, denn sie hatten begeistert zugesagt.

»Wird Shak den geheimnisvollen Unbekannten mitbringen?«, hatte Teddy Lexie nach dem Videochat noch gefragt.

»Erwarte nicht zu viel. Ich glaube, er hat immer noch Angst, dass wir ihn blamieren könnten.«

»Das würden wir doch nie tun.« Teddy wollte sich so locker fühlen, wie seine Worte klangen, doch der Gedanke, dass sich Shak ein bisschen für sie schämen könnte, stimmte ihn traurig.

»Ich weiß, du würdest ja auch nie diese Geschichte über ihn erzählen, wie er sich einmal selbst ausgesperrt hat und dann zurück zur Wohnung seines One-Night-Stands gehen musste«, erklärte sie lachend.

»Ganz genau. Die Lektion habe ich nach dem, ähm, dritten oder vierten Mal begriffen«, sagte Teddy und dachte an die Gardinenpredigt, die sie von Shakeel deshalb bekommen hatten, bevor er sie hatte schwören lassen, diese Geschichte nie wieder zu erzählen.

Ben war von der Toilette zurückgekehrt, wo er sich ein frisches Hemd angezogen hatte.

»Du hast vergessen, das Preisschild abzumachen«, sagte Teddy und stellte sich hinter ihn, um den Kragen zurückzuziehen, damit er herausfinden konnte, wo die Schnur festgebunden war. Als seine Finger dabei Bens Nacken berührten, fühlte er, wie sein Kollege leicht erschauderte.

»Du hättest deine Hände erst aufwärmen können«, zog Ben ihn auf, während er versuchte, den hartnäckigen Knoten zu lösen.

»Hab's«, rief Teddy und zog das Preisschild aus dem Hemd. Er richtete den Kragen auf und fuhr mit den Händen Bens kräftige Schultern nach, dabei wagte er nicht zu atmen.

»Danke. Das Hemd war ein kleines Geburtstagsgeschenk an mich selbst. Gefällt es dir?«, wollte Ben wissen, während er sich zu ihm umdrehte.

»Du passt super. Ich meine, es passt super.« Teddy stolperte über seine eigenen Worte. »*Das Hemd.* Das Hemd passt super.«

»Du siehst auch nicht gerade schlecht aus.« Ben lachte und nahm Teddys zitternde Hände in seine.

Die Bürobeleuchtung über ihnen flackerte. Es war ungewohnt ruhig in ihrer Ecke des Stockwerks. Teddy hatte Herzrasen, als sie sich in die Augen blickten. Bens weiche Lippen schienen ihm zuzurufen, er solle nur einen Schritt nach vorn machen.

»Ihr wisst, dass sie euch keine Überstunden bezahlen werden.« Die Stimme erschreckte sie beide. Dylan war zurück ins Büro marschiert und starrte auf die Zeitung in seiner Hand. Er warf sie auf den Tisch, während Ben schnell Teddys Hand losließ und einen Schritt von ihm wegging.

»Wir wollten gerade los«, sagte Ben schnell. »Wir gehen noch auf einen Drink in den Pub, falls du mitwillst?«

Verwirrt davon, dass Ben ihm vorschlug, sie zu begleiten, runzelte Teddy die Stirn.

»Nicht heute Abend«, lehnte Dylan ab und klang dabei fast belustigt von dem Vorschlag. »Ich habe mit meiner besseren Hälfte bereits was vor.«

»Warum hast du ihn gefragt? Was wäre gewesen, wenn er Ja gesagt hätte?«, fragte Teddy, als sie zum Aufzug gingen. Dylan lief, auf seinem Smartphone herumtippend, hinter ihnen her.

»Ich wollte natürlich herausfinden, ob er, du weißt schon, ob er irgendetwas gesehen hat. Mir ist es egal, aber für dich ... Du willst ja nicht, dass die Leute es wissen ... das von *dir*.«

Teddy bemühte sich, nicht an den Moment zu denken, in dem Dylan sie unterbrochen hatte. Seine Verärgerung darüber, dass Ben ihm den letzten Platz auf der Tagung weggeschnappt hatte, fühlte sich wie etwas längst Vergessenes an. Sie hatten sich fast geküsst. Ihr erster Kuss. Teddy hatte schon mehrere Typen geküsst, sich aber noch nie so gefühlt wie in dem Moment, als er vor Ben stand und darauf wartete, dass sich ihre Lippen endlich berühren würden.

Shakeel und Lexie holten sie vor dem Gebäude ab. Teddy ließ Ben neben Dylan vorausgehen, der zur U-Bahn-Station lief. So konnte er mit seinen beiden Freunden gemeinsam gehen.

»Ist das das Aftershave, das ich dir besorgt habe?«, fragte Shakeel schnüffelnd.

»Das ist es! Gut erkannt, Shak.«

»An dir riecht es sogar noch besser als im Laden.«

Einen verrückten Moment lang glaubte Teddy, Shakeel würde die Stirn runzeln.

»Wie sieht unser Plan für heute Abend aus, Teddy?«, wollte Lexie wissen. »Du bleibst heute nicht so lange, oder?«

»Nein. Ich habe auch schon zu Ben gesagt, dass es kein langer Abend für mich wird.« Es gab nur einen Grund, aus dem Teddy doch länger bleiben würde, und das war definitiv nichts, was er mit seinen beiden Freunden teilen würde.

Teddy und Ben trugen die erste Runde Drinks zu dem Tisch hinüber, den Shakeel und Lexie im hinteren Teil des Pubs gefunden hatten.

»Prost, Kumpel«, rief Shakeel, als er sein Getränk von Ben entgegennahm. »Du willst doch bestimmt was Schmutziges über den da hören?«

»Jedes noch so kleine Detail.«

»Wir werden ein Weilchen hier sein.« Lexie öffnete lachend ein Tütchen Chips.

»Kann ich zumindest einen Drink in Ruhe genießen, bevor ihr anfangt?«

»Keine Angst, Teddy. Ich werde dich nicht wegen deiner Ex-Freunde verurteilen.«

»Dafür müsste er erst einmal einen haben«, bemerkte Shakeel. Teddy starrte seinen besten Freund mit offenem Mund an. »Verdammt, entschuldige, ich wollte nicht …«

»Zum Teufel, Shak. Danke dafür.«

»Hey, kein Problem, es ist alles gut«, sagte Ben und legte Teddy die Hand aufs Knie. »Es ist mir sowieso egal, ob du zehn Freunde gehabt hast oder keinen. Ich hatte auch nur eine richtige Beziehung, also wieso sollte ich dann über dich urteilen.«

»Es tut mir wirklich leid, Teddy. Ich habe nur herumgealbert.«

Teddy konnte Shakeel unmöglich böse sein. Er wusste, dass der diese Information nicht in böser Absicht ausgeplaudert hatte. Und so war er immerhin darum herumgekommen, es selbst erzählen müssen.

»Wie geht es deinem Typen, Shak?« Lexie ergriff die Gelegenheit zu einem Themenwechsel, sobald sie sich ihr bot. »Wir hatten alle gehofft, dass wir ihn heute kennenlernen.«

»Ich habe es euch beiden doch schon gesagt: erst, wenn die Zeit reif ist. Und sowieso hätte er heute nicht kommen können, auch wenn ich es gewollt hätte.«

»Und warum?«

»Er arbeitet. Er studiert Medizin und steht kurz vor dem Examen, also ist es klar, dass er viel zu tun hat.«

»Du hast dir einen Arzt geangelt?«, fragte Lexie und hob die Hand, sodass er mit ihr einschlagen konnte. »Ich bin ja so stolz auf dich!«

Shak traf ihre Hand und lachte.

»Ich will nur, dass alles passt, doch ihr werdet die Ersten sein, die ihn treffen, das verspreche ich.«

»Oh, Gott«, seufzte Lexie dramatisch, als sie ihr leeres Glas abstellte. »Ich kann gar nicht glauben, dass ich hier jetzt als einzige Single bin. Ich brauche noch einen Drink.«

Als aus den zwei Stunden langsam drei wurden, begann sich der Tisch vor ihnen mit leeren Gläsern zu füllen.

»Ihr zwei müsst nicht mit uns hier herumhängen, wenn ihr nicht mehr wollt«, sagte Teddy zu Lexie und Shak und hoffte, dass sie den Wink vielleicht verstanden. Doch Shakeel beharrte darauf, dass er noch nicht gehen musste, und Lexie blieb sehr gerne, solange Ben die nächste Runde übernahm.

Teddy fiel auf, wie Ben stirnrunzelnd auf sein Smartphone blickte.

»Was ist los?«, fragte Teddy. »Du siehst angespannt aus.«

»Nee, es ist alles gut. Nur … ein Freund, den ich schon eine Weile nicht mehr gesehen habe, will mich treffen.«

»Oho, ist das ein hübscher Freund?«, rief Lexie über den ganzen Tisch. »Und noch wichtiger: Ist er hetero?«

»Ist er nicht, sorry, Lex!«, lachte Ben. »Ich denke nicht, dass er herkommen wird …«

»Sag ihm, er soll kommen«, beharrte Lexie. »Er kann die nächste Runde zahlen, nach dir!«

»Ich werde ihn anrufen, bin gleich wieder da.«

»Hat sonst noch jemand Hunger?«, fragte Lexie und sprang vom Stuhl auf. »Ich will Chips. Oder Nüsse. Oder vielleicht auch beides.«

Shakeel fingerte an den Knöpfen seines Hemds herum.

»Hast du was vor am Wochenende?«, fragte Teddy ihn.

»Nicht viel, ich denke, wir gehen vielleicht ins Kino, aber das ist von den Schichten abhängig.«

»Oh ja, das Krankenhaus.«

»Und du?«

»Nicht viel. Aber da kommst du nie drauf: Grandad hat einfach Nägel mit Köpfen gemacht und sich ein Date organisiert.«

Shakeel wandte sich mit großen Augen Teddy zu, während dieser ihm von den Plänen seines Großvaters erzählte.

»Ich kann gar nicht fassen, dass das passiert. Erst dachte ich, es ist ein Scherz.«

»Er schlägt uns alle, und das in seinem Alter!«, sagte Shakeel seufzend.

»Mich vielleicht, aber doch nicht dich!«

»Ich meinte nur insgesamt: mutig sein, sich outen und zugeben, was er will.«

»Warum, was gibt es denn, von dem du dir wünschst, du wärst mutig genug, es zu tun?«

»Was? Nichts, ich rede nur so allgemein, hör auf, alles wörtlich zu nehmen, Teddy.«

»Ich nehm dich doch nur auf den Arm, Kumpel. Du gehörst zu den mutigsten Menschen, die ich kenne.«

Statt zu antworten, kippte Shakeel den Rest seines Getränks in einem großen Schluck hinunter.

»Ich gehe zur Toilette, bin gleich wieder da«, sagte er und stand so schnell auf, dass er fast aus dem Gleichgewicht geraten wäre.

Teddy wartete einige Minuten allein, bis Lexie und Ben mit Tütchen voller Chips und Nüsse wieder zum Tisch kamen. »Ben ist mir zur Hilfe gekommen, nachdem er mit Telefonieren fertig war, und jetzt haben wir beides!«, quietschte sie und warf ein Tütchen gesalzener Chips in Shakeels Richtung. »Shaks Leibspeise. Wo ist er?«

»Auf der Toilette. Er müsste eigentlich schon zurück sein, vielleicht sollte ich mal nach ihm schauen.«

»Er wird schon zurechtkommen, Teddy«, erklärte Ben. »Hier, Käse und Zwiebeln oder Krabbencocktail?« Er ließ die zwei Tütchen vor ihm in der Luft herumbaumeln.

»Egal. Ich bin nicht wählerisch.«

Ben zog gespielt erstaunt die Augenbrauen hoch. »Gut, wir teilen. Halbe-halbe, abgemacht?«

Teddy war erleichtert, als Shakeel nur wenige Sekunden später wieder zu ihnen stieß.

»Alles in Ordnung?«, fragte er.

»Ja, mir geht's gut. Hab nur Hunger.«

Teddy beobachtete, wie er die von Lexie besorgten Chips öffnete und zu essen begann. Er war sich sicher, dass er sich die finsteren Blicke nicht nur einbildete, die Shakeel mehrmals in Bens Richtung warf.

»Benny!«, rief eine freudige Stimme wenig später über den Lärm. Teddy sah sich um. Ein vertrautes Gesicht kam auf sie zu, aber er konnte nicht sagen, woher er den Mann kannte, der Ben jetzt in eine feste Umarmung gezogen hatte.

»Es ist wirklich schön, dich zu sehen«, sagte er und schlug ihm auf den Rücken.

Sobald Ben sich aus der Umarmung gelöst hatte und wieder gerade stand, stellte er den drei Leuten, die ihn neugierig anstarrten, den Neuankömmling vor.

»Ihr alle, das ist Connor. Connor, das sind Teddy, Shakeel und Lexie.«

»Schön, euch alle kennenzulernen. Kann ich jemandem etwas zu trinken mitbringen?«

Lexie verschwand wieder in Richtung Bar, diesmal, um Connor zu begleiten. Teddy zermarterte sich den Kopf, um herauszufinden, woher er Connors Gesicht kannte. Er war sich sicher, dass er schon einmal in diese strahlend grünen Augen geschaut hatte.

»Teddy? Erde an Teddy.« Ben hielt ihm die offene Packung Chips hin.

»Ja, ach so, nein danke. Bin nicht hungrig.«

Die Musik war in den letzten fünfzehn Minuten lauter geworden. Ein paar Leute hatten die kleine Bodenfläche in eine improvisierte Tanzfläche verwandelt. Nachdem es ihr nicht gelang, Shakeel mitzuziehen, gesellte sich Lexie allein zu den Tanzenden.

»Also, Ted, richtig?«, wollte Connor wissen.

»Eigentlich Teddy.«

»Und woher kennst du Benny hier?«

»Wir arbeiten zusammen.«

»Oh, muss ich aufpassen, dass alles, was ich sage, wie heißt es doch gleich: unter uns bleibt?«

Ben lachte. Teddy wusste, dass es ein höfliches Lachen war, wie er es auch im Büro verwendete, und unterdrückte ein Grinsen.

»Das ist in Ordnung. Es sei denn, du hast irgendwelche dreckigen Geheimnisse über den da zu erzählen.« Er deutete mit einer Kopfbewegung auf Ben.

»Ich plaudere keine Geheimnisse aus, aber zahl mir einen Drink, und ich werde dir alles über diesen Typen erzählen, was du wissen willst.« Connor lachte.

In Teddy zog sich alles zusammen, als Connor den Arm vorstreckte und Ben an der Schulter berührte.

»Und davon will niemand irgendetwas hören, vielen Dank«, sagte Ben grimmig und schüttelte Connors Hand ab. »Ich hab dir doch gesagt, du sollst dich zusammenreißen.«

»Du weißt doch, wie sehr ich dich mag.«

Teddy starrte die beiden an, als es plötzlich Klick machte. Da war ein Foto auf Bens Social-Media-Profil gewesen. Darauf hatte Connor neben Ben gestanden und seinen Arm um ihn gelegt.

»Seid ihr zwei zusammen?«

Er konnte spüren, wie sich Shakeel neben ihm aufsetzte, während Ben bei seiner plötzlichen Frage der Mund vor Überraschung aufgeklappt war.

»Nein!«, stieß Ben hervor.

»Nicht mehr«, ergänzte Connor und tat, als wäre er empört wegen Bens schneller Verneinung. »Wir waren eine Weile zusammen. Aber jetzt sind wir nur noch gute Freunde, das ist alles, egal wie sehr ich mich bemühe.«

»Ich kann ihn nicht abschütteln«, erklärte Ben. Er sah Teddy direkt an, als wollte er sich vergewissern, dass er klargestellt hatte, dass nichts zwischen ihnen lief. Zumindest hoffte Teddy, es wäre das, was er da gerade tat.

Ben löste seinen Blick von Teddy und wandte sich an Connor: »Könntest du bitte gehen und dir einen Drink holen oder so etwas?«

»Was ist das Problem? Wir haben doch nur herumgealbert.«

»Das ist in Ordnung«, sagte Teddy, dessen Kehle endlich so frei war, dass er die Worte hervorbrachte. »Es ist schön, dass ihr Freunde geblieben seid. Das sollten alle Leute schaffen.«

»Siehst du! Ted hat es verstanden. Jetzt lasst uns ein paar Shots besorgen.« Connor war schon verschwunden, ehe er den Satz beendet hatte. Er steuerte auf direktem Weg durch die Menge auf die Bar zu.

»Entschuldigung wegen ihm«, sagte Ben und rückte näher an Teddy heran, damit er nicht schreien musste.

»Alles cool. Es kommt nicht oft vor, dass man den Ex noch vor dem ersten richtigen Date kennenlernt.«

»Fragst du mich, ob ich mit dir ausgehen will?«

»Vielleicht«, entgegnete Teddy. »Es wäre doch nett, richtig auszugehen, du weißt schon, irgendwo anders hin als in die Bürokantine.«

»Du hast recht. Lass uns da morgen darüber reden. Wir können es hier noch ein paar Minuten aushalten und dann abhauen. Okay, ich muss noch auf die Toilette, bevor er zurückkommt.«

Der Abend hatte sich nicht ganz so entwickelt, wie Teddy es erwartet hatte. Es kam ihm so vor, als wäre eine Ewigkeit vergangen seit dem Moment, an dem er mit Ben allein im Büro gewesen war, kurz bevor Dylan sie gestört hatte. Alles, was er jetzt wollte, war dahin zurückzukehren. Nur sie beide. Keine Störungen. Kein Connor. Nur er und Ben.

»Wo ist Ben?«, fragte Lexie, als sie zum Tisch zurückkam.

»Auf der Toilette. Connor?«

»Er ist zur Bar.«

Shakeel öffnete den Mund.

»Stimmt etwas nicht?«, wollte Lexie wissen und starrte ihn an. Ohne etwas zu sagen, schüttelte er den Kopf und ließ sich auf dem Stuhl zusammensacken.

»Ich gehe auch auf die Toilette«, erklärte Teddy plötzlich. Bevor er sich davon abhalten konnte, hatte er sich bereits erhoben. Er würde Ben finden. Egal, wo. Sie mussten diesen Moment zu einem Ende bringen.

Teddy schob sich mit der Schulter durch die eng gedrängten Grüppchen in Richtung Klo. Als er es endlich bis zur Tür der Toilette geschafft hatte, blieb er stehen. Jetzt gab es kein Zurück mehr. Er legte beide Hände auf die Tür und stieß sie auf.

Teddy erkannte Connors Stimme sofort, als er den kleinen Toilettenraum betreten hatte. Das lenkte ihn von dem unangenehmen Geruch ab, der ihm entgegenschlug. Die Tür der mittleren Kabine stand offen. Teddy sah Connor vor Ben stehen, offenbar hatte er die unverschlossene Tür aufgedrückt.

»Es wird nicht noch einmal passieren, Connor«, sagte Ben gerade. »Das letzte Mal war …«

Teddy hielt die Luft an.

»Wag es nicht zu sagen, es wäre ein Fehler gewesen, wir wissen doch beide, dass es das nicht war. Warum hast du überhaupt zugestimmt, dass ich hierherkomme?«

»Ich dachte, wir hätten gemeinsam beschlossen, Freunde zu bleiben, Con? Du hast zu viel getrunken.«

Teddys Füße waren am Boden festgeklebt, als er sah, wie sich Connor nach vorn beugte und Ben auf die Lippen küsste.

»Ben!«, rief Teddy, ehe er sich davon abhalten konnte. Connor wirbelte entsetzt herum, während Bens Blick Erleichterung über die Unterbrechung zeigte.

»Ist das ein Hobby von dir, Jungs auf der Toilette auszuspionieren, Ted?« Connor trat aus der Kabine heraus und näherte sich Teddy. Dabei bemerkte Teddy zum ersten Mal, wie gut gebaut der andere Mann war.

»Es hört sich so an, als wollte Ben, dass du gehst, Connor. Ich glaube allmählich, dass du hier unerwünscht bist.«

»Warum kümmert dich das?«, fragte Connor, bevor ihm die Erkenntnis kam und sich sein Mund zu einem Grinsen verzog. »Du? Du und Ben? Kumpel, das ist süß, aber ich würde meine Zeit nicht mit dem Versuch verschwenden.«

Teddys Ohren brannten, als ihn Connors Worte mit ihrem ganzen Gewicht trafen.

Connor kam jetzt sogar noch näher an ihn heran, sodass Teddy seinen Bieratem praktisch auf dem Gesicht fühlen konnte, als er sprach.

»Verschwinde jetzt, Ted. Ben und ich unterhalten uns, und das geht dich nichts an. Stimmt doch, Ben, oder?«

Ehe Connor noch etwas sagen konnte, hatte Ben sich schon an ihm vorbeigeschoben und zog Teddy aus der Toilette.

Teddy blieb nicht stehen, um irgendwelche Fragen zu stellen, während sie sich ihren Weg zum Tisch zurück bahnten, wo Shakeel und Lexie sich miteinander unterhielten.

»Beachte ihn gar nicht, Teddy«, sagte Ben, als sie endlich auf ihren Stühlen saßen. Er klopfte mit dem Fuß gegen die Seite des Tisches und starrte in Richtung der Toiletten.

Teddy hatte ihn noch nie so aufgewühlt gesehen.

»Ben«, sagte er. »Wenn du mit ihm gehen willst, dann kannst du das.«

»Warum zum Teufel sagst du das?«, fragte Ben, während sich sein Gesicht vor Wut verzerrte. »Denkst du wirklich, dass es das ist, was ich will?«

»Nein, ich wollte nur sagen …«

Teddy starrte zu Boden. Er kam sich schlecht vor, weil er es für möglich gehalten hatte, dass Ben mit Connor mitgehen wollte.

»Ich weiß, dass du so etwas noch nie getan hast, Teddy. Aber ich glaube, es könnte etwas zwischen uns entstehen. Ich kann gern auf dich warten, doch ich muss wissen, dass du mich nicht nur hinhältst.«

»Dich hinhalten? Ich wusste nicht, dass du diesen Eindruck hast, Ben.« Teddy bekam mit, dass die Unterhaltung von Shakeel und Lexie leiser geworden war.

»Ich habe nicht gesagt, ich würde glauben, dass du das tust. Aber ich muss mir einfach sicher sein, dass du vorhast, dich zu outen. Du erwartest doch nicht von mir, ewig zu warten, oder?«

Teddy wusste nicht, was er sagen sollte, als Ben ihn nun ansah. Er hatte gedacht, Ben würde seine Situation besser verstehen. Warum setzte er ihn jetzt unter Druck, sich zu outen?

»Vielleicht sollten wir das mit uns vergessen«, erklärte Teddy. Er spürte, wie sich ihm der Magen zusammenzog, sobald die Worte seinen trockenen Mund verlassen hatten. Sie hallten in seinen Ohren wider, als würde er sie zum ersten Mal von jemand anderem hören.

»Meinst du das ernst, Teddy? Was zum Teufel?« Bens Nasenflügel weiteten sich, während er begriff, was er gerade gehört hatte. »Willst du dich lieber nie offen zeigen?«

»Ich sage nicht, dass es für immer sein muss, aber ich kann es nicht brauchen, wenn du Druck auf mich ausübst, Ben.«

»Das hat nichts mit Druck zu tun. Ich will mit dir ausgehen. Ich will ein zweites Date mit dir, ein drittes. Ich will einfach nicht den Eindruck haben, ich würde meine Zeit verschwenden.«

»Aber vielleicht ist es so«, erwiderte Teddy mit brüchiger Stimme. »Vielleicht verschwendest du deine Zeit.«

»Weißt du was, Teddy. Wenn du so denkst, dann hast du womöglich recht. Wenn du es dir nicht selbst wert bist, dich zu outen und dein Leben zu leben, warum sollte ich dann davon ausgehen, dass du mich wertschätzt?«

Ben wünschte sowohl Shakeel als auch Lexie eine Gute Nacht und verließ ohne ein weiteres Wort zu Teddy den Pub. Sofort schlang Lexie ihre Arme um Teddy und drückte ihn fest.

»Das war echt dumm von mir, oder?«, jammerte er.

»Nein! Du kannst nichts versprechen«, sagte Lexie. »Wenn er nicht auf dich warten will, dann ist das sein Problem.«

So sehr er sich über die Unterstützung auch freute: Das Gefühl in seinem Bauch sagte ihm das Gegenteil. Er wollte Ben nicht von sich wegstoßen, noch ehe sie überhaupt eine Chance gehabt hatten, es miteinander zu versuchen. Shakeel blieb ungewöhnlich still, während er den Drink in seiner Hand leerte. Diese Stille bedeutete normalerweise, dass er es sich überlegte, ob er seine Meinung kundtun sollte oder nicht.

»Komm schon, Shak. Ich weiß, dass du darauf brennst, etwas zu sagen«, beschwor ihn Teddy, weil er nicht länger warten konnte.

»Ich mag den Kerl nicht, und ich traue ihm auch nicht über den Weg«, erklärte Shakeel, ohne vom Tisch aufzusehen. »Aber ... ich verstehe, was er meint. Vielleicht ist jetzt der Zeitpunkt für dich gekommen, um es endlich zu tun. Warum nicht jetzt, wenn es jemanden gibt, den du offenbar magst?«

Teddy konnte sich später nicht mehr daran erinnern, dass Lexie zur Bar gegangen war und ihnen noch eine Runde Drinks geholt hatte. Doch bevor er sich's versah, war er unterwegs zu ihrer Wohnung, um dort zu übernachten.

»Entschuldige, Lex, ich hoffe, es macht dir nichts aus, wenn ich über Nacht bleibe«, sagte er und warf sich auf das Sofa mit der Decke und dem Kissen, die sie für ihn herausgesucht hatte.

»Mach dir keine Gedanken deswegen. Du kannst ja am Wochenende mit Ben sprechen und das mit ihm klären. Ich glaube aber, dass du vielleicht schon weißt, was du tun musst.«

Teddy vergrub den Kopf im Kissen und stöhnte. Vielleicht nicht morgen oder nächste Woche, aber er musste endlich begreifen, dass er sich besser früher als später outen sollte.

Kapitel fünfzehn

Arthur

Stirnrunzelnd betrachtete Arthur sein Spiegelbild. Er hatte sich noch nie so alt gefühlt. Und durch den unruhigen Schlaf in den vergangenen zwei Nächten waren die Tränensäcke unter seinen Augen auch nicht kleiner geworden. Er zupfte an seiner Haut herum. Es könnte noch schlimmer sein, dachte er. Dank Madeleine und ihrer Angewohnheit, ihm immer neue Hautpflegeprodukte zu kaufen, hatte er stets gut auf sich geachtet. Gels und Cremes, Feuchtigkeitslotionen und Sprays; es gab kein Produkt auf dem Markt, das er in den letzten Jahren nicht ausprobiert hätte. Natürlich konnten selbst die Produkte mit den höchsten Preisen nur eine beschränkte Wirkung erzielen, und es war unmöglich, jeden Makel zu verstecken, wenn die Person, die die Sachen verwendete, sich die ganze Nacht unruhig herumwälzte.

Er hatte nicht wirklich geglaubt, dass das Einrichten eines Profils tatsächlich zu einem Date führen würde. Und schon gar nicht, dass es zwei Dates an einem einzigen Abend geben könnte. Würde er gerne wetten, so hätte er darauf gesetzt, dass Madeleine vor ihm eingeladen würde. Wie sich herausgestellt hatte, war er allerdings nur zwei Stunden schneller gewesen als sie. Jetzt bereiteten sie sich beide –

Madeleine und er – darauf vor, völlig fremde Personen zu treffen. Scarlett hatte aufgeregt Informationen über die zwei Männer heruntergebetet, die sich so schnell bei Arthur gemeldet hatten.

»Walter ist 79 und lebt in der Stadt, aber er fährt gerne hierher. Und dann noch Oscar: Er ist 82 und lebt nur ein paar Meilen entfernt, in der Nähe von Little Birchwood.«

Bevor Scarlett an diesem Abend heimgefahren war, hatten sie einen Plan gemacht. Er würde am Samstagabend Walter in Coras Café treffen und später am selben Abend Oscar in einem Restaurant an der High Street.

Er versuchte, entspannt zu bleiben und nicht ständig über die Treffen mit zwei völlig Fremden nachzugrübeln; im schlimmsten Fall ginge es um ein paar Stunden mit Leuten, die er nie wiedersehen würde. So hatte Teddy ihn bei ihrem letzten Telefonat zu beruhigen versucht, als er ihm seine Bedenken gestanden hatte.

»Ich weiß nichts über Dates. Und wenn ich mich komplett zum Narren mache?«

»Das wird gut laufen für dich, Grandad. Du wirst eine tolle Zeit haben.«

Arthur wusste, dass Teddy sich nach Kräften bemühte, ihm sein Muffensausen zu nehmen, aber er konnte sich nicht davon abhalten, sich weiter über Details auszulassen, die in den verschiedenen Szenarien eintreten könnten.

»Was ist mit dem Bezahlen?«, hatte er Teddy gefragt.

»Ihr könnt euch die Rechnung teilen, wenn ihr das wollt, oder ihr schaut einfach, wer von euch zahlen will. Da gibt es keine Regel.«

»Was ist, wenn ich einen von ihnen oder beide nicht mehr wiedersehen will?«

»Dann triffst du sie halt nicht wieder. So einfach. Glaub

mir, ihr werdet beide sehr schnell wissen, ob ihr die Gesellschaft des anderen ertragt oder nicht. Und vergiss nicht: Es könnte auch sein, dass du ihn einfach als einen guten Freund magst.«

Arthur hatte kurz über diese Möglichkeit nachgedacht, war sich aber nicht sicher, ob das etwas war, das er überhaupt in Betracht ziehen sollte, vor allem, da sie sich über eine Datingseite kennengelernt hatten.

»Du wirst dich besser beim Dating anstellen als ich, das garantiere ich dir!«, versicherte ihm Teddy.

Ihr Gespräch war von Scarletts Eintreffen unterbrochen worden. Scarlett, die sich immer mit Begeisterung in neue Projekte stürzte, hatte schnell entschieden, dass Arthurs Haare einen frischen Schnitt brauchten, damit die Frisur ein bisschen »trendiger« aussah. Sie hatte darauf bestanden, sich selbst darum zu kümmern, und hatte Patricks Haarschnitt als ein Beispiel dafür angeführt, dass sie genau wusste, was sie tat. Sobald sie fertig war und dreifach überprüft hatte, dass er zufrieden damit war, hatte Arthur vergeblich versucht, sich ein Outfit herauszusuchen. Als er schließlich verschiedene Hemden anprobiert hatte, musste er sich erst einmal für ein paar Minuten auf sein Bett setzen, um wieder zu Atem zu kommen.

»In meinem Alter so auszugehen ist totaler Quatsch. Was weiß ich schon von Dates?«

»Sei nicht so albern«, wies Madeleine ihn zurecht, während sie sein letztes verbliebenes Hemd wieder aufhängte. »Wir finden schon etwas für dich. Jetzt hör auf zu jammern, du erinnerst mich an Patrick als Kleinkind, wenn er seinen Willen nicht durchsetzen konnte.«

Weshalb Arthur am Tag seines Dates loszog, um Hemden für sich zu kaufen. Dabei hatte er beschlossen, einige der größeren Geschäfte an der High Street zu vermeiden. Diese Läden waren nichts für ihn. Einmal war er in einen davon gegangen und hatte sich gefühlt wie ein Rentner, der sich verlaufen hatte. Damals hatte eine modisch gekleidete junge Frau jedes Wort so deutlich und laut ausgesprochen, dass er vermutete, sie halte ihn für taub. Nein, er würde sich heute ganz bestimmt an Egertons halten. Das war eines der ältesten Geschäfte im Ort. Arthur konnte sich noch lebhaft daran erinnern, wie er von seiner Mutter für die Anprobe der ersten Schuluniform hineingezerrt worden war. Sie hatte die ganze Zeit über so geschluchzt, dass sie sich dann beinahe gekrümmt hatte, als sie ihn zum ersten Mal in dem kompletten Aufzug gesehen hatte.

Für einen Samstagmorgen war es in dem Laden ruhig. Arthur wollte nicht zu viel Zeit mit Herumstöbern verschwenden, also ging er direkt die Treppen hinauf zur Abteilung für Herrenbekleidung. Ein gelangweilt dreinschauender junger Mann sprang von seinem Stuhl hinter dem Verkaufstresen auf, eindeutig begeistert davon, Kundschaft zu haben.

»Guten Morgen, der Herr! Willkommen bei Egertons, kann ich Ihnen mit irgendetwas behilflich sein?«, fragte er und deutete dabei auf die verschiedenen Kleiderständer.

»Nein, danke. Ich weiß, wonach ich suche«, entgegnete Arthur.

»Falls Sie Hilfe brauchen, ich bin hier.« Das Lächeln des Verkäufers verblasste wieder, als er zu seinem Stuhl zurückkehrte. Arthur erkannte den jungen Mann nicht. Er hatte früher die meisten Mitglieder der Familie Egerton gekannt, doch im Lauf der Jahre war es unmöglich geworden, den Überblick zu behalten bei all den verschiedenen Enkeln und Urenkelinnen, die auftauchten, um ihr Arbeitspensum für den Familienbetrieb abzuleisten. So lief es in Northbridge schließlich immer. Zuerst kam die Familie. Arthur begann an dem Kleiderständer, der gleich neben ihm stand, und ließ die Finger über die Hemden daran streichen.

Blumen.

Streifen.

Wieder Blumen.

Noch einmal Streifen.

Genervt seufzte Arthur laut.

»Sind Sie sich sicher, dass ich Ihnen nicht behilflich sein soll?«

Arthur zuckte vor Schreck zusammen. »Oh Gott, mir ist fast das Herz stehen geblieben, Junge.«

»Entschuldigen Sie, Sir, aber Sie sehen einfach so aus, als könnten Sie Hilfe gebrauchen. Ich nehme an, Sie suchen nach einem Hemd? Für welche Gelegenheit?«

Arthur verzog das Gesicht. »Ein Treffen.«

»Okay, also suchen wir etwas Offizielleres.«

»Aber auch nichts zu Steifes.«

Der Verkäufer nickte und sah sich um. »Sie könnten auf alle Fälle so etwas wie das hier anziehen«, sagte er und hob ein kariertes Hemd hoch. »Es hat etwas hübsch Herbstliches, finden Sie nicht?«

Arthur sah es sich genau an. Es war nicht hässlich. »Sie meinen nicht, dass ich für so etwas ein bisschen zu alt bin?«

»Absolut nicht, ein Mann Ihres Alters, wovon reden wir da … mit Ende sechzig? … kann das problemlos anziehen.«

Arthur lachte. »Sie sind der geborene Verkäufer. Wenn Sie jemals Autos verkaufen wollen, lassen Sie es mich wissen.«

Der Verkäufer stellte sich selbst als Carl vor, während er Arthur weiter verschiedene Hemden zeigte, von denen er glaubte, dass sie passen könnten.

»Es ist für ein Date«, gestand Arthur irgendwann, da er hoffte, das würde ihre Suche schneller beenden.

Carl klatschte in die Hände und eilte davon, nur um wenig später mit zwei weiteren Hemden zurückzukommen.

»Mit einem von diesen beiden können Sie wirklich nichts falsch machen«, sagte er. »Mit diesem klassischen Oxford-Hemd genauso wenig wie mit der Vichy-Karo-Variante. Beide passen farblich wunderbar zu Ihren Augen.«

Arthur betrachtete beide genau. Mit einem Mal kam es ihm unmöglich vor, diese Entscheidung ganz allein zu treffen.

»Ich nehme beide«, erklärte er. »Ganz herzlichen Dank für Ihre Hilfe.«

Übers ganze Gesicht strahlend, packte Carl beide Hemden in eine Tasche, während Arthur bezahlte.

»Ich wünsche Ihnen einen wundervollen Abend, Sir. Sie wird jedes der Hemden lieben, egal, welches Sie tragen werden«, sagte er und übergab ihm die Tasche.

Arthur nickte ihm noch kurz zu, nahm die Tasche und eilte aus dem Laden.

*

»Er hat aber auch gesagt, du würdest fast zehn Jahre jünger aussehen!«, rief Madeleine, nachdem Arthur ihr beim Mittagessen von Carls Bemerkung erzählt hatte. »Der arme Junge konnte es nicht besser wissen.«

»Das allein ist es ja auch nicht. Es ist die Annahme, oder? Die Leute werden uns anstarren; mich werden sie anstarren.«

»Seit wann interessiert dich das, Arthur Edwards? Lass sie doch starren. Du gehst zum Kaffeetrinken und zum

Abendessen mit Freunden. Sie wissen auch nicht mehr als der junge Mann von Egertons.«

»Vermutlich«, gab sich Arthur geschlagen. »Denkst du wirklich, ich könnte für 69 durchgehen?«

»Natürlich, mein Lieber. Und keinen Tag älter.« Madeleine lachte und biss ein kleines Stück von ihrem Sandwich ab, um ihrer Aussage nichts mehr hinzufügen zu müssen.

Nachdem er sich schließlich für das Hemd mit dem Vichy-Muster entschieden hatte, saß Arthur bereits kurz vor zwei Uhr wartend in Coras Café. Er war froh, dass er im Vorfeld bei Cora angerufen und sie gebeten hatte, ihm den Tisch ganz hinten zu reservieren, der am meisten Privatsphäre versprach.

»Soll es das Übliche für dich und Madeleine sein?«, fragte Cora ihn bei seiner Ankunft.

»Oh nein, ich bin mit jemand anderem verabredet, mit einem Freund.«

»Kein Problem, mein Lieber, ich komme dann später wieder zu dir, wenn er da ist.« Cora lächelte ihn ermutigend an und ging wieder hinter den Tresen. Die geschäftige Mittagszeit war vorbei, aber es kamen und gingen immer noch viele Leute, die den Samstagnachmittag für einen Einkaufsbummel genutzt hatten. Hin und wieder tauchten Leute auf, die er kannte, und winkten ihm leicht zu, wenn sie ihn allein in seiner Ecke sitzen sahen. Es gab überhaupt keine Privatsphäre. Panik ergriff ihn. Er konnte das nicht tun. Sich ausgerechnet in Coras Café mit jemandem treffen. Es war ein Fehler. Arthur tupfte sich die Stirn mit seiner Serviette ab.

»Dad? Ist alles in Ordnung bei dir?«

Arthur schlug die Augen auf. Elizabeth starrte auf ihn hinunter. Sie legte ihm die Hand auf die Schulter.

»Oh, entschuldige, Liebes. Kommt es nur mir so vor oder ist es heute hier ein bisschen sehr warm? Cora muss schon wieder die Heizung hochgestellt haben.«

»Bist du dir sicher? Du siehst ein bisschen blass aus. Bist du mit Mum hier?«

Arthur wünschte sich plötzlich, er hätte Cora schon um einen Tee gebeten.

»Nein, ähm, sie ist nicht hier. Mein Freu... die Person, mit der ich mich treffen will, muss sich ein wenig verspätet haben.« Er rutschte unruhig auf dem Stuhl hin und her.

»Oh«, sagte Elizabeth leise. Ihre Augenbrauen wanderten nach oben, als sie begriff, was ihr Vater tatsächlich in dem Café machte.

»Du musst nicht hierbleiben, wenn ...«

»Es ist gut, mir geht's gut«, beharrte sie und ließ den Blick durch das Café schweifen. »Ich wusste nicht, dass du so bald zu einem, du weißt schon, gehen würdest.«

»Es ist nur für einen Kaffee, also, das wird es sein, wenn er es jemals hierherschafft.« Arthur schaute zur Uhr. Walter war bereits fünfundzwanzig Minuten zu spät.

»Möchtest du, dass ich mit dir warte, bis er kommt? Ich kann dann sofort wieder gehen.«

»Das könntest du, aber es geht mir gut, versprochen«, versicherte Arthur ihr. »Ich hab nicht einmal gemerkt, als du hereingekommen bist.«

»Ich war mit Eleanor einkaufen. Ich bin nur kurz hereingehüpft, um uns zwei Becher heiße Schokolade zu besorgen. Sie sitzt noch im Auto.«

»Dann lass das arme Mädchen nicht warten. Mir geht es gut. Geh schon.«

»Okay, sei aber vorsichtig, Daddy. Ich werde dir nicht sagen, wie du dein Leben leben sollst, pass nur einfach auf dich auf.« Sie kniff ihn kurz in die Wange, bevor sie zurück an die Theke ging.

Arthur sah ihr zu, wie sie ihre Getränke bestellte, ihm noch kurz zuwinkte und das Café verließ. Als die Uhr halb schlug, seufzte er traurig. Jetzt war er beinahe achtzig und war versetzt worden. Erst das ganze nervöse Getue, und dann war es umsonst gewesen. Er kam sich wie ein totaler Trottel vor, wie er da so allein herumsaß.

»Elizabeth hat gesagt, du hättest vielleicht gern einen Tee«, erklärte Cora und setzte die Tasse ab. »Dein Freund hat es nicht geschafft?«

»Danke, Cora. Nein, ich fürchte, ich bin von meinem Date versetzt worden.«

»Oh Arthur, du armer Schatz. Ich wusste nicht, dass es ein Date war.«

»Ich bin so ein dummer Trottel, Cora. Ich dachte, ich könnte das. Er hat mir eigentlich einen Gefallen getan.« Arthur trank einen Schluck von seinem Tee. Die Wärme der Tasse hatte etwas Beruhigendes in seinen Händen.

»Das kommt gewiss nicht noch einmal vor. Du weißt, dass du hier immer einen sicheren Ort hast, Arthur.«

Bei Coras netten Worten versuchte er zu lächeln, aber er hatte es bestimmt nicht eilig, so einen Nachmittag noch einmal zu erleben, vor allem nicht vor den Augen von Leuten, die ihn kannten.

»Ruf Scarlett an und sag ihr, sie soll absagen, ich gehe nicht«, sagte Arthur, als ihn Madeleine heimfuhr. »Ich bin mir noch nie so dumm vorgekommen. Sogar Elizabeth hat mich angesehen wie einen törichten alten Mann, was ich ja auch bin.«

Madeleine seufzte, als sie in die Einfahrt bogen.

»Du kannst Oscar nicht absagen, er hat dich nicht versetzt heute Nachmittag.«

»Das war alles ein dummer Fehler. Ich weiß nicht, warum ich mich dazu habe hinreißen lassen.«

»Arthur Edwards, es reicht«, erklärte Madeleine streng, als das Auto stehen blieb. »Du hast Angst, das verstehe ich am allerbesten, aber ich werde nicht zulassen, dass du deine zweite Chance wegwirfst.«

»Für die Liebe?«

»Für das Leben! Deine zweite Chance zu leben, Arthur. Freunde zu haben, die dich genauso lieben, wie du bist.«

Sie stiegen beide aus dem Auto aus und gingen ins Haus. Arthur stapfte ins Wohnzimmer und ließ sich in seinen Armsessel fallen.

»Denkst du bitte noch einmal darüber nach? Oscar hat es nicht verdient, jetzt fallen gelassen zu werden«, sagte Madeleine.

»Es tut mir leid, Madeleine. Ich hatte geglaubt, ich könnte es, aber ich kann es nicht. Ich werde nicht hingehen.«

Kapitel sechzehn

Teddy

Teddy wusste nicht mehr, wie er es an diesem Freitagmorgen pünktlich von Lexies Wohnung bis zur Arbeit geschafft hatte. Er fühlte sich grauenhaft. Er setzte seine Hoffnungen voll darauf, dass ihn zwei Paracetamoltabletten und ein paar Liter Wasser durch den Tag bringen würden. Dann würde er mit dem Arbeitspensum klarkommen müssen. Und mit Ben. Bei dem Gedanken, Ben gegenüberzustehen, drehte sich ihm der Magen um. Bevor er bei ihr weggegangen war, hatte Lexie versucht, ihm wieder Selbstvertrauen einzuflößen, aber nichts, was sie gesagt hatte, funktionierte.

Er konnte nur hoffen, dass Ben bereit war, mit ihm zu reden. Er wollte die Dinge nicht beenden, bevor sie überhaupt begonnen hatten. Er würde sich outen. Wenn Ben ihm vertrauen könnte, würde er sich dabei sogar besser fühlen, weil er wüsste, dass er Unterstützung hatte.

»Morgen«, sagte Dylan, als Teddy sich mit einem Ächzen auf seinen Stuhl plumpsen ließ. »So fertig du dich auch anhörst: Immerhin hast du es hergeschafft.«

Teddy wirbelte mit seinem Stuhl herum.

»Ben kommt heute nicht rein«, erklärte Dylan und bemerkte dabei den verwirrten Blick von Teddy. »Er hat gesagt, er würde sich nicht gut fühlen.«

»Oh, in Ordnung. Hat er noch irgendetwas gesagt?«

»Nein. Und das ist nicht gerade ideal. Ich hatte heute einiges für euch beide zu tun, also kannst du es ihm zuschreiben, wenn dir zum Feierabend die Finger wehtun.«

Teddy bemühte sich nach Kräften, sich auf die verschiedenen Aufgaben zu konzentrieren, die ihm Dylan im Lauf des Tages gab. Immer wenn sein Smartphone vibrierte, griff er voller Hoffnung, dass Bens Name darauf stehen würde, danach. Er blieb auch während der Mittagspause am Schreibtisch, weil er sich an die Idee klammerte, dass Ben vielleicht anrufen würde, wenn er wüsste, dass Dylan nicht in der Nähe wäre. Um drei Uhr nachmittags hielt er es nicht mehr aus und schickte eine Nachricht, in der er einfach Hallo schrieb. Bis zu dem Zeitpunkt am Abend, an dem er sich endlich durch Dylans gesammelte Spesenquittungen gewühlt hatte und das Büro verließ, war die Nachricht immer noch nicht gelesen worden.

Am Samstagmorgen schrak Teddy aus dem Schlaf und hatte für einen Moment ganz vergessen, dass Wochenende war. Sein Kopf fühlte sich an, als wäre er mit Watte gefüllt. Er trank einen Schluck von dem warmen Wasser in dem Glas, das er neben seinem Bett stehen hatte. Wenn er die Energie dafür gehabt hätte, wäre er nach unten gegangen und hätte sich frisches Wasser geholt, aber nicht heute. Nein. Heute war ein Tag, an dem er mit geschlossenen Vorhängen im Bett liegen bleiben würde.

»Das habe ich verdient«, redete Teddy sich ein, während er auf seine Kissen starrte. Er hatte sich angewöhnt, sich ein Kissen der Länge nach hinzulegen und beinahe damit zu kuscheln, damit er leichter einschlafen konnte.

Sein Smartphone gab ein Pinggeräusch von sich, sodass

sein Herz vor Schreck und Freude beinahe aussetzte. Shakeel. Er warf es von sich, ohne die Nachricht auch nur zu öffnen, hatte dann aber sofort ein schlechtes Gewissen und durchwühlte seine Decke, um das Smartphone zu finden. Es war nicht Shakeels Schuld, dass Ben nicht reagierte. Er las Shakeels Nachricht. Er wollte wissen, ob sie reden konnten.

»Hallo«, sagte Teddy, als Shakeel seinen Anruf entgegennahm. »Das kommt nicht oft vor, dass du an einem Samstagmorgen so früh wach bist. Was ist los?«

»Ich habe mir nur den Abend neulich durch den Kopf gehen lassen und dachte, wir könnten vielleicht quatschen.«

Teddy setzte sich in seinem Bett auf. Wenn Shakeel von quatschen sprach, dann wusste Teddy, dass er sich etwas zurechtgelegt hatte.

»Okay, ich meine, wenn du willst, aber ich weiß nicht …«

»Teddy, ich traue ihm nicht«, platzte Shakeel heraus. Teddy hörte die schweren Atemgeräusche von Shakeel am anderen Ende der Leitung.

»Meinst du das ernst, Shak? Du kennst ihn ja gar nicht!«

»Kennst du ihn denn? Ihr hattet, was, ein Date?«

»Ich arbeite täglich mit ihm zusammen. Ich weiß ziemlich gut, wer er ist.«

»Unsinn, Teddy. Ich habe dich mit ihm zusammen gesehen, weißt du noch? Nur weil du für ihn schwärmst, heißt das nicht, dass du ihm den Job überlassen musst.«

Teddy holte tief Luft. Seine Nasenflügel blähten sich.

»Du hast mich am Samstagmorgen angerufen, um mir einen Vortrag zu halten über den ersten Typen, für den ich vielleicht Gefühle habe?«

»Weil ich dabei gewesen bin, Teddy. Ich sage dir das nur als dein bester Freund. Ich weiß, dass du nicht darauf hören willst, aber versprich mir einfach, vorsichtig zu sein. Bitte?«

»Gut, wenn du dich dadurch besser fühlst. Falls ich es nicht schon vermasselt habe, werde ich vorsichtig sein. Zufrieden?«

Während des restlichen Gespräches verdrehte Teddy zwar mehrfach die Augen, spürte aber trotzdem, wie sich der Knoten in seinem Magen immer stärker zusammenzog. Sicher, er wusste, dass Ben den Job wollte, wahrscheinlich sogar mehr als er selbst, aber sie könnten es sicherlich gemeinsam durchstehen, wie auch immer die Entscheidung ausfiel. Er würde damit klarkommen, falls Ben den Job bekam.

Sein Magen knurrte laut. Essen. Er brauchte ein Frühstück. Das war eine geeignete Ablenkung von allem im Moment.

»Ah, ich wollte dich gerade schon rufen, Edward«, sagte Elizabeth, als er in die nach frisch zubereitetem Rührei riechende Küche kam.

»Ich hab mir gedacht, ich mache mal dein Lieblingsfrühstück. Ich habe auch knusprig gebratenen Speck.«

»Wofür soll das alles sein?« Teddy sah sich verwirrt in der Küche um. Es war sonst niemand da.

»Kann ich meinem Sohn kein Frühstück machen?«

»Mum, sogar du solltest wissen, dass es schon eine Weile her ist, seit du …«

»Gut, gut«, entgegnete Elizabeth und schob ihm Rührei auf den Teller. »Ich wollte dir nur sagen, wie stolz ich auf dich bin. Wir hatten nicht viel Zeit miteinander in den letzten Wochen, aber ich weiß, wie hart du arbeitest, und ich will einfach, dass du weißt, wie glücklich mich das macht.«

Teddy hatte einen trockenen Mund. Es schien ihm plötzlich unmöglich zu sein, einen Satz zu bilden. Bevor er es ahnte, liefen ihm Tränen über die Wangen.

»Es tut mir leid, ich weiß nicht, was los ist«, sagte Teddy und zog sich einen Hocker heran, um sich hinzusetzen. Elizabeth legte ihm eine Hand auf den Rücken und streichelte ihn sanft.

»Ist alles in Ordnung? Du weißt, dass du mit mir über absolut alles reden kannst, oder? Wir haben als Familie schon so vieles durchgestanden, Teddy, du weißt, dass ich immer für dich da bin.«

»Danke, Mum. Mach dir keine Sorgen, es ist nur ein alberner Streit mit Shak, und mir steckt die Müdigkeit in den Knochen. Mir geht's gut, ehrlich.«

»Wirklich?« Elizabeth sah ihn mit gerunzelter Stirn an. »Ich mache Rührei mit Speck für dich und du fängst zu heulen an? Bin ich wirklich so schlecht in der Küche?«

Teddy lachte und wischte sich wieder über die Augen.

»Dieses Lächeln: genau wie bei deinem Vater«, sagte seine Mum. »Ich weiß, es mag Zeiten geben, in denen es sich anfühlt, als könnten wir nicht viel Zeit miteinander verbringen, aber ich bin immer für dich da, egal, was passiert.«

Sein Magen rebellierte. Essen war das Letzte, an das er jetzt denken konnte. Das jetzt war seine Gelegenheit. Wenn er nur die richtigen Worte finden konnte. Wenn er nur ein bisschen mehr Mut aufbringen konnte, um sie über seine Lippen zu zwingen.

»Mum«, sagte er. »Ich muss dir, nein, ich will dir etwas sagen ...«

Die Küchentür flog auf, und Eleanor drängte sich mit vollen Einkaufstüten herein.

»Nun komm schon, Mum«, jammerte sie. »Ich muss diese Sachen zurückgeben. Die stehen schon seit Wochen in meinem Zimmer herum.«

»Und wessen Schuld ist das, Eleanor? Zwei Minuten, bitte, warum setzt du dich nicht schon einmal ins Auto?«

»Ist alles in Ordnung?«, wollte Eleanor mit einem Blick auf Teddys gerötete Augen wissen.

»Es ist alles gut, Eleanor. Gib uns nur bitte eine Minute.« Sie warteten schweigend, bis sie die Haustür ins Schloss fallen hörten. »Entschuldige, ich hab ihr versprochen, dass wir heute Vormittag shoppen gehen. Du wolltest mir etwas sagen?«

Teddy lachte innerlich über sich selbst. Das winzige bisschen Mut, das er noch vor einigen Augenblicken von irgendwoher zusammengekratzt hatte, war wieder versickert.

»Ich wollte nur sagen, dass ich dir wirklich dankbar bin, dass du mich bei *The Post* untergebracht hast. Ich mag es dort sehr.«

»Ich kann dir gar nicht sagen, wie sehr mich das freut, Edward«, sagte Elizabeth. »Egal was passiert, vergiss niemals, wie stolz ich auf dich bin. Gut, ich gehe jetzt besser, bevor sie anfängt, auf die Hupe zu drücken. Iss dein Frühstück, solange es noch warm ist.«

»Danke, Mum«, sagte Teddy, als sie sich zu ihm beugte und ihm einen Kuss auf die Wange gab. In seinem Kopf blitzten die enttäuschten Gesichter von Ben und Shakeel auf. Nachdem er das kalte Rührei fast eine Stunde lang unsinnig auf seinem Teller hin und her geschoben hatte, warf er es in den Mülleimer und zog sich in sein Zimmer zurück.

Kapitel siebzehn

Arthur

Arthur erwachte mit einem Mal in seinem Armsessel. Ein Klopfen an der Wohnzimmertür hatte ihn aus dem Schlaf geschreckt. Er konnte sich nicht einmal daran erinnern, wie er sich auf seinen Sessel gesetzt und die Augen geschlossen hatte.

»Arthur? Hallo? Ich bin's, Scarlett, kann ich reinkommen?« Ihre Stimme klang ungewöhnlich hoch.

»Natürlich, sei nicht albern, du musst doch nicht klopfen.«

»Entschuldige, Madeleine hat gesagt, du wärst eingeschlafen, ich will mich nur bei dir entschuldigen.«

Arthur wedelte mit der Hand in der Luft herum und legte die Stirn in Falten.

»Du hast mich noch nicht versetzt.«

»Aber ich habe dich gedrängt ...«

»Das hast du mit Sicherheit nicht getan. Wir hätten das mit dir oder ohne dich getan, Scarlett, also mach du dir keine Vorwürfe wegen der Unhöflichkeit von jemand anderem.«

»Madeleine hat erzählt, du wirst dich nicht mit Oscar treffen.«

Scarlett setzte sich auf das Sofa. Arthur wusste schon,

dass sie versuchen würde, seine Meinung zu ändern, während sie mit den vielen Ringen an ihren Fingern spielte.

»Bevor du jetzt versuchst ...«

»Bitte, Arthur, lass mich nur kurz etwas sagen.« Sie riss die Augen beim Sprechen auf, beinahe als wäre sie vor sich selbst erschrocken, weil sie Arthur unterbrochen hatte. »Ich kenne dich zwar erst seit ein paar Jahren, aber kannst du dich an das erinnern, was du mir gesagt hast, als wir uns genau hier, in diesem Haus, zum ersten Mal getroffen haben? Du hast zu mir gesagt, du hättest Patrick noch nie so glücklich gesehen. Du hast zu mir gesagt, ich würde ein Teil deiner Familie werden.«

Arthur nickte. Er konnte sich sehr lebhaft an diesen Nachmittag erinnern.

»Ich wusste, dass das bedeutete, sich auf das Gute und auf das Schlechte einzulassen, Arthur. Patrick war zu dem Zeitpunkt erst seit sechs Wochen trocken, aber ich konnte den Mann in ihm sehen, der er ist. Der ist ein Abbild von dir. Jede Geschichte, die er mir aus seiner Kindheit erzählt, handelt von dir und davon, wie du ihn unterstützt und ermutigt hast. Als er sich nicht getraut hat, das Geschäft zu übernehmen, hast du ihn davon überzeugt, dass er es kann. Er musste nur an sich selbst glauben. Natürlich würde er Fehler machen, aber er würde aus ihnen lernen. Ich glaube, das ist genau das, was du heute auch zu dir selbst sagen solltest. Bitte, lass dich nicht von einer Person aufhalten. Du wirst es mehr als alles bereuen, wenn du nicht gehst. Das ist alles, was ich sagen wollte. Es tut mir leid, vielleicht war es nicht an mir, dir das zu sagen.«

Arthur stand auf und legte die gefaltete Zeitung auf den Couchtisch. Er sah zur Uhr hoch und schöpfte tief Atem.

»Nun dann, ich schätze, ich sollte besser gehen, um mich fertig zu machen. Ich will Oscar doch nicht warten lassen.«

Er musste unweigerlich lächeln, als Scarlett vor Freude in die Hände klatschte.

Madeleine und Scarlett blieben im Türrahmen stehen und sahen zu, wie Arthur hinten in das Taxi einstieg, das ihn zum Restaurant bringen würde. Er winkte ihnen noch einmal zu, als der Wagen aus der Einfahrt und auf die stark befahrene Straße zur Stadt fuhr.

»Geht's zum Männerabend?«, fragte der Taxifahrer, als sie an einer roten Ampel anhielten. Seine Stimme klang heiser, möglicherweise von seinen Versuchen, sich mit den verschiedenen Fahrgästen zu unterhalten.

»Ich treffe nur jemanden«, entgegnete Arthur und mied dabei den Blickkontakt mit dem Fahrer, der ihn im Rückspiegel beobachtete.

»Man muss sich immer von seiner besten Seite zeigen, wenn eine Dame auf einen wartet.« Der Fahrer lachte.

Arthur zwang sich zu einem Lächeln als Antwort und sah dann wieder aus dem Fenster. Seine Beine zitterten. Er legte sich die schwitzigen Handflächen auf die Knie, um sie zu stabilisieren. Er wusste, wie dumm er sich gerade anstellte. Es ging nur um ein Abendessen. In ein paar Stunden würde alles wieder vorbei sein.

Er spürte, wie das Taxi zum Stehen kam. Er sah aus dem Fenster: Sie hatten vor dem Restaurant geparkt, Catch-22.

»Einen schönen Abend, mein Freund«, sagte der Fahrer, als Arthur aus dem Wagen kletterte.

Als er so auf dem Fußweg zum Restaurant stand, fühlte er sich mit einem Mal sehr allein und zur Schau gestellt. Er war zehn Minuten zu früh. Gab es irgendeine Dating-

Etikette, nach der das komisch wirkte? Plötzlich fühlte sich alles, woran er vorhin nicht gedacht hatte, wichtig an. Sollte er hineingehen und am Tisch warten? Und wenn Oscar schon drinnen war? Vielleicht saß er schon am Tisch und beobachtete ihn, wie er draußen stand und über genau diese Fragen nachdachte. Arthur atmete tief durch und stieß dann die Restauranttür auf.

»Guten Abend, Sir. Haben Sie reserviert?« Eine junge, schlanke Frau in Schwarz stand mit einem iPad in der Hand direkt im Eingangsbereich. Ihre langen blonden Haare hatte sie sich zu einem straffen Pferdeschwanz hochgebunden.

»Hallo. Einen Tisch für zwei. Oscar?«

»Ah ja, Sie sind zuerst da, lassen Sie mich Ihnen Ihren Tisch zeigen.«

Arthur folgte ihr zwischen den Tischen hindurch, an denen einige Gäste bereits früh zu Abend aßen. Es war nicht so viel los, wie er befürchtet hatte: Vor allem ältere Paare saßen an den Tischen und eine Handvoll kleinerer Grüppchen im hinteren Teil des Gastraums. Sie blieben vor einem kleinen Tisch stehen. Er war leer, genau wie der auf die gleiche Art gedeckte Tisch auf der anderen Seite. Arthur dankte der Bedienung und setzte sich so hin, dass er den vorderen Teil des Restaurants im Blick hatte.

Es vergingen ein paar Minuten. Er sah den Mitarbeiterinnen und Mitarbeitern zu, die zwischen den Tischen herumschwirrten. Hin und wieder schwang die Tür auf, und ein neuer Gast kam herein. Sein Magen hob sich jedes Mal ein wenig, und Enttäuschung machte sich in ihm breit, sobald er erkannte, dass es nicht Oscar war. Dann sah er ihn. Die Bedienung deutete in Arthurs Richtung. Oscar lächelte, nickte und ging auf ihn zu. Arthur atmete tief ein und stand auf.

Oscar war nur ein bisschen kleiner als er selbst. Seine gebräunte Haut war vom Alter gezeichnet, aber jede der Falten sah aus, als wäre sie mit Absicht gezeichnet worden, angefüllt von den Erinnerungen des Lebens, das er geführt hatte. Eine Brille saß auf seiner leicht gebogenen Nase, lenkte aber nicht von seinen funkelnd blauen Augen ab.

»Du musst Arthur sein«, sagte er und streckte ihm die Hand hin.

»Oscar, schön, dich zu treffen.«

»Entschuldige, dass ich ein paar Minuten zu spät bin. Der Verkehr in diesem Ort wird auch nicht weniger, oder?«

»Es wird jeden Tag schlimmer. Bist du selbst hergefahren?«

»Ich habe meinen Wagen bei dem Haus eines Freundes abgestellt. Er wohnt direkt am Stadtrand.«

Sie redeten einige Minuten über Northbridge und stellten dabei fest, dass Arthur einen von Oscars Freunden flüchtig kannte – er hatte vor einigen Jahren ein Auto bei Arthur gekauft. Ein Kellner unterbrach sie, um ihre Bestellungen aufzunehmen. Wenig später kam er mit einer Flasche Grauburgunder zurück.

»Auf einen netten Abend«, sagte Oscar und hielt Arthur sein Glas entgegen.

Arthur spürte, wie er sich im Lauf des Gesprächs entspannte. Es war, als würden sie sich schon seit Jahren kennen. Sehr schnell vergaß er seine anfänglichen Bedenken wegen Gesprächsthemen oder darüber, wie es sich anfühlen würde, einem völlig Fremden in einem potenziell romantischen Setting gegenüberzusitzen. Arthur spürte die Blicke von ein paar Leuten, die an ihnen vorbei zu ihren eigenen Tischen gingen. Einige der Gesichter erkannte er, konnte ihnen aber keine Namen zuordnen.

»Also«, sagte Oscar. »Laut deinem Profil hast du zwei Kinder. Erzähl mir alles.«

»Das stimmt, Elizabeth und Patrick, sie sind beide über vierzig. Elizabeth hat drei Kinder, ich habe also zwei Enkelinnen und einen Enkelsohn. Hast du Kinder?«

»Nein, nur Nichten und Neffen. Ich gehe davon aus, dass du dich dann erst etwas später im Leben geoutet hast?«

Arthur stellte sein Glas ab. »Ja, sogar erst vor ein paar Monaten.«

Oscars Augenbrauen wanderten fast bis zu seinem Haaransatz hoch. »Oh, wie wahnsinnig mutig von dir. Wie ist es gewesen?«

Er nippte an seinem Wein, während Arthur ihm erklärte, wie er sich dazu entschieden hatte, endlich mit seinen Kindern zu reden und offen als homosexueller Mann zu leben.

»Es ist wunderbar, dass dich deine Frau so unterstützt. Es klingt, als wäre sie ein echtes Juwel. Ich habe im Lauf der Jahre schon viele Geschichten gehört, und nicht alle von ihnen hatten ein gutes Ende.«

»Ich habe sehr viel Glück«, sagte Arthur. »Wir sorgen dafür, dass es funktioniert. Tatsächlich hat sie mich dazu überredet, heute hierherzukommen. Ich war nicht überzeugt davon, dass ich in meinem Alter noch Dates haben sollte ...«

»Hör sofort auf«, warf Oscar mit erhobener Hand und einem Lächeln im Gesicht ein. »Nichts von diesem Gerede über das Alter in meiner Gegenwart. Ich werde nächstes Jahr 83, aber ich höre nicht auf, bis sie mich unter die Erde geschafft haben. Es gibt immer noch eine Menge zu tun für mich, und da kommt mir keine dumme Zahl in die Quere.«

»Wirklich?«

»Sicher. Warum sollten wir aufhören? Weil die Gesellschaft denkt, dass wir ins Bett gepackt werden sollten, um *Call The Midwife* anzusehen?«

»Ich glaube, du hast recht. Ich hatte mir Sorgen gemacht, dass die Leute über mich urteilen könnten, wenn ich heute Abend ausgehe.«

»Warum?«

»Nun«, Arthur beschloss, die Wahrheit zu sagen. »Du bist tatsächlich die erste Person, mit der ich ausgehe, seit ich …« Ihm brach die Stimme weg.

»Ich verstehe«, sagte Oscar lächelnd. »Nun ja, ich fühle mich sehr geehrt, dass ich heute mit dir hier sein kann. Ich halte dich für einen sehr mutigen Mann, weil du das machst, was du machst.«

Arthur spürte, wie sich ein warmes Gefühl in ihm breitmachte. Scarlett hatte recht: Er konnte nicht weiter in ständiger Angst vor solchen Momenten leben. In Zukunft würde er nichts mehr versäumen.

Arthur war vollkommen erstaunt von Oscars Lebenseinstellung. Während sie aßen, hörte er genau zu, was Oscar ihm von seinen Erfahrungen als offen schwuler Mann in einigen Ländern erzählte, die er im Lauf der Jahre bereist hatte. Von Verhören auf der Polizeistation und überfüllten Nachtclubs bis hin zu Partys während der Pride Parade, die bis in die Morgenstunden dauerten: Er kannte Geschichten aus allen Ecken der Welt.

»Zu meinem 81. Geburtstag haben ein paar meiner Freunde zusammengelegt und mir Flugstunden organisiert«, erzählte er lachend. »Die nehme ich jetzt seit etwas über einem Jahr. Das ist eines der besten Dinge, die ich in meinem ganzen Leben gemacht habe.«

»Du bist ein mutigerer Mann als ich«, sagte Arthur.

»Du hast es in dir. Du musst dir nur in Erinnerung rufen, dass du alles tun kannst, was du willst. Wenn du hier sitzen und mit mir zu Abend essen kannst, kannst du auch losziehen und Karaoke singen mit einer Dragqueen, du kannst auf eine Pride Parade gehen und Teil von einer Gesellschaft sein, in der du so geliebt wirst, wie du bist.«

»Und ich könnte ein Flugzeug steuern.«

»Und du könntest ein Flugzeug steuern! Nicht nach zwei Flaschen davon, natürlich.« Oscar lachte und schwenkte dabei die zweite leere Weinflasche.

Ein Mann wedelte mit der Hand in der Luft herum, um die Aufmerksamkeit des Kellners zu bekommen, der gerade an einem anderen Tisch stand. Arthur spürte, wie sich sein Herzschlag beschleunigte. An dem Tisch saß Eric Brown mit seiner Frau Claudette.

Mit einem Blick in die Richtung, in die Arthur starrte, fragte Oscar: »Ist das ein Freund von dir?«

»Er war es«, entgegnete Arthur. »Bis ich mich geoutet habe.«

Arthur erklärte ihm, was mit Eric und der Stiftung für Northbridge geschehen war.

»Bigotte Spießer, der ganze Haufen«, sagte Oscar wutentbrannt. »Es tut mir so leid, dass du so ein fürchterliches Benehmen erleben musstest.«

»Ich kann ja verstehen, dass es sie überrascht hat.«

»Versuch nicht, es zu entschuldigen, Arthur. Ich habe große Lust, jetzt gleich dort hinüber zu marschieren und ihm den Kopf zurechtzurücken.«

»Oh nein, nein«, wandte Arthur ein. »Das ist es nicht wert.«

»Nun, ich werde mich darum kümmern, dass du dich wegen ihm oder irgendwem sonst nie mehr so fühlen musst.«

Arthur begriff, was Oscar damit sagen wollte. »Du willst in Kontakt mit mir bleiben nach diesem Abend?«

Oscar erwiderte sein Grinsen. »Ich weiß nicht, wonach du suchst, Arthur, aber ich glaube, wir könnten gute Freunde sein, und gerade jetzt, denke ich, ist das genau das, was du brauchst.«

Arthur nickte und seufzte glücklich. Die Freundlichkeit, mit der ihn ein relativ Fremder behandelte, machte ihn sprachlos.

Kurze Zeit später erschien der Kellner mit ihrer Rechnung. Arthur wollte sie übernehmen, aber Oscar war schneller und bestand darauf, zu bezahlen.

»Auf den Beginn einer großartigen Freundschaft«, sagte er und hob noch einmal sein Glas.

Arthur stieß mit ihm an, er fühlte sich sicher und war zufrieden.

Als er aufstand, bemerkte Arthur, wie Eric zu ihrem Tisch herüberstarrte. Er wusste nicht, ob es vom Alkohol kam oder ob Oscars Geschichten ihn dazu anregten, doch wenig später quetschte er sich an den inzwischen vollen Tischen vorbei zum Tisch von Eric und Claudette. Als er sich ihnen näherte, sah er, dass sie in Begleitung ihrer jugendlichen Enkelin Sophie hier waren.

»Guten Abend«, sagte er, neben ihnen angekommen. »Reizend euch zu sehen, Claudette und Sophie.«

»Hallo Arthur. Ohne Madeleine heute Abend?«, fragte Claudette und mied dabei den direkten Blickkontakt mit ihm.

»Nein, sie hat heute selbst etwas vor.«

»So wie du auch offenbar«, merkte Eric an und deutete mit dem Kopf in Oscars Richtung, der gerade auf sie zukam. Claudette sah nun doch zu ihm auf, während Sophie den Kopf weiter gesenkt hielt und auf den Teller mit Essen vor sich starrte. Bei anderen Gelegenheiten, wenn Arthur sie getroffen hatte, war sie immer viel gesprächiger gewesen. Arthur stellte der Runde Oscar vor, der Eric die Hand zur Begrüßung hinhielt.

»Es freut mich, Sie kennenzulernen«, sagte er und wandte sich dann mit einem Blitzen in den Augen wieder Arthur zu. »Komm jetzt, mein Hübscher, lass uns gehen. Du schuldest mir noch eine Nachspeise, schon vergessen?«

Sie schafften es kaum, das Lachen zu unterdrücken, während sie sich von den Browns verabschiedeten und zum Ausgang gingen. Die hatten die Münder so weit offen stehen, dass ein ganzes Scheunentor hineingepasst hätte.

»Ich kann nicht glauben, dass du so etwas gesagt hast«, lachte Arthur. »Ihre Gesichter!«

»Merkst du, was ich meine? Entschuldige meine Ausdrucksweise, aber: Scheiß auf sie, Arthur. Du hast die Möglichkeit, dein Leben für dich zu leben, nicht für sie. Hab Spaß, sei mutig und genieß es. Und wenn das bedeutet, dass du hin und wieder ein paar homophoben Kretins das Maul stopfen musst: umso besser.«

Sie warteten draußen an der Straße auf Oscars Taxi.

»Und denk daran, Mrs. Edwards zu erzählen, wie gut aussehend ich bin«, merkte Oscar noch an, als ein Wagen vor ihnen zum Stehen kam. »Sie muss ja nicht die Einzige sein, die sich mit attraktiven Gentlemen trifft.«

Arthur winkte zum Abschied und beobachtete, wie der Wagen um die Ecke bog und außer Sicht verschwand.

Er hatte es getan. Der Abend war ein Erfolg gewesen. Aber an irgendwelche romantischen Gefühle hatte er während der letzten Stunden nicht gedacht. Teddy hatte recht gehabt: Auch ohne eine Liebesverbindung zwischen ihnen hatte er mit Oscar in nur wenigen Stunden sogar etwas noch Besseres gefunden, das wusste er. Etwas, von dem er in seinem ganzen Leben nicht einmal geahnt hatte, dass es ihm abging: einen Freund, der ihn wirklich verstand.

»Mr. Edwards?«

Arthur sah sich um und entdeckte Erics Enkelin Sophie, die hinter ihm stand. Jetzt, da er ihr Gesicht sah, stellte er fest, wie müde die junge Frau wirkte.

»Ist alles in Ordnung, Sophie?«

»Entschuldigen Sie, dass ich störe, aber ich wollte Ihnen nur sagen, dass ich Sie sehr mutig finde.«

Arthur war etwas überrumpelt von der Bemerkung. »Vielen Dank, Sophie. Das ist sehr nett von dir, dass du das sagst.«

»Es tut mir leid, wenn mein Grandad etwas Unhöfliches gesagt hat. Er meint es ...«

Arthur sah, wie ihr das Blut in die Wangen stieg, also hielt er die Hand hoch, um sie zu unterbrechen. »Da musst du dir keine Gedanken machen. Ich bin mir sicher, dass Eric wieder auf mich zukommen wird. Immerhin sind wir schon sehr lange befreundet. Wie läuft es bei dir auf dem College?«

»Es geht. Ich kann es gar nicht erwarten, nach London zu ziehen«, sagte Sophie. Ihre Augen leuchteten bei der Vorstellung, Northbridge hinter sich zu lassen.

»Alle wollen immer aus Northbridge weg«, antwortete Arthur mit einem freundlichen Lächeln. »Mir ging es früher genauso, kannst du dir das vorstellen? Aber schau dir mich an: Jetzt bin ich fast achtzig und immer noch hier.«

»Dasselbe sagt Großvater Eric auch immer. Er meint, selbst wenn ich weggehen würde, käme ich irgendwann zurück.«

Arthur hatte Eric schon gekannt, da waren sie beide gerade einmal kniehoch gewesen. Eric hatte nie irgendein Interesse gezeigt, Northbridge zu verlassen. Tatsächlich hatte er sogar die Nase gerümpft über alle, die offen davon gesprochen hatten, dass sie wegziehen wollten. Das kam Arthur so einschränkend vor.

Obwohl seine eigenen Kinder auch hier ihr Leben aufgebaut hatten: Arthur hatte sie nie entmutigt, wenn sie den Wunsch geäußert hatten, wegzugehen.

»Wenn es so weit ist, wirst du wissen, was für dich richtig ist, Sophie. Dein Großvater bellt eher, als dass er beißt. Er wird dich immer liebhaben, egal wie du dich entscheidest.«

Arthur freute sich über das Lächeln auf ihrem Gesicht, als sie ihm eine Gute Nacht wünschte und ins Restaurant zu ihren Großeltern zurückkehrte.

Kapitel achtzehn

Teddy

Die zwei kleinen Haken bei Teddys letzter Nachricht an Ben waren jetzt blau. Sie war gelesen und ignoriert worden. Das schmerzte ihn mehr, als er sich selbst eingestehen wollte. Wie auch immer: Morgen würde er Ben endlich sehen. Jetzt im Moment wollte er sich nur auf seinen Grandad konzentrieren und hören, wie sein Abend mit Oscar gelaufen war.

»Dann erzähl mir mal alles!«, bat Teddy und machte es sich auf dem Sofa im Wohnzimmer bequem.

Mit seiner Tasse samt Untertasse in der Hand, schlug Arthur die Beine übereinander und lehnte sich lächelnd zurück.

»Es war wirklich schön. Überhaupt nicht so, wie ich erwartet hatte.«

»Er oder das Date? Hat er so ausgesehen wie auf seinem Profilbild?«

»Beides! Irgendwie kam er mir in echt sogar jünger vor. Er hatte so eine jugendliche Energie, dass ich mich gleich so alt gefühlt habe, wie es meine Falten andeuten.«

»Als ob. Keiner von meinen Freunden glaubt mir, dass du beinahe achtzig bist!«

Fasziniert lauschte Teddy, als Arthur ihm ein paar der Geschichten erzählte, die Oscar mit ihm geteilt hatte.

»Wow, er hat echt ein starkes Leben gehabt«, merkte Teddy schließlich an. »Toll, dass er es geschafft hat, sich zu outen und diese Art von Leben zu führen.«

»Dafür braucht es eine ganze Menge Mut, Teddy. Zu sein, wer man ist, das ist schwer. Da macht es keinen Unterschied, woher man kommt oder wo man geboren wurde.«

Teddy hatte den Eindruck, dass sein Grandad genauso von sich selbst und von Teddy sprach wie von Oscar. Er entschied sich, das Thema zu wechseln.

»Wirst du ihn wiedersehen, Grandad?« Er formulierte die Frage sehr offen, da er sich immer noch nicht sicher war, was sein Großvater wirklich dachte.

»Ich glaube schon«, entgegnete Arthur und hielt dann kurz inne. »Es wäre wirklich nett, ihn zum Freund zu haben.«

Teddy suchte nach irgendeinem Zeichen für Enttäuschung in der Stimme seines Großvaters, konnte aber nichts finden. »Nur Freunde?«, traute er sich zu fragen.

»Du hattest recht, Teddy«, erklärte Arthur ihm. »Bis ich mit ihm dort war, hatte ich noch gar nicht verstanden, dass ich nicht nach, du weißt schon, der anderen Sache suche. Bei mir ist die Zeit für die große Liebe schon vorbei, und das ist in Ordnung für mich. Einfach einen guten Freund zu haben, mit dem ich meine Erfahrungen teilen kann, das genügt mir. Die Liebe existiert in so vielen Formen, Teddy, vor allem in der Freundschaft.«

»Das macht es vermutlich einfacher.«

»Oh je, den Gesichtsausdruck kenne ich. Was ist los?«

»Nur das Übliche, ich ärgere mich über mich selbst und lasse es an allen anderen aus.«

»Ist irgendetwas passiert?«

»Nein, nicht wirklich. Ich glaube, das ist ja das Problem.

Ich habe zu viel Angst, etwas zuzulassen, weil ich immer noch verstecke, wer ich bin.«

»Das wird Ben verstehen«, sagte Arthur. »Du musst dich nicht noch mehr unter Druck setzen.«

»Das sollte man doch denken, oder? Ich will nur einfach nichts anfangen, solange diese Heimlichtuerei da mit hineinspielt.«

»Weißt du denn, was genau du Ben sagen willst?«

Genau diese Frage hatte er sich schon seit ein paar Tagen immer wieder gestellt, vor allem, seit er Shakeels Warnung in den Ohren hatte. Teddy wusste nur, dass seine Gefühle echt waren. Er hatte Ben küssen, seinen Atem auf dem Gesicht spüren wollen, er hatte ihn in den Armen halten wollen. Das hatte er zuvor vielleicht noch nie empfunden, doch er wusste, was es bedeutete.

»Nicht wirklich, aber vielleicht spielt es ohnehin keine Rolle.«

»Du beschwörst schon das Ende herauf, bevor es auch nur angefangen hat, Teddy.«

»Ich habe es wirklich vermasselt, Grandad.«

»Diese ganzen Grübeleien. Ich habe dich und Ben bei diesem Flohmarkt beobachtet, und ich habe zwei junge Männer gesehen, zwischen denen eine besondere Beziehung entstehen könnte. Ihr lasst euch in eurem Leben von euren Ängsten bestimmen, und das mag euch manchmal einfacher vorkommen, aber eines Tages werdet ihr zurückblicken und es bereuen.«

In dieser Nacht dachte Teddy viel über das nach, was sein Großvater gesagt hatte. Wenn er die Sache mit Ben weiterhin wollte, dann hatte er keine andere Wahl, als sich bei seiner Familie zu outen. Ben oder seine Mum; dachte er wirklich, dass es darauf hinauslief? Das, was Shakeel gesagt hatte, ergab durchaus Sinn: Wie konnte er alles aufs Spiel setzen, für jemanden, der erst vor Kurzem in sein Leben getreten war? Was war, wenn ihn seine Mum aus dem Haus werfen würde? Hätte er dann noch seine Arbeit? Ben würde verstehen müssen, dass er mehr Zeit brauchte. Diese Gedanken wirbelten ihm die ganze Nacht lang im Kopf herum, selbst als er dann endlich auf seiner Decke liegend wegdämmerte.

Als Teddy am Montagmorgen früh in der Arbeit ankam, waren weder Dylan noch Ben an ihren Schreibtischen. Er hatte unterwegs Kaffee und Muffins besorgt und hoffte, dass diese Geste die Lage erst einmal beruhigen würde. Er stellte einen der Becher auf Bens Schreibtisch und legte einen Muffin daneben. Nur ein paar Minuten später machte sein Herz einen Sprung, als er Ben mit einem Kaffeebecher aus dem Café im Erdgeschoss hereinkommen sah.

»Hallo. Ich hab dir einen Kaffee und einen von deinen Lieblingsmuffins mitgebracht«, sagte Teddy, dabei klang seine Stimme etwas höher als beabsichtigt.

Ben schlüpfte aus seiner Jacke und setzte sich, bevor er etwas entgegnete.

»Danke. Ich hab schon einen, also kannst du ihn trinken.«

Schweigend beobachtete Teddy, wie Ben ihm den Kaffee, den er ihm mitgebracht hatte, zurück auf seinen Tisch schob.

»Ich weiß, dass du sauer auf mich bist, aber ich hoffe, wir können darüber reden ...«, begann Teddy.

»Weißt du was: nicht jetzt. Ich will mich heute auf die Arbeit konzentrieren. Ich habe ja schon am Freitag gefehlt.«

»Dafür gibst du mir aber wohl nicht die Schuld?«

»Lass stecken, wahrscheinlich entwerfen sie schon einen Vertrag über eine Vollzeitstelle mit deinem Namen darauf, nachdem ich ihnen jetzt ja den Anlass geliefert habe.«

»Hab's kapiert«, erwiderte Teddy, verletzt von dem Vorwurf. »Ich werde dich nicht stören, wenn du so drauf bist.«

Teddy wollte eigentlich noch mehr sagen, aber er hatte bereits so viel bei Ben vermasselt, dass er wusste: Er sollte ihn nicht weiter drängen. Er war dankbar, als Dylan ihnen von seinem Wochenende erzählte, bevor er über die Dinge sprach, die sie diese Woche erwarten würden. Teddys und Bens Blicke trafen sich einmal an diesem Vormittag, aber Ben wandte den Kopf schnell ab, ohne ein Wort zu sagen. Teddy versuchte, sich seine Enttäuschung nicht anmerken zu lassen, und machte mit der Geschichte weiter, die er gerade schrieb.

Als die Mittagspause näher rückte, versuchte Teddy erneut, Bens Blick aufzufangen, weil er ein gemeinsames Essen arrangieren wollte, damit sie endlich vernünftig reden konnten.

»Kommst du mit in die Kantine?«, fragte er, als Dylan gerade telefonierte.

»Nein, ich hole mir heute nur ein Sandwich und esse es dann hier«, antwortete Ben, ohne seinen Kopfhörer abzusetzen.

Teddy wusste, dass es sinnlos wäre, Ben zu drängen, also ging er allein in die Kantine. Er schrieb Lexie und Shakeel, aber sie waren beide in Meetings und konnten ihm nur versprechen, dass sie sich nach der Arbeit bei ihm melden würden. Irgendwann gab er auf und kehrte wieder nach unten zu seinem Schreibtisch zurück. Erst als Dylan ebenfalls aus der Mittagspause zurück war und ihre Namen rief, sah Ben schließlich von seinem Bildschirm auf.

»Sorry, Jungs, ich hoffe, ihr habt beide noch keine Pläne

für heute Abend«, sagte Dylan. »Martha hätte sich heute Abend um eine Veranstaltung kümmern sollen, aber offenbar musste sie nach Hause gehen, weil sie krank ist. Sonst ist niemand verfügbar und ... nun, es könnte eine große Chance sein, euch zu profilieren.«

»Das hört sich toll an. Ich kann mich allein darum kümmern, falls Teddy nicht kann«, sagte Ben schnell.

»Ich kann schon. Was ist es denn, Dylan?«

»Kennt ihr diesen schwafelnden Fernseh-Professor, für den alle so schwärmen, diesen Weltraumtypen? Seine Buchvorstellung findet in der Sternwarte statt. Mit einer sehr ausgewählten Gästeliste, so wie es aussieht.«

»Professor Owen Armitage?«, wollte Ben wissen. »Ich bin ein Riesenfan von ihm! Haben wir einen Termin für ein Interview mit ihm?«

»Noch nicht, aber deine Idee gefällt mir, Ben. Ich werde euch die E-Mail mit allen Details weiterleiten, dann könnt ihr selbst mit der Pressereferentin Kontakt aufnehmen.«

»Weißt du, du musst wirklich nicht so passiv aggressiv sein«, merkte Teddy an, sobald sich Dylan wieder von ihnen weggedreht hatte.

»Entschuldige, du meinst, es wäre passiv, dass ich wortwörtlich gesagt habe, ich könnte auch ohne dich klarkommen?«

»Egal. Auf alle Fälle müssen wir heute Abend zusammenarbeiten.«

»Ich werde darauf achten, dass meine Fragen an Professor Armitage zu deiner Zufriedenheit ausfallen.«

»Nicht nötig. Wollen wir nur hoffen, dass du diesmal daran denkst, dein Diktiergerät einzuschalten«, fauchte Teddy. Ohne dass er es beabsichtigt hatte, gefiel es ihm, als Ben mit einem beleidigten Zungenschnalzen reagierte.

Teddy verbrachte den restlichen Nachmittag damit, Recherchen über die verschiedenen Promis anzustellen, von denen bestätigt war, dass sie der Buchvorstellung beiwohnen sollten. Auch fertigte er eine Liste mit Leuten an, mit denen er sich ein Gespräch wünschte, und notierte sich Fragen für sie. Die Organisatoren der Veranstaltung hatten sich um einen Wagen gekümmert, der sie am Büro abholen und direkt zur Sternwarte bringen sollte. Teddy und Ben schwiegen auf der halbstündigen Fahrt, nur die Fragen des Fahrers beantworteten sie, als dieser versuchte, mit ihnen über die Veranstaltung zu reden.

»Könnt ihr Fotos von euch mit den Stars machen?«, fragte er sie, nachdem sie ihm verraten hatten, wer alles da sein sollte.

»Da bin ich mir nicht sicher«, sagte Teddy. Er war nicht in der Stimmung für Small Talk.

»Meine Herren, wir sind da«, erklärte der Fahrer, als sie durch die riesigen, geöffneten Tore auf das Gelände fuhren. Die imposante Kuppel der Sternwarte kam in Sicht. Sie reihten sich hinter mehreren Autos ein, aus denen Gäste stiegen.

»Wir springen hier schon raus«, sagte Ben und öffnete sofort seine Tür. Teddy folgte ihm den Pfad hinauf in Richtung Eingang. Sie stellten sich in eine Schlange von adrett gekleideten Gästen, die darauf warteten, das Gebäude zu betreten.

»Guten Abend, kann ich bitte Ihre Einladung sehen?«, fragte eine Frau, als sie vorne an der Schlange angekommen waren. Sie prüfte sorgfältig ihre Tickets, bevor sie ihnen durch ein kurzes Nicken zu verstehen gab, dass sie weitergehen konnten.

Sie schoben sich an einer Masse von Fotografen vorbei, die auf die Ankunft der Celebrities warteten. Teddy zog sein

Notizbuch aus der Tasche und schlug es auf der Seite mit Fragen auf, die er sich für einige der Leute notiert hatte, die er finden und interviewen wollte.

»Das ist doch mal ein toller Einsatz, oder?«, fragte er, weil er ganz vergessen hatte, dass Ben ja nicht mit ihm redete. »Die *Reise von Stern zu Stern* wird alle dreißig Minuten im Planetarium gezeigt, daran sollten wir denken, dass wir uns das ansehen.«

»Ja, hört sich cool an. Ich gehe einmal los und mische mich unter die Leute«, erwiderte Ben abwesend und schlenderte davon.

Teddy sah ihm nach, wie er davonging, ohne sich noch einmal umzudrehen. Entschlossen, das Beste aus dem Abend zu machen, nahm sich Teddy ein Glas Sekt vom Tablett eines Kellners und ging in die entgegengesetzte Richtung.

Er ging gerade an einigen Leuten vorbei, als irgendjemand die Hand ausstreckte und ihn am Handgelenk festhielt. Als er den Kopf wandte, entdeckte er Neena Anderson, die ihn übers ganze Gesicht anstrahlte.

»Hallo, ich wusste, dass ich dich kenne, dann hat es Klick gemacht«, sagte sie. »Teddy, richtig?«

»Ich bin beeindruckt, dass Sie sich daran erinnern!« Teddy musste grinsen.

»Ich kann mir Gesichter gut merken«, entgegnete sie, »und ich habe mich so gefreut, als Stuart mir sagte, der Sohn von Elizabeth Marsh würde das Interview führen. Ich bin so ein Fan von ihr.«

»Sie haben gewusst, wer ich bin?«, fragte Teddy. Natürlich hatte sie es gewusst. Stuart hatte es an dem Tag, als sie Neena interviewt hatten, nicht erwähnt, aber Dylan musste es ihm schon gesagt haben, als er sie angekündigt hatte.

»Natürlich! Ich habe mich so gut benommen, wie ich konnte. Nun, so gut, wie es überhaupt geht, bei mir«, kicherte sie laut.

Teddy hatte genug gehört. »Nun, es ist schön, Sie getroffen zu haben, Neena. Einen tollen Abend Ihnen noch.«

Er war so stolz darauf gewesen, dass er geholfen hatte, das Interview zu retten und gute Zitate von Neena zu bekommen. Doch jetzt wusste er, dass sie extra nett gewesen war, weil sie ein Fan seiner Mutter war. Erst als er schon weiterging, fiel ihm ein, dass er ja zum Arbeiten hier war und dass er vermutlich hätte versuchen sollen, sie zu interviewen. Er sah sich um und war schon versucht, zurückzugehen, aber sie war bereits in ein Gespräch mit einem anderen Reporter verwickelt, der ihr sein Diktiergerät so hinhielt, dass er die Unterhaltung aufnehmen konnte. Er kippte den restlichen Sekt aus seinem Glas hinunter und nahm sich dann ein neues, gefülltes. Dann suchte er den Raum mit den Augen nach Ben ab.

Er wollte zwar nicht mit Ben reden, aber er wollte sehen, was er machte. Ben war allerdings nirgends zu entdecken. Wenn er ihn in den nächsten fünfzehn Minuten nicht fand, würde er den Abend für beendet erklären. »Warum warten?«, dachte er achselzuckend bei sich. Er konnte sich auch jetzt schon davonschleichen, ohne dass es irgendjemand bemerkte. Er war jetzt nicht in der Stimmung, um sich mit Leuten zu unterhalten. Immerhin hatte er sich nur hierherbegeben, weil er die Sache mit Ben in Ordnung hatte bringen wollen. Er blickte sich zu dem Eingang um, durch den er hereingekommen war, und steuerte darauf zu, indem er sich ungeduldig seinen Weg durch die ständig wachsende Menge bahnte. Dylan würde sauer auf ihn sein, aber Teddy würde schon eine glaubwürdige Entschuldigung einfallen.

Er konnte ja einfach sagen, sein Diktiergerät wäre kaputtgegangen oder er hätte es verloren. Deswegen würde ihn niemand feuern. Nicht ihn, den Sohn von Elizabeth Marsh.

Inmitten einer verwirrten Gruppe von Leuten blieb er abrupt stehen. Was zum Teufel tat er da? Warum gab er auf und ging einfach weg? Er wurde langsam genauso, wie Ben es ihm unterstellt hatte. Er musste an sein letztes Gespräch mit seiner Mum denken. Sie hatte so von Grund auf froh ausgesehen, als er ihr erzählt hatte, wie sehr er die Arbeit mochte. Vor seinen Augen blitzte ihr strahlendes Lächeln auf. Das schlechte Gewissen, das ihn plötzlich durchströmte, brachte ihn fast aus dem Gleichgewicht. Das hier war eine Aufgabe, die ihm gefiel, eine Arbeit, von der er sich sicher war, dass er sie wirklich wollte. »Was stimmt nicht mit mir?«, fragte Teddy sich selbst. Hier stand er, in einem Raum voller Leute, mit denen er noch vor sechs Monaten liebend gerne gesprochen hätte. Jetzt riskierte er, dass diejenigen recht bekamen, die glaubten, er könne mit allem durchkommen, ohne dass er es auch nur probiert hatte. Schon bei dem Gedanken kam er sich selbst arrogant vor. Er konnte diese Vorstellung nicht von sich weisen und zugleich versuchen, sie für sich zu nutzen, wenn es ihm passte. Das, was Ben gesagt hatte, stimmte. Er musste auf seinen eigenen Beinen stehen: zu Hause und bei der Arbeit.

Entschuldigungen murmelnd, drehte er auf dem Absatz um und ging schnell in Richtung Bühne, die auf der hinteren Seite des Raums aufgebaut war. Professor Armitage war immer noch nicht aufgetreten, also war er zuversichtlich, dass sich Ben noch im Raum befand. Er lief auf das Blitzlichtgewitter von der Kamera eines Fotografen zu. Erst als er direkt bei dem Fotografen stand, entdeckte er Ben, der sich angeregt mit einer blonden Frau unterhielt, die Teddy nicht kannte. Ben redete sehr lebhaft. Teddy musste einfach lächeln, während er zusah. Er hatte Ben noch nie so fasziniert von etwas gesehen, das eine Person erzählte. Er liebte seinen Job wirklich. Teddy wartete ab, bis er wusste, dass das Gespräch beendet war, weil die Frau ein Telefongespräch entgegennahm.

»Hallo«, sagte Teddy. »Du siehst so aus, als hättest du viel Spaß.«

Ben schürzte die Lippen. »Den hatte ich.«

Bevor Teddy irgendetwas erwidern konnte, drehte sich die Frau wieder zu ihnen um, nachdem sie das Telefonat beendet hatte.

»Lesley, das ist mein Kollege, Teddy Marsh«, erklärte Ben.

»Teddy, das ist Lesley, die Pressereferentin des Professors von seinem Verlag.«

»Schön, Sie kennenzulernen, Lesley. Ich bin ein großer Fan von Professor Armitages Arbeit.«

Während er das sagte, spürte er, wie sich Bens Blick in ihn bohrte. Er wusste, dass Teddy log.

»Dann werden Sie das Buch lieben. Denken Sie daran, sich eine Geschenketasche mitzunehmen, darin befindet sich ein signiertes Exemplar. Ich hab sie selbst hineingelegt.«

»Das ist toll«, freute sich Teddy und war sich dabei völlig bewusst, dass jetzt Ben seinerseits nach einem schnellen Fluchtweg suchte. »Entschuldigung, macht es Ihnen etwas aus, wenn ich Ben für ein paar Minuten entführe?«

»Nein, gar nicht. Ich sollte auch besser gehen und mich darum kümmern, dass Ihr-wisst-schon-wer bereit ist für seine Rede.«

Ben starrte ihn finster an, aber Teddy hatte keine Zeit,

um darüber nachzudenken. Er zog ihn zur Stirnseite des Raums, wo weniger Menschen standen.

»Ich kann das nicht«, sagte Teddy.

»Was? Den Leuten die Wahrheit sagen?«

»Nein, *das* alles. Du. Dieses Verhalten.«

»Es hat dich niemand darum gebeten, herzukommen, Teddy. Du hast gesagt, du willst heute Abend mitkommen, und ich habe dich nicht davon abgehalten.«

»Du weißt ganz genau, was ich meine. Du lässt mir keine Chance, es zu erklären.«

»Ich dachte, du hättest neulich vor deinen Freunden sehr deutlich gemacht, was du willst. Wegen dir habe ich mich ganz klein gefühlt.«

Teddy spürte die Hitze in seinen Wangen aufsteigen.

»Meinst du das gerade wirklich ernst? Wieso bin ich jetzt der Bösewicht, nur weil ich Angst habe? Da, ich hab es gesagt, ich fürchte mich schrecklich. Meine Mutter spricht im Moment nicht einmal mehr mit meinem Grandad. Was wird sie dann mit *mir* machen, wenn ich es ihr sage? Das ist alles neu für mich, Ben. Wie kannst du mir das vorhalten?«

Ben schüttelte den Kopf und sah weg.

»Es tut mir leid!«, sagte Teddy verzweifelt. »Ich weiß, dass das nicht das ist, was du hören wolltest, aber so ist die Situation nun einmal.«

»Es war nicht nur das. Oder die Tatsache, dass dein bester Kumpel gar nicht verhehlen kann, dass er mich nicht ausstehen kann.«

»Was dann? Was habe ich gemacht, dass ich so mit Schweigen bestraft werde?«

»Nichts, lass es jetzt einfach.« Ben verschränkte seufzend die Arme. »Es tut mir leid, wie ich mich verhalten habe. Du hast recht, du …« Er verstummte.

»Ben! Bitte, sag es mir!«

Teddy sah, wie Ben das Gesicht verzog und sich um die richtigen Worte bemühte.

»Ich hatte Panik. Ich will für dich da sein, aber es fühlt sich manchmal so an, als würdest du dein Outing aufschieben, als würdest du auf den perfekten Moment warten, aber der existiert nicht. Glaub mir, ich weiß es.«

»Was meinst du damit?«

»Das Leben ist nicht perfekt, Teddy. Je früher du das akzeptierst, desto einfacher wird es für dich.«

»Glaubst, du wirklich, ich wüsste das nicht selber? Glaubst du wirklich, der Tod meines Vaters hätte mein Leben nicht total auf den Kopf gestellt?«, fragte Teddy. »Gerade weil mein Leben nicht perfekt ist, will ich, dass der Moment, in dem ich mich oute, so nahe wie möglich daran herankommt. Meine Mum hat praktisch versucht, meinen Grandad aus unserem Leben herauszuschneiden. Wie soll ich damit umgehen? Mir ist sehr genau bewusst, dass es keinen perfekten Augenblick gibt, Ben. Aber ich brauche zumindest eine Person, die versteht, wie wichtig das für mich ist, und bei der ich weiß, dass ich mich auf sie verlassen kann.«

Stille. Die zwei starrten sich an. Teddys Herz raste.

»Ich verstehe es jetzt«, sagte Ben und unterbrach damit die Stille. »Ich will diese Person sein, Teddy.«

Es war, als hätte irgendjemand alle Geräusche im Raum stummgeschaltet. Die Worte hallten in Teddys Ohren wider.

Verzweifelt suchte Teddy seine Umgebung ab und entdeckte dann zwei geschlossene Türen. Er packte Bens Hand und zog ihn zu ihnen hinüber: Zum Glück ließen sie sich öffnen. Teddy zerrte Ben in den leeren Raum dahinter.

Sie befanden sich im Inneren der Sternwarte. Über ihnen

wölbte sich die dunkelblaue Halbkugel. Teddy musste nach Luft schnappen, als er begriff, wo sie waren, dass sie tatsächlich unter den hoch oben blinkenden Sternen standen. Ben verstummte, er schien genauso fasziniert zu sein wie Teddy. Die Projektion bewegte sich nicht, sodass die an der Decke verteilten Lichtstreifen über ihnen an Ort und Stelle verharrten. Es war, als würden die Sterne die beiden Männer beobachten, wie sie sich in den Raum hineinwagten, ohne ihre Blicke von der magischen Szenerie über sich zu lösen.

»Ich wollte dich küssen«, stieß Teddy hervor, ohne darauf zu warten, was Ben sagen würde. »Ich habe dich gesucht, weil ich wissen wollte, ob du dasselbe empfindest. Das ist der einzige Grund, warum ich überhaupt zur Toilette gegangen bin an diesem Abend. Nach dem Büro … der Unterbrechung durch Dylan … Ich konnte nicht mehr aufhören, an dich zu denken.«

Ben hörte auf, an die Decke zu starren, und sah Teddy an. Teddy merkte, wie er selbst sich ihm Zentimeter für Zentimeter näherte, ohne den Blick von seinen Augen zu lösen. Sein Herz schlug schneller. Es war, als hätte die Zeit sich abwartend zu den Sternen zurückgezogen und besäße keine Bedeutung mehr für sie. Teddy spürte, wie Ben seine feuchten Finger mit den Händen umfasste und sie fest drückte. Er schloss die Augen. Er fühlte sich sicher; eine warme Welle erfasste seinen ganzen Körper. Ihre Lippen trafen sich. Das Gefühl war neu, aber vertraut, wie wenn alte Liebende nach einer langen Trennung wieder vereint sind. Teddy spürte, dass Ben seine Hand losließ, doch bevor er Angst haben konnte, umfasste die warme Handfläche schon seinen Nacken. Ihre geöffneten Münder waren aneinandergepresst, als die Projektion über ihnen zum Leben erwachte und sich langsam drehte, während eine laut hallende Stimme den beinahe leeren Zuschauerraum füllte.

»Heute Nacht werden Sie eine nie da gewesene Reise unternehmen«, kündigte die aufgenommene Stimme von Professor Armitage an. »Schnallen Sie sich an, damit wir zu den Sternen, zum Mond und wieder zurück reisen können!«

Kapitel neunzehn

Arthur

»Pochierte Eier für dich, Madeleine, und einfach einen Kaffee für Arthur«, sagte Cora, als sie das Tablett auf dem Tisch abstellte. Als sie es losließ, verkrampfte sich ihre linke Hand.

»Was ist los, Cora?«, wollte Madeleine wissen.

»Ich hab nur ein paar stressige Wochen hinter mir.«

»Das solltest du beobachten. Meine Mutter, Gott hab sie selig, hat mehr als dreißig Jahre an Arthritis gelitten«, erzählte Arthur.

»Danke dir, Arthur«, entgegnete Cora mit ihrem typischen Lachen. »Mein Onkel, er dürfte nur ein paar Jahre älter sein als du, hat eine Veranlagung dafür, das liegt also in der Familie. Etwas, auf das ich mich wohl schon freuen kann, oder?«

Sie stapfte wieder zurück in Richtung Küche, während Madeleine Arthur kopfschüttelnd und mit zusammengekniffenen Augen ansah.

»Schau mich nicht so an, ich habe mich nur mit ihr unterhalten.«

»Sie ist noch nicht einmal fünfzig, sie wird ja jetzt noch keine Verschleißerscheinungen haben.«

»Wenn es um ihre Gelenke geht, sollte sie vorsichtig sein, das ist alles, was ich gesagt habe.«

»Wo wir gerade bei dem Thema sind: Was hat Doktor Thomas gesagt bei eurem Gespräch?«

Arthur sah sich um, aber an den Nachbartischen achtete niemand auf sie. »Oh nein, du kannst dich nicht davor drücken, mir alles von gestern Abend zu erzählen. Wie war es?«

Madeleine hatte den Großteil des Nachmittags und den frühen Abend damit zugebracht, sich für ihre Verabredung mit James fertig zu machen, und war dann erst nach elf Uhr zurückgekehrt. Er hatte Madeleine in eines ihrer Lieblingsrestaurants ausgeführt, nachdem sie ihm einen kleinen Hinweis gegeben hatte. Arthur kannte all ihre Tricks, die sie in den vergangenen Jahren immer wieder angewendet hatte. Er war sehr beeindruckt gewesen, dass James den Wink mit dem Zaunpfahl so schnell begriffen und einen Tisch für ihr Date reserviert hatte.

»Seinen Nachnamen werde ich dir nicht verraten«, beharrte sie auch auf sein Drängen hin. »Sonst bringst du Teddy dazu, dass er an seinem Telefon alles über ihn herausfindet.«

Arthur versuchte zu widersprechen, doch er wusste, dass es nutzlos war: Sie hatte ja nicht unrecht.

»Aber es war ein wirklich netter Abend«, fuhr Madeleine fort. »Er war ein absoluter Gentleman, und wir wissen, dass man die heutzutage kaum noch findet, selbst in unserem Alter.«

»Oh Madeleine, das ist wunderbar zu hören. Hat er viele Fragen gestellt über unser, äh, kleines Arrangement?«

»Ich habe es ihm erklärt, und er war sehr verständnisvoll. Er hat erzählt, dass er im Lauf der Jahre ein paar schwule Freunde gehabt hat, doch danach haben wir uns nicht mehr viel darüber unterhalten.«

»Also, hast du vor, ihn wiederzusehen?«

»Darüber wollte ich in der Tat mit dir reden«, sagte sie und legte Messer und Gabel auf ihren Teller. »Bist du dir sicher, dass das in Ordnung ist für dich? Wenn ich noch einmal mit James ausgehe?«

»Ich kann gar nicht glauben, dass du überhaupt fragst«, entgegnete Arthur lachend. »Oh Gott, nichts würde mich glücklicher machen, als zu wissen, dass du eine schöne Zeit hast und dein Leben genießt. Ich bin nur erleichtert, dass ich nicht noch mal einschreiten und Eric Brown davon abhalten muss, dich zu einem Date zu nötigen.«

»Nun, wenn das so ist«, sagte sie und verzog die Lippen zu einem schmalen Lächeln. »James hat gesagt, dass er mich diese Woche gerne noch einmal ausführen würde.«

Es erleichterte Arthur so sehr, zu wissen, dass Madeleine Freude daran hatte, neue Leute zu treffen. Madeleines Unterstützung für ihn, als sie beide diesen Schritt gegangen waren, war die eine Sache gewesen. Doch er hätte sich nie wohlfühlen können, wenn er das Gefühl gehabt hätte, er würde sich weiterentwickeln und sie bliebe allein zurück. Bevor sie ihren jeweiligen Familien ihre Verlobung bekannt gegeben hatten, hatten sie nächtelang damit zugebracht, herauszufinden, wie ein gemeinsames Leben für sie beide funktionieren konnte. Arthur hatte niemals damit gerechnet, dass er irgendwann fünfzig Jahre lang verheiratet und Vater von zwei Kindern sein würde. Doch sie hatten beide an ihrem Glück gearbeitet, und es war ihnen dann auch vergönnt gewesen.

Harriet Parker nickte ihnen höflich zu, als sie das Café allein betrat. Sie führte dann ein sehr gedämpftes Gespräch mit Cora, bevor sie ohne einen Blick in ihre Richtung wieder ging. Sie waren jetzt die einzigen Gäste im Café.

»Das war ein bisschen seltsam«, flüsterte Madeleine, während sie zusah, wie Cora zurück in die Küche eilte. »Irgendetwas muss passiert sein, wenn Harriet keine Zeit hat, um zu uns zu kommen und uns eine ihrer Weisheiten anzuvertrauen.«

Mit einem sichtbar geröteten Gesicht tauchte Cora eine Minute später wieder auf. Mit gesenktem Kopf schlurfte sie zur Tür.

»Ich glaube, Cora hat gerade die Tür zugesperrt«, sagte Madeleine und streckte den Kopf. »Das hat sie. Sie hat das Schild umgedreht. Was zum Teufel? Cora? Cora, Liebes, ist irgendetwas passiert?«

Cora kam zu ihnen, zog sich einen Stuhl vom Nachbartisch heran und setzte sich.

»Fürchterliche Neuigkeiten«, sagte sie und nahm die Serviette, die Madeleine ihr hinhielt. Sie tupfte sich die Augen trocken. »Harriet hat vorbeigeschaut, sie hat es gerade erst gehört. Ich dachte, es wäre am besten, zuzumachen. Aber trinkt ihr in Ruhe aus.«

»Cora, was ist denn, was ist passiert?«

»Die junge Sophie Rice – die jeden Morgen vor dem College hier hereingeschneit ist –, sie hat sich das Leben genommen. Sie haben sie gestern früh gefunden. Ist gerade erst sechzehn geworden.«

»Wie entsetzlich«, sagte Madeleine und schlug sich die Hände vor die Brust. »Ist alles in Ordnung bei dir, Arthur?«

Er fühlte sich wie betäubt. Ihm tat die Brust weh, und er musste sich ins Gedächtnis rufen, wie man atmete. Madeleine und Cora starrten ihn beide mit vor Sorge weit aufgerissenen Augen an.

»Sophie Rice, die Enkelin von Eric, ich habe erst neulich abends mit ihr geredet«, sagte er leise und dachte an ihr Gespräch vor dem Restaurant zurück. Sophie hatte kurz von ihrem Wunsch erzählt, aus Northbridge fortzugehen, aber sie hatte nicht erklärt, warum. Jetzt bedauerte Arthur sehr, dass er sie nicht gefragt hatte, warum sie so erpicht darauf war. Nicht lange, und die Neuigkeit vom Tod der Enkelin von Eric und Claudette Brown wäre in Northbridge und den Nachbarorten überall bekannt.

Arthur und Madeleine fuhren schweigend nach Hause zurück. Auf den Straßen war immer noch viel los. Die Geschäfte waren noch geöffnet und mit Kunden gefüllt, die unberührt von der Neuigkeit ihren Alltagsroutinen nachgingen. So war das Leben. Niemand blieb für einen anderen stehen. Einige Leute würden trauern, einige würden Mitgefühl haben, aber das Leben würde unweigerlich weitergehen.

»Glaubst du, ich sollte Eric anrufen?«, fragte er. Er hatte schon für sich über diese Frage nachgedacht, wollte aber auch wissen, was Madeleine dachte. Sie wusste immer, was richtig war.

»Ich denke, es wäre am besten, zuerst etwas zu schicken und sie wissen zu lassen, dass du an sie denkst, und dann, wenn du dazu bereit bist, können wir zu ihnen gehen«, sagte sie sanft. »Blumen und eine Karte vielleicht.«

»Würdest du mich begleiten?«

»Natürlich, Arthur. Ich weiß doch, wie schwierig das ist. Ich werde da sein.«

Den Rest des Tages wusste Arthur nichts mit sich anzufangen. Einfach herumzusitzen, fühlte sich falsch an, aber er wusste auch nicht, wo er hingehen konnte. Als er an diesem Abend trübselig im Garten herumschlenderte, hörte er, wie Teddy ankam. Er ging direkt hinten durch die Gartenpforte, um ihn in die Arme zu schließen.

»Wie geht es dir, Grandad? Es ist zu kalt, du solltest nicht hier draußen sein.«

»Mir geht es gut, mir geht es gut. Der arme Eric. Die ganze Familie, ich muss ständig an sie alle denken.«

»Ich weiß. Ich konnte es gar nicht fassen, als ich es gehört habe. Ich wusste von nichts.«

»Was wusstest du nicht?«

»Sophie. Es gab Gerüchte über ihre sexuelle Orientierung. Evangelina hat mir davon erzählt, bevor ich hergefahren bin. Offenbar hat irgendjemand am College damit gedroht, sie zu outen, und dann ist es eskaliert.«

Arthur fühlte sich, als hätte er einen Schlag in die Eingeweide bekommen. Seine Knie zitterten. Das musste der Grund gewesen sein, warum Sophie hatte wegziehen wollen. Er konnte es in seinen Knochen spüren. Sie hatte gewusst, dass ihr die Großstadt die Möglichkeit gegeben hätte, als diejenige zu leben, die sie war. Und dann hatte jemand damit gedroht, ihr Leben auf den Kopf zu stellen, und sie hatte keinen anderen Ausweg mehr gesehen.

»Komm, Grandad, lass uns schauen, dass du wieder nach drinnen kommst«, sagte Teddy, packte ihn am Arm und führte ihn Richtung Wohnzimmer. Sobald Arthur sich hingesetzt hatte, brachte Teddy ihm eine Tasse Tee.

»Nan hat zwei Stück Zucker hineingetan«, sagte er. »Sie meinte, du könntest es vielleicht brauchen.«

»Danke, Teddy«, erwiderte Arthur erfreut über die Geste. »Bitte entschuldige, heute war ein schwerer Tag.«

»Das verstehe ich. Es ist hart, vor allem, wenn es jemand ist, den man kennt.«

»Dieses arme Mädchen. Sie muss sich so einsam gefühlt haben. Ich kann gar nicht daran denken, was sie durchmachen musste, ohne irgendjemanden, an den sie sich wenden konnte, sodass sie das Gefühl hatte, es gäbe keine andere Möglichkeit.«

Arthur hielt inne. Er spürte Teddys Blick auf sich ruhen, als wartete er darauf, dass sein Großvater weitersprach.

»Weder deine Mutter noch Patrick wissen das: Aber ich verdanke es nur deiner Großmutter, dass ich am Leben bin. Die Monate, nachdem Jack fortgegangen war, gehörten zu den schlimmsten in meinem Leben. Ich lebte in ständiger Angst. Ich wusste nicht, wem ich vertrauen konnte. Dann habe ich meinen Eltern versprochen, dass ich zu den Terminen gehen würde, die sie für mich vereinbart hatten. Sie hatten gesagt, der Arzt wolle nur mit mir reden, um mich zu verstehen.«

»Erzählst du mir gerade das, was ich vermute, Grandad?«, fragte Teddy fassungslos.

»Es hat nur mit Reden begonnen. Dann kamen die Bilder. Von Männern und Frauen. Es waren die Schuhe«, sagte er langsam. »Die Drähte waren mit diesen Gummischuhen verbunden, die ich anziehen musste. Sie sollten mich von dieser Krankheit heilen.«

»Oh, mein Gott.« Teddy atmete tief ein. »Das ist eine Konversionstherapie. Ich kann nicht fassen, dass du das durchmachen musstest. Es ist barbarisch. Die meisten Leute können erst heute von ihrer Geschichte erzählen, weil sie zuvor nicht in der Lage waren, über das zu sprechen, was ihnen widerfahren ist, Grandad. Du bist da also nicht der Einzige. Ich kann immer noch nicht glauben, was damals vor sich gegangen ist. Was immer noch Realität ist.«

»Ich habe gesehen, wie in den Fernsehnachrichten darüber geredet wird: wie Leute versuchen, es so darzustellen, als sei es darum gegangen, zu helfen. Die Entschuldigungen sind das Papier nicht wert, auf dem sie stehen. Diesen

Monstern waren die Menschen egal. Es hat erst aufgehört, als ich versucht habe, es zu beenden.«

»Grandad, willst du sagen, dass du … versucht hast …?«
Teddy stiegen Tränen in die Augen, als er begriff, was Arthur ihm gerade erzählt hatte.

»Deine Großmutter hat mich gefunden, als ich schon fast nicht mehr bei Bewusstsein war«, fuhr Arthur langsam fort. »Die arme Frau. Sie hat mich über die Kloschüssel gebeugt, bis auch die letzte Tablette meinen Magen verlassen hatte. In dieser Nacht ist sie mir nicht mehr von der Seite gewichen. Und auch in keiner danach.«

»Ich weiß nicht, was ich sagen soll«, merkte Teddy mit Tränen in den Augen an. »Es leiden immer noch Menschen, und ich sitze hier und mache mir Gedanken darüber, wie ich den Leuten sagen kann, wer ich bin.«

»Du hast das Recht dazu, dir Gedanken zu machen. Und du kommst schon noch an den Punkt, Teddy. Jeder hat eine einzigartige Geschichte, dafür bin ich ein lebender Beweis. Ich zitiere jetzt mal diesen Song, den du immer gehört hast, es ist schon wahr: Diese Dinge machen uns wirklich alle stärker.«

»Und was, wenn das nicht so ist, Grandad? Was ist, wenn Mum nie wieder mit mir spricht? Was, wenn ich mit dem allen nicht klarkomme? Wenn Nan mich nicht so retten kann, wie sie dich gerettet hat?«

»Du wirst mich haben«, antwortete Arthur. »Was auch passiert, du hast immer noch mich.«

»Danke, Grandad. Ich hoffe, dass ich nur halb so stark sein kann, wie du es diese ganze Zeit über gewesen bist.«

»Da habe ich gar keine Zweifel. Jetzt lass uns aber über etwas anderes reden. Warum erzählst du mir nicht, was zwischen dir und Ben läuft?«

»Nun, also ...«, sagte Teddy langsam. »Wir haben uns geküsst!«

Arthur setzte sich gerade auf und klatschte mit den Händen auf seine Knie.

»Du hast bis jetzt damit gewartet, mir die guten Neuigkeiten zu erzählen? Das ist wunderbar, Teddy.«

»Entschuldige, es kam mir nicht richtig vor, das jetzt zu erwähnen, aber ich konnte seit gestern Abend gar nicht mehr aufhören zu lächeln. Dann habe ich im Büro von Sophie gehört und wusste, dass ich dich besuchen muss.«

»Hast du mit Ben darüber gesprochen?«

»Kurz. Wir wollten heute Abend eigentlich zusammen essen gehen, aber das machen wir nun in ein paar Tagen. Ich hab ihm gesagt, dass ich direkt heim will, um nach dir zu sehen.«

»Er ist ein guter Junge. Bedeutet das, dass du jetzt bald mit deiner Mum reden wirst?«

»Das war der Plan, aber all das ... es kommt mir vor, als würde sich dadurch alles verändern, meinst du nicht?«

»Tut es das?«

»Ich weiß nicht, Grandad. Ich muss ständig darüber nachdenken, was ich mit sechzehn wohl getan hätte, wenn mich jemand hätte outen wollen. Sogar jetzt noch, sieh dir nur an, was für eine Panik ich hatte, als ich dachte, Ben würde mich unter Druck setzen. Es macht mir Angst, dass ich nicht weiß, was ich an Sophies Stelle getan hätte.«

»Wir wissen nie, wie wir in Situationen handeln, bis wir mit ihnen konfrontiert sind, Teddy. Ich habe mir nie vorgestellt, dass irgendetwas Derartiges passiert, wenn ich neunundsiebzig bin, mein ganzes Leben lang verheiratet war und versucht habe, immer nach den Erwartungen anderer zu leben. Mach bloß nicht dasselbe, auch wenn du denkst, es könnte sie glücklich machen.«

In dieser Nacht schlief Arthur kaum. Er versuchte zu lesen, aber sobald er sich auf die Wörter konzentrierte, tränten ihm die Augen. In seinem Kopf schwebten Erinnerungen an Warteräume und lächelnde Ärzte herum.
Lichtblitze erhellten einen kleinen Raum.
Ein riesiger Projektor.
Eine volle Whiskeyflasche.
Tabletten.
Es war eine Erleichterung, aus dem Bett zu kommen, als die Dezembersonne am Himmel aufging.

Die Beerdigung wollte die Familie gemeinsam besuchen. Elizabeth konnte sich ihnen nicht anschließen, weil sie ein Meeting hatte, das sich nicht verschieben ließ. Patrick und Teddy trafen an diesem Morgen beide früh bei Arthurs und Madeleines Haus ein. Beide waren mit ihren schwarzen Anzügen passend gekleidet.

»Um ehrlich zu sein, hatte ich nicht gedacht, dass er noch passt, ich habe ihn nicht mehr angehabt, seit …«

»Dads Beerdigung. Genau wie bei mir«, sagte Teddy.

»Bist du dir sicher, dass es für deinen Chef in Ordnung ist, wenn du dir heute freinimmst, Teddy?«, wollte Arthur wissen.

»Das war überhaupt kein Problem.«

»Das ist gut. Dann schaust du, dass du hart arbeitest und aufholst, was du verpasst hast.«

»Danke, Grandad«, entgegnete Teddy lächelnd. »Ben hat gesagt, er würde mich auf dem Laufenden halten.«

Arthur drückte ihm zur Bestätigung die Schulter.

Da Patrick fuhr und Madeleine auf dem Beifahrersitz saß, teilten sich Arthur und Teddy die Rückbank.

Arthur wusste, was er sagen würde. Er hatte mehrmals darüber nachgedacht, als er in der Nacht nicht hatte schlafen können. Auch wenn er es nicht sagen wollte, konnte er nicht tatenlos zusehen, wie sich sein Enkel die Chance auf sein Glück verbaute.

»Ich finde nicht, dass du es deiner Mutter erzählen solltest«, sagte er schnell. »Es tut mir leid, das zu sagen, aber ich traue es ihr im Moment nicht zu, dass sie so darauf reagiert, wie du es brauchst und wie du es auch verdienst.«

Teddys Magen zog sich zusammen.

»Was? Warum sagst du das?«, flüsterte er.

»Was ist, wenn sie nicht so reagiert, wie du es brauchst, Teddy? Ich will nicht riskieren, dass du von jemandem verletzt wirst, der dich nicht versteht.«

»Verstehe. Danke, Grandad«, antwortete Teddy und starrte aus dem Fenster, als sie an seiner alten Grundschule vorbeifuhren.

Auf dem restlichen Weg schwiegen sie, bis sie schließlich auf den Parkplatz des Friedhofs einbogen und sich bei den Autos einreihten, die eine Lücke suchten.

»Ich habe Taschentücher dabei, wenn also jemand ein Päckchen braucht, sie sind in meiner Handtasche«, bot Madeleine an, als sie endlich geparkt hatten und aus dem Wagen gestiegen waren. Patrick reichte ihr einen Arm und ging mit ihr zur Kirche voraus.

»Bereit, Grandad?«, fragte Teddy und hielt Arthur den Arm hin, damit er sich unterhaken konnte, während sie gemeinsam hineingingen.

Kapitel zwanzig

Teddy

Der Anblick einiger Dinge von Sophie – darunter ihre Schlagzeugstöcke und ein großer Teddybär – oben auf dem Sarg erinnerte Teddy auf schmerzhafte Weise an die Beerdigung seines Vaters, sodass er Madeleine schon bald um Taschentücher bat. Seine Beine zitterten während des ganzen Gottesdienstes immer wieder, vor allem wenn jemand von Sophies engsten Freundinnen und Freunden von ihr und ihrer Tierliebe erzählte. Auf dem Weg von der Kirche zum angrenzenden Friedhof gingen sie alle schweigend hintereinander her. Teddy sah, wie Sophies Großeltern einander an den Händen festhielten, als der Sarg in die Erde hinuntergelassen wurde, begleitet nur von leisen Schluchzern in der kalten Dezemberluft. Ein paarmal beobachtete Teddy, dass einige Leute ihren Begleitpersonen Arthur und Madeleine zeigten. Er wusste, dass die Beziehung seiner Großeltern in der Stadt noch immer Gegenstand des Gesprächs war, doch er hatte gehofft, die Leute würden sich im Gedenken an Sophie zurückhalten. Offenbar taten sie das nicht.

Als sie aus der Kirche auszogen, drehte sich Teddy abrupt um, da er sich sicher war, er hätte seine Mum in der vorletzten Kirchenbank sitzen gesehen. Sein Blick huschte umher, um sie zu finden, doch wen auch immer er da gesehen hatte, die Person war nicht mehr zu entdecken.

»So kurz vor Weihnachten, die Armen«, sagte Madeleine, als sie langsam wieder zum Auto zurückgingen. Sie hatte zugegeben, dass ihr die Schuhe Schmerzen verursachten, deshalb hatten sie sich geeinigt, früh wieder aufzubrechen.

»Ich kann nicht gehen, ohne dass ich Eric gesprochen habe«, erklärte Arthur plötzlich und schloss die Autotür wieder. »Ich werde nicht lang brauchen.«

Teddy sah Madeleine und Patrick an. Er konnte seinen Grandad nicht allein gehen lassen. Er wusste, dass Eric schon einmal fürchterlich grob zu Arthur gewesen war, und man konnte unmöglich sagen, wie er sich heute verhalten würde. Hoffentlich wäre es ein bisschen einfacher, wenn Teddy an seiner Seite war.

»Danke, Teddy«, flüsterte Arthur, als dieser ihn einholte.

Eric stand jetzt bei seiner Tochter Deborah, Sophies Mutter. Eine ältere Dame schüttelte beiden die Hände und ging dann weiter. Teddy folgte seinem Grandad, als dieser sich mit unsicheren Schritten einen Weg zu seinen alten Freunden suchte.

»Ich wollte euch beiden mein aufrichtigstes Beileid aussprechen«, hob Arthur an. »Das ist so ein fürchterlicher Verlust.«

»Vielen Dank, Arthur, es ist so nett von dir, dass du gekommen bist«, sagte Deborah.

»Das ist doch selbstverständlich, Deborah. Es war so eine wunderbare Messe für eine ganz besondere junge Frau.«

Eric starrte zu Boden. Teddy sah, wie er mit dem Fuß einen Stein herumschob.

»Eric, ich möchte, dass du weißt: Wir sind alle für dich

und deine Familie da«, erklärte Arthur und streckte dabei die Hand aus.

Teddy konnte genau sehen, wie es passierte. Wie in Zeitlupe neigte sich Eric nach vorn und umarmte Arthur, dann schluchzte er laut an seiner Schulter.

»Danke dir fürs Kommen, Edward«, sagte Deborah und rang sich ein schwaches Lächeln ab. »Wie gefällt es dir in deinem neuen Job?«

»Es läuft gut, danke.«

»Deine Mum muss so stolz auf dich sein. Ich erinnere mich noch genau: Als dein lieber Vater von uns gegangen ist, da hat sie nur von dir gesprochen und davon, wie du dich für sie und deine Schwestern eingesetzt hast.«

Teddy hatte keine Ahnung, dass seine Mum jemals mit irgendjemandem so über ihn gesprochen hatte, auch wenn er sich wirklich angestrengt hatte, mehr Verantwortung zu Hause zu übernehmen, nachdem er von seinen Großeltern zurückgekommen war. Sein Vater hatte immer dafür gesorgt, dass er ihm zusah, wenn er verschiedene Arbeiten im Haus erledigt hatte. Er wusste, dass seine Mum und seine Schwestern nicht immer Wert auf die Meinung und die Hilfe eines neunzehnjährigen Sohns und Bruders legten. Aber das Gefühl, dass es einen Zweck hatte, was er tat, war ein guter Grund, morgens aus dem Bett zu kommen.

»Danke, Mrs. Rice. Wenn es irgendetwas gibt, womit ich Ihnen helfen kann, bitte lassen Sie es mich wissen.«

Teddy sprach noch einmal sein Beileid aus und schloss sich seinem Grandad an, um zum Auto zurückzugehen.

»Der arme Mann ist völlig mitgenommen«, sagte Arthur mit einer ebenfalls kratzigen Stimme. »Hat sich entschuldigt und so. Es ist so ein Schock für sie alle gewesen.«

»Das zeigt wieder einmal, dass man nie wirklich wissen kann, was in den Leuten vor sich geht, die einem am nächsten stehen«, merkte Teddy an. Er hatte über die Sprüche nachgedacht, die Sophie möglicherweise ständig gehört hatte, seit Arthurs Outing allgemein bekannt war. »Stell dir einmal vor, wenn sie irgendwas von dem Zeug gehört hat, das die Leute über dich reden.«

»Der bloße Gedanke ist nicht auszuhalten. Du musst mir versprechen, dass du nie denkst, du hättest keine andere Wahl, als dich umzubringen.«

»Ist das der Grund, warum du denkst, ich sollte es Mum nicht sagen? Falls ich mit ihrer Reaktion nicht klarkommen würde?«, Teddy schnappte nach Luft. Mit einem Mal hatte der Ratschlag seines Großvaters einen Sinn.

»Ich weiß, ich bin ein dummer alter Mann, aber ich will nicht, dass du mit solchen Dingen klarkommen musst, wie ich sie erlebt habe seit meinem Outing. Northbridge ist eine kleine Stadt, und das ist nicht immer etwas Gutes. Wenn du vielleicht von hier wegkommst, wirst du Möglichkeiten haben, die ich nicht hatte. Ich habe meine Chance verpasst.«

Auf der Autofahrt zurück dachte Teddy über die Worte seines Großvaters nach. Immer wenn er dachte, er würde Fortschritte erzielen und das Gespräch mit seiner Mum würde endlich näher rücken, flößte ihm etwas Neues Zweifel ein. Teddy wollte Bens Geduld nicht überstrapazieren, aber es wurde einfach immer schwieriger, sich vorzustellen, dass er sich outete und damit sein ganzes Leben auf den Kopf stellte. In der Hoffnung, es könnte helfen, wenn er sich selbst eine Deadline setzte, teilte er dem überraschten Ben später mit, er hätte nun geplant, es noch vor Ende des Jahres zu tun. Doch da Weihnachten bereits immer näher rückte, packte ihn die Angst, dass Ben am Ende wieder enttäuscht sein würde.

Später an diesem Abend kam Elizabeth zu ihm ins Zimmer.

»Wie geht es dir nach dem Tag heute?«, fragte sie.

»Es war hart, aber ich bin froh, dass ich für Grandad da sein konnte.«

»Es ist einfach grauenhaft, dass ein so junger Mensch keine Zukunft für sich gesehen hat, sodass es ihr wie der einfachste Ausweg vorkam, sich selbst das Leben zu nehmen.«

»Es war nicht der *einfachste* Ausweg, Mum. Sie muss geglaubt haben, es wäre der *einzige* Ausweg für sie. Sie hat nicht geglaubt, dass die Leute sie so akzeptieren können, wie sie ist, und das kann fürchterlich sein«, sagte Teddy und setzte sich in seinem Bett auf. »Ich finde, das ist auch nicht vom Alter abhängig.«

Elizabeths Mundwinkel zuckten.

»Nur weil Grandad fast achtzig ist, heißt das nicht, dass ihn alles kaltlässt. Er braucht unsere Liebe und unsere Unterstützung genauso, wie Sophie das von ihrer Familie gebraucht hat.«

»Ich weiß«, räumte Elizabeth sanft ein. Als er sah, dass ihr die Tränen kamen, war Teddy etwas überrumpelt. Er sprang vom Bett und holte eine Schachtel mit Taschentüchern von seinem Schreibtisch.

»Bitte schön«, sagte er und gab sie seiner Mum. »Schau, ich weiß, dass es Zeit brauchen wird, aber wir sind eine starke Familie, die alles durchstehen kann. Das hast du uns beigebracht. Jetzt kommt Weihnachten. Denkst du bitte darüber nach, ob wir alle gemeinsam feiern?«

Elizabeth nickte und tupfte sich die Augen mit einem Taschentuch trocken.

»Danke, Mum«, sagte Teddy und schöpfte zum ersten Mal seit Monaten wieder Hoffnung.

»Wie war es für dich, dich zu outen, Ben?«

Ben hatte Teddy überrascht, indem er ihn nach der Arbeit in ein kleines griechisches Restaurant ausgeführt hatte. Während sie auf ihre Hauptspeisen warteten, fiel Teddy auf, dass er Ben noch nie wirklich nach seinen eigenen Erfahrungen gefragt hatte. Er sah Ben an, als dieser die Frage verarbeitete.

»Es hätte besser laufen können«, sagte er und trank einen Schluck Wasser aus seinem Glas.

»Entschuldige, wir müssen nicht darüber reden ...«

»Oh nein, das ist schon gut. Ich wusste schon, dass ich irgendwann darüber reden muss.«

»Ich habe mich nicht recht zu fragen getraut«, gestand Teddy. »Du hast deinen Dad ein paarmal erwähnt, hast aber nie wirklich viel von ihm oder deiner Mum erzählt.«

»Wenn du ein Einzelkind bist und dich deine Eltern quasi ablehnen, lernst du immerhin schnell, wie du selbst mit allem klarkommst.«

»Mist, Ben, es tut mir so leid, dass du das durchgemacht hast.«

»Das muss es nicht. Und das sage ich nicht bloß, ich meine es auch, Teddy. Nichts war jemals gut genug für sie. Auch nicht, dass ich Journalist werden wollte und nicht Buchhalter wie mein Vater.«

»Wolltest du schon immer Journalist werden?«

»Schon immer! Als ich zur Uni gegangen bin, habe ich ihnen gesagt, dass sie meine Meinung nicht beeinflussen können. Und daran hat sich bis jetzt nichts geändert. Nichts und niemand wird mir in die Quere kommen.«

Teddy streckte seine Hand über den Tisch und umfasste damit Bens Finger. Er hatte in der Öffentlichkeit noch nie so etwas getan, aber es fühlte sich richtig an. Das war das Leben, das er führen wollte.

»Ich glaube, du hast mich dazu inspiriert, etwas zu schreiben«, sagte Teddy. »Ich habe schon nach Sophies Tod darüber nachgedacht, über die Erfahrungen, die Leute mit ihrem Coming-out machen. Glaubst du, ich sollte mit Dylan darüber reden?«

»Sicher«, antwortete Ben, klang dabei aber nicht ganz überzeugt. »Wenn es etwas ist, von dem du glaubst, dass *The Post* Interesse daran haben könnte, versuch es. Sie können schlimmstenfalls nur Nein sagen, schätze ich.«

Am nächsten Tag fragte Teddy Dylan sofort, ob sie sich kurz über seinen Pitch unterhalten konnten.

»Es gefällt mir wirklich sehr, dass du mit solchen Ideen kommst, aber du musst ein bisschen klarer machen, was die Story ist«, sagte Dylan, nachdem er zugehört hatte. »Da steckt etwas drin, du musst nur den Schwerpunkt wirklich herausarbeiten.«

»Danke, Dylan, ich werde darüber nachdenken und komme dann wieder auf dich zu. Ich muss auch mit Sophies Mutter reden, um sicherzugehen, dass es okay für sie ist.«

Später an diesem Abend beschloss Teddy, Shakeel und Lexie von seiner Idee zu erzählen.

»Sophie hat sich das Leben genommen, und sie wird nicht die Letzte sein. Falls ihre Mum bereit ist, darüber zu reden, so könnte das echt wichtig sein. Es könnte Leben retten«, erklärte Teddy beiden über FaceTime.

»Ich finde, das ist eine fantastische Idee, Teddy«, meinte Lexie. »Ich hoffe sehr, dass Sophies Mum helfen kann.«

»Ich weiß. Ben hatte ein bisschen Bedenken, dass es vielleicht zu früh ist, um zu fragen.«

»Hat er das?«, wunderte sich Shakeel. »Ich kann mir nicht vorstellen, warum er nicht begeistert davon sein sollte, wenn du an einer großen Sache arbeitest.«

»Er hat mich voll unterstützt, Shak. Er ist nicht irgend-ein fieser Typ, der versucht, mir zu schaden, oder was auch immer du von ihm denkst. Du schätzt ihn ganz falsch ein.«

»Entschuldige, ignorier mich einfach. Ich hatte einen lan-gen Tag. Deine Idee klingt toll.«

»Danke, Freunde«, sagte Teddy. »Oh Mann, ich bin ver-dammt fertig. Ich schaue, dass ich ins Bett komme.«

Shakeels Kommentar ging Teddy nicht aus dem Kopf, als er wach im Bett lag. Er hatte noch nie erlebt, dass sich sein bester Freund so offen gegen jemanden stellte, und das, ob-wohl er wusste, dass Teddy und Ben jetzt ein Paar waren. Er musste versuchen, die beiden zusammenzubringen, vor allem, da Ben Shakeels Animosität bereits bemerkt hatte. Doch dafür würde er viel Hilfe von Lexie benötigen.

Teddy sah, dass Ben ihn und Dylan beobachtete, als sie nach ihrem zweiten Gespräch zu ihren jeweiligen Schreib-tischen zurückkehrten. Dylan war vollkommen überzeugt von seiner überarbeiteten Idee. Jetzt musste er nur noch mit Mrs. Rice sprechen.

»Im Ernst, Teddy. Das sind genau die Sachen, mit denen ihr jungen Leute kommen solltet«, erklärte Dylan und gab ihm einen Klaps auf die Schulter, bevor er sich wieder an seinen eigenen Platz setzte. Obwohl er sich so freute, hörte Teddy Shaks Stimme in seinem Kopf, als er zu Ben hinüber-sah, um seine Reaktion zu sehen. Erleichtert atmete er aus, als er Bens Strahlen bemerkte.

»Bin stolz auf dich, Kumpel«, flüsterte er, legte Teddy diskret eine Hand aufs Knie und streichelte es zärtlich. »Darum dreht sich alles. Darum sind wir hier!«

»Was für ein Tag. Du planst dein großes Feature, und ich fasse Social-Media-Kommentare über das Wetter zusammen«, bemerkte Ben, als sie ein paar Stunden später das Gebäude verließen. Ehe Teddy antworten konnte, blieb er in der zentralen Eingangshalle stehen.

»Entschuldige, ich bin schlecht gelaunt. Ich wollte nicht so gehässig klingen.«

»Mach dir keine Sorgen. Du hast doch ständig Ideen! Du wirst bestimmt bald die richtige finden, das weiß ich einfach.« Teddy sah sich schnell um, ob sie allein waren, bevor er sich vorbeugte und ihn auf die Wange küsste.

»Du weißt, dass es hier Kameras gibt, oder?«

»Was? Meinst du das ern...«

»Teddy, beruhig dich. Ich mache Witze. Nun, ich meine es nicht ernst, aber ehrlich, wenn irgendjemand da drin glaubt, das wäre interessant, so sollte er sein Leben aufregender gestalten.«

»Entschuldige, man kann hier einfach nie wissen, wer wen kennt.«

»Ich weiß«, seufzte Ben. »Die Weihnachtsfeier wird lustig werden, wenn wir den Mistelzweigen den ganzen Abend über ausweichen müssen.«

»Na, komm. Wir werden trotzdem Spaß haben.«

»Vermutlich. Es wäre nur schön, es richtig mit dir zu genießen, anstatt für ein paar Stunden Heteros zu spielen und dann mit dem Zug nach Hause zu fahren, weißt du?«

Teddy hielt für einen Moment inne, als ihm ein Einfall kam.

»Was wäre, wenn ich über Nacht bleiben würde?«

»Was? Wo?«

»Bei dir natürlich.«

Ben sah ihn gespannt an. »Ich habe mich nicht getraut, dir das anzubieten, weil ich dachte, du würdest die Idee gleich abschmettern.«

»Das verschafft mir einen Vorsprung bei meinem Vorsatz für das nächste Jahr, mutig zu sein. Hast du was dagegen?«

»Ob ich was dagegen habe?«, lachte Ben und grinste dabei bis über beide Ohren. »Wenn ich keine Angst hätte, dass der Sicherheitsmann in Ohnmacht fällt, wenn er uns zusieht, würde ich dich packen und richtig küssen.«

»Benimm dich! Los jetzt, wir haben für sechs reserviert.« Teddy lachte. In nur acht Tagen würde er endlich eine Nacht mit Ben zusammen verbringen.

Kapitel einundzwanzig

Arthur

»Du hast kaum ein Wort gesagt, seit ich hier bin, Arthur. Langsam fange ich an, es persönlich zu nehmen.«

»Es tut mir leid, Oscar. Ich bin gerade nicht die beste Gesellschaft.«

»Das kann man sagen. Ich würde auf dem Friedhof mehr Leben finden.«

Sie lachten beide. Einige Enten in der Nähe sahen sich nach ihnen um. Trotz der beißenden Kälte waren sie, warm eingepackt, zu einem Spaziergang durch den städtischen Park aufgebrochen. Während sie auf der alten Holzbank saßen und auf den Teich hinausblickten, konnten sie die kühle Luft einatmen, sich entspannen und den Morgen genießen.

»Gibt es etwas, das du bedauerst, Oscar?«

»Noch nie davon gehört.«

Arthur gluckste und stieß verärgert einen Seufzer aus.

»Da hast du Glück.«

»Entschuldige bitte, mit Glück hat das gar nichts zu tun. Du hast dein Leben selbst in der Hand. Vielleicht kommst du etwas spät zur Party, aber es ist immer noch deine Party. Es ist jetzt an dir, das Beste daraus zu machen. Ich weiß nicht, wie oft ich dir das noch sagen muss, Arthur: Da draußen wartet eine große, weite Welt.«

»Zu groß für Leute wie mich.«

»Das ist Unsinn, und das weißt du«, sagte Oscar und klatschte mit den Händen auf seine Knie. »Und selbst wenn es wahr wäre: Du kannst dein Leben immer noch hier genießen. Es gibt nichts, was dich abhält. Wir werden beide früh genug unter die Erde kommen, auch ohne, dass wir selbst ins Grab steigen.«

»Ich hätte mir nie vorstellen können, achtzig zu werden und dann das Gefühl zu haben, ich wüsste nicht mehr, wer ich bin.«

»Nun, das werden wir ändern!«

»Ich habe dir schon gesagt: Ich werde keinen Tanzkurs mit dir besuchen.« Arthur lachte. »Mit diesen zwei linken Füßen war ich schon mein Leben lang verflucht.«

»Noch mehr Ausflüchte. Arme Madeleine. Mir war gar nicht klar, was sie da fünfzig Jahre ertragen musste. Komm, auf die Beine, sonst frierst du an der Bank fest.«

Zeit mit Oscar zu verbringen, war genau das, was Arthur brauchte. Er hatte gewusst, dass sich Madeleine seit Sophies Tod Sorgen um ihn machte, doch erst nachdem er Oscar davon erzählt hatte, realisierte er, wie schrecklich niedergeschlagen er seither war.

»Was würde dich glücklich machen, Arthur?«, fragte Oscar ihn, dabei klang er ernster, als Arthur es in der kurzen Zeit, die sie einander kannten, je gehört hatte. »Du kommst mir wie ein Mann vor, der gerne Dinge unternimmt, der gerne Teil von etwas ist.«

Arthur nickte langsam. Er war immer gern beschäftigt gewesen, und es war ihm nicht leichtgefallen, sich an ein Leben als Rentner zu gewöhnen, in dem er sich neue Tagesroutinen hatte suchen müssen.

»Genau, was ist denn mit diesen Gruppen, bei denen du dich engagierst, wie bei der mit Eric?«

»Was ist damit?«

»Nun, was würdest du da machen? Sachen für die Gemeinde, oder?«

»Ja, aber …«

»Kein Aber! Was würde Arthur Edwards dir vorschlagen, das du tun sollst, wenn er bei der Versammlung wäre?«

Arthur runzelte die Stirn, so angestrengt dachte er über Ideen nach, als sie zu Oscars Auto zurückgingen.

»Ich hoffe, diese Stille bedeutet, dass du eine Antwort hast«, sagte Oscar, als sie stehen blieben.

»Fundraising?«, entgegnete Arthur und versuchte dabei, selbstsicher zu klingen.

»Das hat sich eher wie eine Frage angehört. Fragst du mich, ob ich das für eine gute Idee halte?«

»Hältst du es denn für eine gute Idee?«

»Das kommt drauf an. Wofür? Bei welcher Art von Veranstaltung?«

»Ich könnte Geld sammeln zur Unterstützung der LGBTQIA+-Gemeinschaft oder zur Stärkung der mentalen Gesundheit.«

»Oder für beides!«, freute sich Oscar. »Damit hättest du etwas, auf das du dich konzentrieren kannst. Schlag was vor.«

»Wir haben viele verschiedene Sachen gemacht, wie zum Beispiel Kaffeeausschank und Kuchenverkauf.«

Oscar schüttelte den Kopf bei diesen Vorschlägen. »Denk größer, Arthur! Das ist deine Gelegenheit, etwas zu unternehmen, die Dinge durchzurütteln. Das nächste Mal, wenn wir uns treffen, will ich kein Wort hören über Kuchen, außer von Madeleine, wenn sie mir noch mal einen Korb mit diesen wundervollen Scones anbietet.«

Oscar setzte Arthur direkt vor der Haustür ab. Sie würden einander erst nach Weihnachten wiedersehen, da Oscar in den Norden fuhr, um Zeit mit seiner Nichte und ihrer Familie zu verbringen.

»Ich würde dir ja sagen, du sollst dich gut benehmen, aber ich weiß, dass das sinnlos ist«, zog Arthur ihn auf, bevor er ihm zum Abschied nachwinkte.

»Er ist schon ein spezieller Mann, oder?«, sagte Madeleine, als sie auf der Türschwelle auftauchte.

»Das ist er wirklich. Ich glaube nicht, dass ich mit ihm mithalten kann.«

»Das kannst du, ich weiß, dass du immer noch dieses Blitzen in deinen Augen hast.«

»Madeleine«, sagte er unvermittelt. »Elizabeth und Ralph kommen definitiv am Weihnachtstag, oder?«

»Ja, und die Kids und Patrick und Scarlett. Es wird wunderschön werden, alle wieder beisammenzuhaben.«

»Hervorragend. Ich habe beschlossen, dieses Jahr das Abendessen zu machen«, erklärte Arthur.

In der Woche vor Weihnachten war in Northbridge so viel los wie sonst nie. Die Geschäfte waren zum Bersten voll mit Kundinnen und Kunden, die Taschen voller Geschenke schleppten. Arthur stellte sich in der Schlange beim Metzger an, um den Truthahn abzuholen. Er hatte darauf bestanden, die Weihnachtseinkäufe selbst zu erledigen, da er ja auch das Sagen beim Essen hatte. Um Madeleine davon zu überzeugen, dass er allein mit Northbridge klarkommen würde, hatte er mehrere Stunden gebraucht.

Ein paar Leute wünschten ihm ein frohes Weihnachtsfest, als er in den verschiedenen Geschäften unterwegs war, zu seiner Freude stellte Arthur aber fest, dass er fast unsichtbar war inmitten der anderen Einkaufswütigen. Als er kurze Zeit später wieder ins Auto stieg, schmunzelte er unwillkürlich bei dem Gedanken, dass sein Privatleben vielleicht schon wieder Schnee von gestern war.

Kapitel zweiundzwanzig

Teddy

Teddy warf einen letzten Blick auf das Dokument und heftete es dann seiner E-Mail an Dylan an. Alles hatte sich viel besser gefügt, als er es je hätte erwarten können. Trotz seiner anfänglichen Zweifel, ob er das tun sollte, hatte Teddy schließlich seine Mutter um Deborahs Nummer gebeten und ihr seine Idee am Telefon erklärt. Deborah war sofort offen gewesen für seinen Vorschlag und hatte mit ihm vereinbart, dass er vorbeikommen sollte, sobald ein bisschen Zeit verstrichen war. Anfangs war er sich nicht sicher gewesen, wie lange er dort sein würde, aber schlussendlich hatte er mehrere Stunden bei der Familie Rice zu Hause verbracht. Sophie hatte sich für ihre Eltern in einem Brief geoutet, den sie nur Stunden vor ihrem Selbstmord geschrieben hatte. Damit hatte er nicht gerechnet. Nachdem Deborah darauf bestanden hatte, dass er ihn lesen sollte, saß er allein und tränenüberströmt auf seinem Stuhl.

»Ich bin dir so dankbar, dass du Sophies Geschichte erzählen willst«, hatte Deborah zu ihm gesagt, als er das Haus verließ. »Wenn auch nur ein Leben gerettet werden kann, weil die Leute das lesen, wird es das wert sein, Edward. Du hilfst damit, dass nicht noch eine Familie diesen Schmerz erfahren muss.«

Die Worte über eine Person zu schreiben, die nur ein Stück entfernt in der gleichen Straße gelebt hatte, fühlte sich unwirklich an. Auch wenn er Sophie nicht wirklich gut gekannt hatte, dachte er doch an die vielen Gelegenheiten, bei denen sie sich kurz zugenickt hatten, wenn sie einander auf der Straße begegnet oder im Kino und in Coras Café aufeinandergetroffen waren. Sie hatten beide versucht zu existieren und ihr Geheimnis hinter ihrem Lächeln verborgen. Er wollte sich selbst versichern, dass es keinen Unterschied für Sophie gemacht hätte. Schließlich gab es weder einen stummen Code noch einen Satz, den er hätte sagen können, damit sie gewusst hätte, dass sie ein Geheimnis miteinander teilten. Ihre Wege hätten sich weiterhin einfach gekreuzt, sie hätten beide versteckt, wer sie in Wirklichkeit waren, sie wären beide weiter auf ihre eigene Art damit umgegangen.

»Der Text ist zu gut für Seite dreißig. Sicher warten sie auf einen ruhigeren Tag, um ihn groß herauszustellen«, sagte Ben ein paar Tage später beim Mittagessen, als sich Teddy darüber beschwerte, dass er nichts Neues gehört hatte über seine Arbeit. Er freute sich über Bens nachvollziehbare Erklärung, auch wenn sie schwer zu glauben war.

Dylan beendete gerade eben ein Telefonat, als sie an ihre Arbeitsplätze zurückkehrten.

»Vielleicht willst du dir morgen ganz früh schon eine Ausgabe der Zeitung holen, Teddy«, sagte er.

»Warum sagst ... warte, im Ernst? Die Geschichte kommt in die Samstagsausgabe?«

»Sicher doch. Sie hat ihnen wirklich gefallen.«

»Heilige Scheiße. Ich weiß gar nicht, was ich sagen soll.«

»Du bist mit der ganzen Geschichte sehr sensibel umgegangen. Das ist eine tolle Arbeit.«

»Danke, Dylan, und auch für deine Hilfe beim Über-arbeiten. Ich habe echt viel dabei gelernt.«

An dem Nachmittag ging es im Büro zu wie in einem Taubenschlag, weil die meisten Leute sich schon auf die Weihnachtsfeier freuten, die am nächsten Abend stattfinden sollte. Obwohl Teddy auch gespannt darauf wartete, hätte er sie durchaus auch überspringen und direkt zu dem Teil übergehen können, bei dem er endlich die Chance haben würde, Ben ganz für sich zu haben. Immer wenn er daran dachte, musste er sich selbst davon abhalten, vor Freude auf und ab zu hüpfen.

Als die Arbeit wieder ruhiger lief, nutzten Teddy und Ben die Möglichkeit, um nach Jack Johnson zu suchen. Sie hoff-ten, auf den Mann zu stoßen, der vor über fünfzig Jahren aus Northbridge geflohen war. Teddy war mit jedem Mal, an dem ihre Bemühungen in einer Sackgasse endeten, im-mer frustrierter geworden. Es schien wirklich unmöglich zu sein, die Suche einzugrenzen. Als Teddy schließlich vor-schlug, es einfach bleiben zu lassen und ihren Misserfolg zu akzeptieren, beharrte Ben leidenschaftlich darauf, wei-terzumachen.

»Danke dir, dass du zu helfen versucht hast, aber es fühlt sich ehrlich nicht richtig an. Grandad wollte nicht, dass ich suche, und dich hätte ich nie mit hineinziehen dürfen«, sagte Teddy. Falls Jack sich absichtlich versteckt hielt, dann gelang ihm das hervorragend.

»Fühlst du dich nicht gut?«, fragte Teddy, als Ben zum zweiten Mal innerhalb von einer Stunde von der Toilette wiederkehrte. Sein Gesicht war so blass, wie Teddy ihn noch nie gesehen hatte, und seine Stirn glänzte vor Schweiß.

»Ich fühle mich wirklich schlecht«, antwortete er. »Und

über meinen Toilettengang sollte ich am besten gar nichts erzählen.«

»Du siehst verdammt mies aus. Ich glaube, du solltest nach Hause gehen.«

»Ich denke, das sollte ich wirklich, weißt du. Ich werde mir ein Taxi rufen.«

Teddy begleitete Ben nach unten und vergewisserte sich, dass er sicher in den wartenden Wagen kam.

»Schreib mir, wenn du in der Wohnung bist«, sagte er. »Und trink ganz viel Wasser.«

Den restlichen Nachmittag verbrachte er damit, einige Geschichten für die Website fertigzustellen. Ben schrieb ihm, dass er sich gleich hinlegen würde, um zu schlafen. Als das Ende seiner Schicht näher rückte, dachte er unwillkürlich an die Zeitung des folgenden Tages. Nur eine Handvoll Leute würde wissen, welche persönliche Bedeutung dieses Feature für ihn hatte. Er hatte die Möglichkeit, etwas zu veröffentlichen, das einen Unterschied im Leben anderer Menschen bewirken konnte. Kurz packte ihn ein schlechtes Gewissen bei dem Gedanken daran, was Deborah wohl sagen würde, wenn sie wüsste, dass er sich noch nicht geoutet hatte. Zwar hätte er es ihr beinahe erzählt, doch dann war es ihm zu gefährlich gewesen. Verzweifelt versuchte er, das Gefühl abzuschütteln, als er an diesem Abend das Büro verließ. Ben nahm seinen Anruf nicht entgegen, als er zum Bahnhof lief, um den Zug nach Hause zu nehmen. Teddy hoffte, dass er noch schlief und dass er sich beim Aufwachen besser fühlen würde.

»Teddy! Teddy! Komm runter. Ich hab die Zeitung.«

Er sprang aus dem Bett und raste zum Treppenabsatz, von wo aus er Evangelina sah, die ihm mit der Morgenausgabe von *The Post* zuwedelte. Bei der Hälfte der Stufen wäre er beinahe ausgerutscht, fing sich aber irgendwie wieder und vermied es so, auf seine Schwester zu fallen.

»Oh Gott, mach mal langsam, du totaler Spinner. Es ist nur eine Zeitung«, sagte sie.

»Entschuldige bitte, das wird mein erster Artikel, den ich allein verfasst habe, und die Botschaft ist wirklich wichtig.«

»Wow«, entgegnete sie, hob die Hände und sprang von ihm fort.

»Was? Was ist los?«

»Deine Verwandlung in Mum ist abgeschlossen.«

Teddy sah seine Schwester finster an, nahm sich die Zeitung, eilte in die Küche und ließ sie laut gackernd allein im Flur stehen. Er warf die Zeitung auf den Tisch und blätterte hastig die Seiten durch, um seinen Artikel zu finden.

»Verdammte Scheiße!«, rief er viel lauter als beabsichtigt. »Er ist auf einer Doppelseite, Seite sechs und sieben. Ich kann es nicht glauben!«

Als er seinen Namen in Großbuchstaben sah, machte sein Herz einen Sprung. Er hatte es geschafft.

»Cool, Teddy, ich werde ihn später lesen, er ist sicher toll«, erklärte Evangelina, bevor sie aus der Küche verschwand und wieder nach oben ging.

Teddy stand allein vor dem Küchentisch und starrte auf die Zeitung. Seine Mum und Ralph waren bereits unterwegs. Er würde auf ihre Rückkehr warten müssen, um ihnen das Feature zu zeigen. Er starrte auf die Bilder auf der Seite. Sophies lächelndes Gesicht sah ihm auf einigen der Bilder entgegen, die Deborah ihm zur Verfügung gestellt hatte.

»Teddy! Dein Telefon klingelt, bist du taub?«

»Huch?« Er sah sich um. Eleanor stand an der Spüle.

Er hatte gar nicht bemerkt, dass sie in die Küche gekommen war.

»Entschuldige, ich war etwas abwesend«, sagte er. Sein Herz machte einen Freudensprung, als er auf sein Smartphone hinuntersah. Eine neue Sprachnachricht. Mit dem Gerät an seinem Ohr ging er aus der Küche. Bens Stimme war genau das, was er jetzt hören wollte.

»Morgen, Teddy. Hoffe, du bist stolz auf deinen Text. Ich habe ihn noch nicht gesehen, aber ich kann es kaum erwarten. Es tut mir echt leid, aber ich fühle mich immer noch miserabel. Ich glaube nicht, dass ich heute Abend mitkommen kann. Ich bin wirklich hinüber. Wir machen aber bald was aus. Meld mich später noch mal.«

Mit zusammengebissenen Zähnen drückte Teddy wieder auf Play und sog Bens Worte in sich auf. Er wusste, dass sie noch viele Gelegenheiten haben würden, aber im Moment wollte er nur Ben sehen. Sein Smartphone gab noch einmal ein Ping von sich.

In der Hoffnung, es könnte eine zweite Sprachnachricht von Ben sein, ging er darauf, nur um einen kurzen Gratulationstext von Shakeel vorzufinden. Er war bereits am Kiosk gewesen und hatte sich die Zeitung gekauft. Auf den Text folgte gleich noch ein Selfie von einem strahlenden Shakeel, der sie stolz hochhielt.

Beim Anblick des Bildes von einer Mischung aus Gefühlen überwältigt, versuchte Teddy, die Tränen zurückzuhalten, allerdings ohne Erfolg.

Kapitel dreiundzwanzig

Arthur

Ehe es Arthur wirklich verstand, war Weihnachten da. So aufgeregt war er schon seit Jahren nicht mehr gewesen. Der heutige Tag fühlte sich für ihn wie eine Gelegenheit an, die letzten Monate hinter sich zu lassen. Alle konnten sie diese Zeit hinter sich lassen. Er würde seine geliebte Familie wieder an seinem Tisch versammelt haben. Das war genau das, worum es heute ging. Als er die Vorhänge an seinen Schlafzimmerfenstern beiseiteschob und entdeckte, dass über Nacht eine dicke Schicht Schnee gefallen war, konnte Arthur einen kleinen Juchzer vor Vergnügen nicht unterdrücken. Er liebte Schnee. Er weckte in ihm schöne Erinnerungen an Schneeballschlachten und Schlittenfahrten auf den zahlreichen Hügeln rund um Northbridge. Doch es war nicht nur der damit verbundene Spaß. Der Schnee brachte eine Schönheit in die Stadt, die er schon immer geliebt hatte. Die weiße Decke verbarg alles Hässliche, das den Anblick verderben konnte. Heute würde ein perfekter Tag werden, das wusste er einfach.

Madeleine war sich selbst treu geblieben und hatte sich nicht davon abhalten können, in der Küche herumzuschleichen und Arthur auf die Finger zu schauen, als er mit der Vorbereitung des Gemüses begonnen hatte. Teddy traf kurz

nach neun Uhr morgens ein und wurde schnell zum Kartof-
felschälen eingeteilt.

»Irgendeine schöne Beute bei den Geschenken in diesem
Jahr?«, fragte Arthur.

»Einige hübsche Sachen. Mum und Ralph haben mir so
ein Video Calling Device besorgt, erinnerst du dich an die,
die ich dir vor Kurzem gezeigt habe?«

»Ich werde nicht so tun, als hätte ich irgendeine Ahnung
von diesen Dingen. Was ist mit …?« Arthur schüttelte leicht
den Kopf und vermied es, Bens Namen laut auszusprechen,
als könnte das einen riesigen Regenbogen über ihrem Haus
heraufbeschwören, der für alle sichtbar wäre.

»Er hat mir irgendetwas im Internet bestellt, aber es ist
noch nicht angekommen.«

»Denk dir nur mal, nächstes Jahr könntet ihr um diese
Zeit gemeinsam Weihnachten feiern«, sagte Arthur und sah
Teddy zu, wie sich dieser langsam durch den Berg an Kar-
toffeln kämpfte. »Sei vorsichtig damit, du schneidest da
ganz schön viel ab. Wir müssen die ganze Familie satt bekommen!«

Der Truthahnbraten und der Schinken brutzelten bereits vor sich hin, sodass verlockende Düfte durch das
ganze Haus zogen. Arthur spürte, wie sein Magen zu
knurren begann. Er hatte beim Kochen immer wieder hier
und da genascht, wünschte sich inzwischen aber, er hätte
ein großes Frühstück zu sich genommen, um die nächsten Stunden durchzuhalten. Jetzt war es zu spät, schließlich würde es schon in ungefähr neunzig Minuten Mittagessen geben.

»Die Würstchen im Schlafrock sind jetzt fertig für den
Ofen, Grandad. Ich gehe dann mal und fange mit dem
Tischdecken an.«

Teddy hatte gerade erst die Küche verlassen, da schlüpfte Madeleine herein, um zu kontrollieren, wie weit sie waren.

»Keine Angst, ich spioniere dir nicht nach. Ich wollte mir nur sicher sein, dass du klarkommst«, flüsterte sie, als Arthur vom Ofen aufsah.

»Es wird. Ich weiß wirklich nicht, wie du das Jahr für Jahr machst. Wenn ich Teddys Hilfe nicht hätte, würden wir morgen erst essen.«

»Er ist ein guter Junge. Es ist wunderbar, euch beiden zuzusehen, wenn ihr so schön zusammenarbeitet.«

»Ich will, dass der heutige Tag für alle etwas Besonderes ist.«

»Elizabeth und die Mädchen sollten so um zwölf da sein. Offenbar wird sich Ralph ein bisschen verspäten. Er fährt zuerst noch bei seiner Tante vorbei, wegen des Schnees dürfte er aber ein bisschen länger brauchen.«

Madeleine hielt kurz inne. »Ich will nur, dass du weißt, wie stolz ich auf dich bin«, sagte sie schließlich und umfasste mit den Händen die Rückenlehne der Bank. »Nicht nur wegen allem, was du dieses Jahr getan hast, sondern auch, weil du dich jetzt so bemühst. Das sind Momente, an die wir alle uns immer gerne erinnern werden.«

»Genug von dem Thema«, sagte Arthur und blickte zur Zimmerdecke, um seine Tränen zu verbergen. »Wenn mir irgendetwas anbrennt, werde ich dir die Schuld geben, weil du mich abgelenkt hast.« Grinsend drohte er ihr mit der Gabel.

Wenig später ertönten im ganzen Haus die Stimmen von Elizabeth, Eleanor und Evangelina, die soeben eingetroffen waren.

»Hallo, Grandad«, riefen die Mädchen. »Frohe Weihnachten!«

»Frohe Weihnachten, Evangelina«, antwortete Arthur und nahm seine jüngste Enkelin fest in den Arm. »Wie bezaubernd du aussiehst. Du bist das totale Abbild deiner Mutter.« Er lachte, als sie die Augen verdrehte; das hatte sie nicht zum ersten Mal gehört. Sie schüttelte sich die Schneeflocken aus den dichten braunen Haaren.

»Ich werde euch nicht im Weg herumstehen, aber es riecht wirklich fantastisch. Nan, du hast hier vielleicht Konkurrenz, was das beste Weihnachtsessen angeht!«, sagte Evangelina. Genauso schnell, wie sie aufgetaucht war, verschwand sie mit zwei Gläsern Rotwein in den Händen wieder.

»Ich komme mal besser mit und begrüße deine Mutter«, erklärte Arthur, während er Evangelina ins Wohnzimmer folgte.

Elizabeth legte gerade ein paar Geschenke unter den großen Weihnachtsbaum. Er hustete leise, als er das Zimmer betrat.

»Hallo, Dad«, sagte sie und strich sich ihr Kleid glatt. »Frohe Weihnachten.« Sie küsste ihn flüchtig auf die Wange.

»Frohe Weihnachten, Lizzie. Du siehst reizend aus. Das Kleid ist wunderschön.«

»Danke, Ralph hat es mir geschenkt. Ich bin mir sicher, dass ihm die Mädchen beim Auswählen geholfen haben.«

»Sie haben den guten Blick für Mode von ihrer Mutter geerbt.«

Elizabeth schenkte ihm ein dünnes Lächeln. »Hier drinnen riecht es wirklich gut. Alle sind vergnügt und hungrig!«

»Hervorragend, Teddy und ich müssen nur noch ein paar letzte Handgriffe vornehmen, dann können wir essen. Es dürfte nicht mehr lang dauern.«

Sie riss die Augen auf. »Wie bitte, du und Edward? Ihr *beide* kocht? Ich habe einfach angenommen, dass Teddy früher hergekommen ist, um *Mum* zur Hand zu gehen.«

Arthur konnte nicht anders: Er genoss die Überraschung in ihrer Stimme. Stolz nickte er.

»Oh ja, in diesem Jahr gibt es ein richtiges Weihnachtsfestessen von den Männern des Hauses.«

»Nun«, hauchte Elizabeth, die immer noch Mühe hatte, ihre Stimme wiederzufinden. »Falls es noch mehr Überraschungen von der Art gibt, werde ich einen starken Drink benötigen!«

Das Haus war erfüllt von Leben. Im ganzen Erdgeschoss erklang Weihnachtsmusik. Draußen fiel immer noch Schnee. Es war ein ganzes Jahr her, seit sie sich zuletzt alle gemeinsam in ihrem alten Zuhause getroffen hatten. Madeleine war ganz in ihrem Element, schwirrte um ihre Gäste herum und sorgte dafür, dass alle etwas zu trinken hatten. Evangelina freute sich sehr darüber, endlich ein Glas Sekt von ihrer Großmutter angeboten zu bekommen.

»So müssen wir nicht so tun, als wüssten wir nicht, dass sie sich letztes Jahr heimlich eines genommen hat«, erklärte Madeleine, als sie wieder in die Küche schlüpfte. »Oh Arthur, es ist alles so wunderbar, ich könnte vor Glück weinen.«

»Du würdest uns alle anstecken, wenn du das machst«, warnte er. »Spar dir die Tränen auf für später, wenn du diesen Rosenkohl probierst.«

Patrick war außergewöhnlich guter Laune und platzte immer wieder in die Küche, um zu fragen, wann sie das Essen servieren würden.

»Bald. Ich will nur einfach sicher sein, dass alles perfekt ist, das ist alles«, erwiderte Arthur.

»Geh und setz dich schon einmal hin«, befahl Teddy Patrick nach der fünften Unterbrechung ungeduldig. »Es dauert nur noch ein paar Minuten.«

Arthur verließ als Letzter die Küche. Er trug den Truthahn auf einer Servierplatte in das Esszimmer. Alle saßen bereits an ihren Plätzen und warteten auf ihn. Teddy und Evangelina klatschten in die Hände, als er das Tablett vorsichtig in der Mitte des großen, rechteckigen Tisches abstellte.

»Das sieht alles unglaublich gut aus, Arthur«, stellte Ralph fest. »Ihr zwei müsst völlig erschöpft sein.«

»Das kannst du laut sagen. Ich werde essen und danach bis Neujahr durchschlafen.«

»Schneidest du an, Arthur?«, fragte Madeleine.

»Eigentlich hatte ich mich gefragt, ob Ralph die Ehre nicht haben will.«

Elizabeth sah ihn mit hochgezogenen Augenbrauen an.

»Bist du dir da sicher, Arthur?«, wollte Ralph wissen. »Ich will niemandem auf die Füße steigen.«

»Nicht doch. Du bist Teil dieser Familie.« Arthur lehnte sich zurück und sah Ralph dabei zu, wie er die Platte mit dem Truthahn zu sich heranzog, das große Tranchiermesser nahm und zu schneiden begann. Er sah zu Elizabeth hinüber und fing ihren Blick ein.

»Danke«, formte sie stumm mit den Lippen.

Sobald alle Truthahnfleisch auf ihren Tellern liegen hatten, reichten sie die gefüllten Schüsseln herum. »Vorsicht, heiß«, warnte Arthur Scarlett, als er ihr die Ofenkartoffeln gab.

»Entschuldigt bitte, aber wir müssen die Knallbonbons platzen lassen«, sagte Patrick und stand auf. »Ich habe ganz besondere für jeden von euch gemacht.«

Alle fanden es lustig, dass Patrick sich Zeit genommen hatte, die Schachtel voller Knallbonbons herzustellen und zu verzieren. Also nahm jede und jeder von ihnen das in die Hand, das sie oder er von ihm bekam.

»Seid ihr alle bereit? Bei drei. Eins. Zwei ...«

Die leisen Knallgeräusche mischten sich mit Gelächter, als alle den Inhalt ihres Knallbonbons suchten.

»Ich finde mein Geschenk nicht«, sagte Scarlett und schüttelte den Rest ihres Knallbonbons.

Patrick schob seinen Stuhl zurück und sah auf dem Boden nach. »Dort ist es«, sagte er. »Ich hebe es für dich auf.«

Bevor sie es richtig mitbekamen, war Patrick schon auf die Knie gesunken und hielt Scarlett eine kleine rote Schachtel hin.

»Scarlett Ruby Fletcher, ich kann dir nicht mal ansatzweise erklären, wie sehr du mein Leben verändert hast. Du hast mir in meiner dunkelsten Zeit geholfen, das Licht wiederzufinden. Tag für Tag hilft mir deine positive Energie dabei, ein besserer Mensch zu sein. Wenn dich diese verrückte Familie nicht abschreckt: Würdest du Weihnachten gerne immer mit mir verbringen?«

Arthur musste sich Scarletts Antwort mehrmals wiederholen lassen, weil sie gedämpft war durch das Schluchzen und die darauffolgenden Jubelrufe rund um den Tisch.

»Das war wunderschön, Sohn«, sagte Arthur und umarmte Patrick. »Ich bin so stolz auf dich.«

Langsam nahmen alle ihre Plätze am Tisch wieder ein.

»Entschuldigt alle miteinander. Ich hoffe, dass euer Essen wegen mir nicht kalt geworden ist«, merkte Patrick an, als sie zu essen begannen.

»Falls jemand möchte, wir haben noch warme Soße in der Küche«, bot Teddy an. »Ich kann sie holen.«

»Stellt euch mal vor«, sagte Elizabeth plötzlich, »nächstes Jahr um diese Zeit werden Ralph und ich verheiratet sein, Patrick und Scarlett vielleicht auch, wenn sie keine Zeit vergeuden wollen, und Eleanor könnte, wenn alles gut läuft, einen Verlobten dabeihaben.«

»Mum! Du bist peinlich.«

»Nun, Oliver ist nicht so wie die meisten Männer, Liebling. Sobald er weiß, dass er die Richtige gefunden hat, wird er dich nicht mehr gehen lassen.«

Arthur sah über den Tisch zu Teddy, der den Austausch zwischen seiner Mutter und seiner Schwester genau beobachtete, während er aß.

»Ich würde dann aber immer noch ein paar Jahre brauchen für die Hochzeitsvorbereitungen«, warf Eleanor lachend ein.

»Hörst du das, Mum?«, fragte Elizabeth. »Diese Mädchen werden mich weiter auf Enkelkinder warten lassen.«

»Es gibt ja immer noch Teddy«, sagte Scarlett zwischen zwei Bissen von ihrem Essen.

»Nun, wenn er einer jungen Lady so ein Essen zubereiten würde, würde er sie bestimmt sehr glücklich machen«, erklärte Elizabeth lachend, während alle den Blick auf Teddy richteten.

»Tatsächlich mache ich schon jemanden glücklich«, entgegnete Teddy. Seine Stimme war leise, aber stark. Arthur spürte, wie sich seine Muskeln anspannten, als wüsste sein Körper bereits, was gleich geschehen würde. Er konnte nichts unternehmen, außer zuzusehen, wie Teddy seiner Mum direkt in die Augen blickte.

»Er heißt Ben.«

Kapitel vierundzwanzig

Teddy

Es war kein Traum. Teddys Blick verschwamm, als er versuchte, sich auf die Gesichter rund um den Tisch zu fokussieren, die ihn alle anstarrten.

»Was hast du da gesagt?«

Die Stimme seiner Mutter riss ihn gewaltvoll aus seiner vorübergehenden Starre. Er erwiderte ihren Blick: Sie sah zornig aus mit den hochgezogenen Augenbrauen.

Jetzt gab es kein Zurück mehr. Sie hatten ihn alle gehört, er konnte also genauso gut zu Ende bringen, was er begonnen hatte. Er nahm einen tiefen Atemzug und erlaubte es den Worten endlich, über seine Lippen zu kommen.

»Mum, ich bin schwul.«

Erleichterung ergriff ihn. Wäre er nicht mit den Beinen unter dem Tisch gewesen, so hätte sich sein gesamter Körper sicher vom Stuhl gelöst und wäre in die Luft gestiegen, um unter der Decke zu schweben. Seine Gesichtsmuskeln schmerzten von der vorherigen Anspannung, als er den Mund zu einem Lächeln verzog. Er konnte sich nicht davon abhalten, laut zu lachen. Er lachte so sehr, dass ihm Tränen über die Wangen liefen.

»Kann mir bitte irgendjemand erklären, was zum Teufel gerade vor sich geht?«, fragte Elizabeth und sah dabei die anderen an, als könnte jemand von ihnen ihr plötzlich bestätigen, dass es sich um eine Art Scherz handelte.

»Ich denke, es ist mehr als eindeutig, Elizabeth«, sagte Madeleine sanft. »Hört mal, ich glaube, wir sollten Elizabeth und Teddy ein paar Minuten allein lassen.«

»Wir essen hier. Können *sie* nicht gehen?«, jammerte Evangelina und sah auf die halb leer gegessenen Teller der anderen.

»Bitte entschuldigt«, sagte Elizabeth und nahm ihr Besteck wieder auf. »Lasst uns einfach weiter diese wunderbare Mahlzeit essen, reden können wir – über was auch immer – dann ja später.«

»Verdammt noch mal, Elizabeth«, schimpfte Madeleine streng. »Geh und sprich mit deinem Sohn. Das Essen wird auch noch da sein, wenn ihr zurückkommt.«

Teddy hielt die Luft an, und alle anderen schwiegen.

»Edward, dann lass uns nach draußen gehen und reden«, sagte Elizabeth leise, schob den Stuhl zurück und stand auf. Sie strich sich ihr Kleid glatt und marschierte aus dem Raum, ohne auf eine Antwort zu warten. Teddy sah zu Arthur hinüber, der ihn aufmunternd anlächelte. Als er seine Mutter einholte, war sie schon bei der Hintertür, die von der Abstellkammer neben der Küche nach draußen führte.

Teddy folgte ihr hinaus und zu der Holzbank unter dem Küchenfenster. Inzwischen hatte es zu schneien aufgehört. Er sah ihr zu, wie sie eine Schneeschicht von der Bank wischte und sich dann hinsetzte. Teddy wünschte sich, er hätte seinen Mantel angezogen.

»Okay«, sagte sie und schlug die Beine übereinander. »Du willst mir also etwas sagen?«

»Ich glaube, du hast gehört, was ich zu sagen hatte, Mum. Alle anderen haben es auch gehört.«

Sie sah ihn finster an und presste die Lippen zusammen.

»Also, wann hast du dich dafür entschieden?«

»Da ist es«, entgegnete Teddy seufzend.

»Da ist was?«

»Diese Haltung. Die Elizabeth-Marsh-Antwort auf etwas, das ihr nicht gefällt.«

»Was meinst du damit?«

»*Entschieden*«, wiederholte Teddy. »Wie und wann habe ich mich dafür *entschieden*, schwul zu sein? Nun, da du es gerade erwähnst, Mum: Ich bin gestern früh aufgewacht und habe mich gefragt: ›Was könnte Mum an Weihnachten so richtig verärgern?‹ Und so ist es jetzt.«

Sie blickte auf den Garten hinaus, ohne zu antworten. Teddy rieb sich die kalten Hände.

»Bist du sauer, weil ich es gewagt habe, den anderen etwas von meinem Glück mitzuteilen?«, fragte Teddy, weil er sich plötzlich über ihr Schweigen ärgerte.

»Das ist es also?«, entgegnete seine Mutter. »Dein Onkel macht einen Antrag, und du musst ihm die Aufmerksamkeit stehlen, weil du dich übergangen fühlst?«

»Das habe ich nicht gesagt. Ich bin es nur leid, hier zu sitzen, ohne dass ich ich selbst sein kann. Nein, entschuldige, ich werde dir vielleicht keine Enkelkinder schenken, aber ist es so falsch von mir, dass ich dir das sagen will, damit ich nicht herumsitzen und allen etwas vorspielen muss? Ich versuche an jedem einzelnen Tag, deine Erwartungen zu erfüllen, die Erwartungen der Leute, die wissen, dass ich dein Sohn bin. Jetzt sage ich dir endlich, dass ich nicht immer derjenige sein kann. Doch ich bin immer noch dein Sohn, und ich will, dass du mich so liebst, wie ich bin.«

»Aber warum heute, Edward? Konntest du der Familie nicht einfach einen schönen Tag zusammen gönnen?«

»Du kommst gar nicht auf die Idee, dass es schon Hunderte von Tagen gegeben hat, an denen ich genau das tun wollte: es einfach aus mir herausschreien? Aber ich habe es nicht geschafft. Weil ich nicht hoffen darf, dass du mich anders behandeln wirst, als du Grandad behandelt hast.«

»Wag es nicht, hier zu sitzen und diese Situation gegen mich auszunutzen, als wäre ich quasi …«

»Homophob? Gerade eben kommst du da echt nah dran.«

Teddy hatte nicht einmal genug Zeit, um zu sehen, dass ihre rechte Hand auf seine Wange zuflog. Er unterdrückte ein leises Wimmern, als ihm bei dem Brennen in seinem Gesicht die Tränen kamen.

»Edward, es tut mir so leid!«, keuchte sie und hielt sich die Hand vor den Mund. Ihre Augen waren weit aufgerissen vor Entsetzen über das, was sie getan hatte.

»Spar es dir. Genau das hatte ich erwartet«, sagte Teddy leise. »Genau deshalb haben sich meine Gedanken seit Jahren im Kreis gedreht, wenn ich versucht habe, mich selbst davon zu überzeugen, mich zu outen. Ich wollte glauben, dass du vielleicht für mich eintrittst, dass du mir einmal glaubst, dass ich weiß, was ich tue.«

»Das tue ich«, sagte sie mit leicht brüchiger Stimme. »Wenn du sagst, dass du schwul bist, ist das in Ordnung.«

»In Ordnung? Mensch, danke, Mum. Das werde ich mir sicher auf ein T-Shirt drucken lassen.«

»Darf ich nicht einmal eine Minute brauchen, um zu verarbeiten, was du sagst?«

»Hier geht es nicht um *dich*, Mum! Entschuldige, ich weiß, dass das schwierig ist, aber hier geht es um *mich* und darum, wer ich bin. Ich war die ganzen letzten Monate damit beschäftigt, zu verbergen, wer ich bin, damit auf keinen

Fall jemand aus deinem Kollegenkreis bei *The Post* irgendetwas merkt. Dabei hatte ich schreckliche Angst, dass du genauso schrecklich zu mir sein würdest, wie du es zu deinem eigenen Vater warst, sobald es herauskommt. So will ich nicht leben. Und ich werde es nicht mehr tun.«

»Dann sag mir, was wir tun sollen?« Elizabeth klang plötzlich so verloren.

»Unterstütz mich einfach. Sei meine Mum.«

»Schön«, sagte sie und klatschte in die Hände. »Ich werde allen erzählen, wie stolz ich auf meinen schwulen Vater und meinen schwulen Sohn bin. Auf die beiden, die so gerne Geheimnisse vor mir haben und alles vor mir verstecken. Was spielt es schließlich auch für eine Rolle, was ich denke? Mich scheint ja eindeutig keiner von euch zu brauchen, von Vertrauen ganz zu schweigen.«

Teddy sprang von der Bank auf. Ihm schmerzte jetzt der Kopf.

»Ich lasse dir erst einmal etwas Zeit. Ich kann das jetzt nicht.«

»Typisch. Du entscheidest, wann du diese kleine Bombe platzen lässt, und dann bist du verletzt, weil jemand anderer vielleicht ein bisschen Zeit braucht, um damit klarzukommen.«

»Damit klarkommen? Mum, hörst du dir eigentlich jemals selbst zu? Ich habe dir nur erzählt, dass ich einen Jungen namens Ben mag. Ich gehe davon aus, dass du annimmst, du wüsstest alles Wichtige über ihn bereits von Dylan. Du brauchst keine Zeit. Du willst mich nur bestrafen. Genauso wie du Grandad gerade erst monatelang bestraft hast.«

»Ich versuche nicht, irgendjemanden zu bestrafen, Edward. Du hast keine Ahnung, wie es sich anfühlt, wenn dir gesagt wird, dass dein ganzes Leben auf einer Lüge aufgebaut war. Was glaubst du, wie es sich anfühlt, wenn du zurückschaust und dich bei jeder Erinnerung fragen musst, was davon echt gewesen ist? Hat er meine Mutter jemals wirklich geliebt? Hat er uns unsere Existenz übel genommen, weil wir ihn davon abgehalten haben, sein eigenes Leben zu führen?«

»Du weißt, dass Grandad niemals so denken würde«, erwiderte Teddy.

»Woher soll ich das wissen? Vielleicht reagiere ich über, aber ich muss auf meine eigene Art mit all dem umgehen. Das ist keine kleine Lüge, die schnell vergeben und vergessen ist, das betrifft meine ganze Existenz. Kannst du das nicht verstehen?«

»Ich verstehe es«, räumte Teddy ein. »Nimm dir so viel Zeit, wie du brauchst, aber er hat das nicht verdient. Niemand von uns hat es verdient. Wir sind immer noch dieselben Menschen.«

Teddy ging ins Haus zurück und folgte dem fröhlichen Stimmengewirr in das Speisezimmer. Es freute ihn zu sehen, dass alle weiter gegessen hatten, sodass die meisten Teller inzwischen leer waren. Evangelina und Eleanor entdeckten ihn zuerst, als er sich wieder ins Zimmer schlich.

»Ist alles in Ordnung? Wo ist Mum?«, wollte Evangelina wissen.

Er zuckte die Achseln und setzte sich auf seinen Platz.

»Ich wollte nur sagen, dass ich finde, das war sehr mutig von dir«, merkte Scarlett an. »Mich hat es nicht wirklich überrascht, aber ich hatte schon immer ein gutes Schwulenradar. Tatsächlich war einer der Jungen, mit denen ich auf dem College ausgegangen bin, schwul, wie sich später herausgestellt hat.«

Teddy warf einen Blick zu Eleanor hinüber, die sich bemühte, nicht zu kichern.

»Ja, danke, Scarlett«, sagte er, »das scheinen leider nicht alle so zu sehen.«

»Geht es *ihr* gut?«, fragte Patrick mit einer Kopfbewegung in Richtung Tür. »Ich bin mir sicher, dass sie nur ein bisschen Zeit braucht.«

»So wie bei Grandad, ja, das hat sich jetzt schon bewährt.« Teddy sah zu Arthur hinüber. Es erschreckte ihn, wie traurig sein Großvater aussah.

»Grandad?«

»Das wird sich alles von selbst geben, Teddy. Mach dir keine Sorgen.«

»Es tut mir leid, dass ich das Essen ruiniert habe. Ich weiß nicht, woher das kam, doch mit einem Mal habe ich es laut ausgesprochen.«

»Ich bin stolz auf dich. Das sind wir alle.« Arthur lächelte Teddy warmherzig an.

»Du machst dir Sorgen, das verstehe ich. Glaub mir, es geht mir gut. Sie hat gesagt, was sie zu sagen hatte. Es ist jetzt in der Welt, und ich kann nichts mehr daran ändern.«

Erst als er sich jetzt am Tisch umsah, fiel ihm auf, dass Ralph den Tisch nach seiner Rückkehr verlassen hatte. Teddy war froh, dass sie nicht mehr allein dort draußen saß.

»Er hat Mum ihren Mantel rausgebracht«, erklärte Evangelina und stützte dabei ihr Kinn auf die Hand. »Jetzt erzähl uns mal etwas über diesen Ben. Ist er hot?«

»Das ist er schon«, mischte sich ihre ältere Schwester ein.

Evangelina warf den Kopf herum, um Eleanor anzusehen, die sich sofort auf die Lippe biss, als sie ihren Fehler bemerkte.

»Du hast es gewusst?«

»Dafür musste man nicht wirklich ein Genie sein, um das herauszufinden. Und dann habe ich ihn auf dem Flohmarkt gesehen.«

»Ich kann nicht glauben, dass du es mir nicht erzählt hast. Du bist schließlich nur wegen mir überhaupt hingegangen«, quiekte Evangelina.

»Entschuldigt«, sagte Teddy. »Was sollte das *Schon?*«

»Nichts.« Eleanor grinste. »Offensichtlich ist er kein Oliver, aber ihr habt gut zusammen ausgesehen.«

Teddy verdrehte die Augen. »Danke, das werde ich ihn wissen lassen.«

»Können wir ihn kennenlernen?«

»Ihr glaubt, ich würde ihn in nächster Zeit in dieses verrückte Haus mitbringen? Ich mag den Kerl wirklich.«

»Arrgh, könnte er ihn nicht hierher mitbringen, Grandad?«, bettelte Evangelina. »Er sollte an Neujahr kommen!«

»Wenn die ganze Familie da ist? Keine Chance. Ich will ihn doch nicht verschrecken.«

»Grandad, kannst du ihn nicht dazu bringen?«

»Ich weiß nicht, was ihr von mir hören wollt, das ist doch nicht meine Entscheidung.« Arthur lachte. »Falls sie wollen, weiß Teddy, dass er und Ben hier jederzeit mehr als willkommen sind.«

»Bist du dir sicher?«

»Natürlich, wann du willst. Ist das nicht so, Madeleine?«

»Teddy weiß, dass er hier immer willkommen ist, und das gilt auch für Ben.«

»Habt ihr das schon die ganze Zeit hinter meinem Rücken gemacht?«, fragte Elizabeth, die im Türrahmen wieder aufgetaucht war. »Mich einfach ausgeschlossen, nur weil ich keine Pride Parade in Northbridge organisiere?«

»Elizabeth, das reicht«, wies Madeleine sie zurecht.

»Hast du es gewusst, Mum?«

»Nein, Nan hat es nicht gewusst«, mischte sich Teddy ein. »Und selbst wenn sie es gewusst hätte, was macht das für einen Unterschied? Ich habe es Grandad gesagt, nachdem er sich geoutet hat, aber ich habe ihn gebeten, es für sich zu behalten, bis ich bereit bin.«

»Das wird ja immer besser«, sagte Elizabeth mit brüchiger Stimme. »Das ergibt total viel Sinn, denn natürlich würdest du das geheim halten, Dad. Du bist hier ja der Profi in diesen Angelegenheiten.«

»Nun lass uns erst einmal einen Moment warten«, bat Ralph und versuchte, Elizabeth die Hand auf die Schulter zu legen.

»Nein, Ralph, du hast sie gehört, als wir hereingekommen sind, wie sie bereits ihre kleinen Zusammenkünfte geplant haben, bei denen sie sich über mich beschweren können. Ich habe alles für euch Kinder getan, was ich konnte. Seit euer Vater gestorben ist, habe ich versucht, stark zu sein und diese Familie zusammenzuhalten. Jetzt habe ich jemanden gefunden, der mich glücklich macht und mir hilft, die Tage durchzustehen. Habe ich mich beschwert, als Dad meinte, es wäre zu früh für mich, mit Ralph auszugehen? Habe ich einen Aufstand gemacht, als Teddy fast ein Jahr lang hier gelebt hat, als wäre ich das reinste Monster? Nein. Ich habe weitergemacht, aber ich sage dir etwas, Teddy: Wenn es so fürchterlich in meiner Nähe ist, dann pack deine Sachen. Wenn es dir unter meinem Dach nicht gefällt, bitte schön, such dir einen anderen Ort zum Leben.«

Teddys Mund war trocken. Seine Mum sah ihn nicht an, aber jedes Wort traf ihn brutal ins Herz. Niemand rührte sich, bis Elizabeth erneut das Wort ergriff.

»Ich fürchte, wir können nicht zum Dessert bleiben. Mädchen, holt bitte eure Sachen.«

Ohne ein weiteres Wort war sie verschwunden.

»Tschüss, alle miteinander. Danke für das Essen«, sagte Ralph und winkte kurz, bevor er ihr hinterhereilte.

»Kommst du?«, fragte Evangelina Teddy, während sie sich den Mantel anzog.

»Jetzt noch nicht. Geht ruhig, ihr zwei. Ich helfe hier noch beim Aufräumen und treffe euch dann später.«

Teddy wusste, dass sie eigentlich nicht gehen wollten, aber es war am besten, den Frieden noch so weit zu wahren, wie es möglich war, vor allem jetzt, da ihm etwas eingefallen war, das er mit seinen Großeltern durchsprechen musste.

»Ich weiß, dass euch beide das in eine leicht blöde Lage bringt«, sagte er später, während er ihnen mit dem Geschirr half, »aber würde es euch etwas ausmachen, wenn ich für ein paar Nächte hierbleibe?«

»Du brauchst doch nicht zu fragen«, entgegnete Arthur. »Dein Zimmer ist immer für dich frei.«

Kapitel fünfundzwanzig

Arthur

Arthur wanderte im Garten umher. Unter seinen Füßen knirschte der Schnee. Bei dem Geräusch lächelte er. Er hatte nicht viele schöne Erinnerungen an seinen Vater, aber bei den wenigen, die er hatte, spielte Schnee immer eine Rolle. Sein Vater hatte den Winter geliebt. Arthur erinnerte sich an einen Morgen, da war er höchstens neun Jahre alt gewesen, an dem er von Schneebällen geweckt worden war, die gegen das Fenster seines Kinderzimmers geworfen wurden. Er hatte sich mehrere Lagen Kleidung übergeworfen und war nach draußen geeilt. Sie hatten stundenlang gespielt und gelacht, während sie sich an der Hand gehalten und gemeinsam Schnee-Engel gemacht hatten. Dann hatten sie den größten Schneemann gebaut, den Arthur je gesehen hatte. An den drei Tagen, die er gestanden hatte, waren aus ganz Northbridge Kinder vorbeigekommen, um ihn sich voller Bewunderung anzusehen. Doch der Schnee war immer wieder geschmolzen und hatte nichts von der Freude zurückgelassen, die er in das Haus der Edwards gebracht hatte.

»Hier ist ein heißer Grog, du musst hier draußen ja schon ganz durchgefroren sein«, sagte Madeleine und gab ihm einen dampfenden Becher.

»Danke, Liebes, ich war wieder ganz in Erinnerungen versunken.«

»Es ist schon ein paar Jahre her, seit wir zuletzt so einen Schneefall hatten. Kannst du dich noch daran erinnern?«

Arthur wusste, wovon sie sprach. Das war jetzt beinahe zehn Jahre her. Er und Madeleine hatten auf Eleanor, Teddy und Evangelina aufgepasst, während Harry Elizabeth überraschend nach Paris entführt hatte. Die Mädchen hatten wenig Interesse am Schnee gezeigt, sondern hatten lieber mit ihrer Nan drinnen heiße Schokolade mit Marshmallows getrunken. Arthur und Teddy waren mit einem Schlitten auf den Hügel hinter dem Haus gestiegen. Teddy hatte vor Arthur gesessen, als sie – begleitet vom kalten Wind und ihren eigenen Freudenschreien – den Hügel hinuntergesaust waren.

»Ich weiß, der Tag war nicht so perfekt, wie du ihn haben wolltest«, sagte Madeleine.

»Es gibt Wichtigeres. Wie geht es Teddy?«

»Er ist nach oben gegangen. Mach dir keine Sorgen, Arthur. Die Dinge kommen wieder in Ordnung.«

Arthur seufzte. Das hatte er nicht gewollt für Teddy. Er hatte nicht gewollt, dass sein Enkel dem ausgesetzt war: dass er hoffen und warten musste, bis die anderen Leute ihn akzeptierten.

»Ich könnte mich selbst nicht mehr ertragen, wenn Teddy das wegen mir durchmachen muss«, sagte er, womit er einen finsteren Blick von Madeleine auf sich zog.

»Du trägst auf gar keine Art Schuld an irgendetwas von all dem. Elizabeth muss einfach nur alles verarbeiten, aber sie wird ihrem Sohn, ihrer Familie, niemals den Rücken kehren.«

Arthur nippte an seinem Getränk, während Madeleine mit ihrem Smartphone ein Foto vom Garten aufnahm.

»Ich wollte dir eigentlich etwas zeigen«, sagte sie und tippte auf das Display. »Das hier habe ich neulich in einem Karton gefunden und habe ein Foto davon gemacht.«

Sie gab Arthur das Smartphone, der darauf hinunterstarrte.

Sein junges Gesicht sah ihn an. Er trug den schwarzen Overall, den er bei der Arbeit in der Werkstatt meistens angehabt hatte. Madeleine stand neben ihm.

»Nun, das befördert mich gleich in die Vergangenheit zurück«, sagte Arthur. »An den Tag, als wir beschlossen haben zu heiraten. Es tut mir leid, dass es nicht romantischer war.«

»Ich habe nichts anderes gebraucht, Arthur. Wir haben uns gerettet an diesem Tag.«

»Es fühlt sich an, als wäre es erst gestern gewesen. Die zwei Kids auf dem Bild würden nicht glauben, wie weit wir gekommen sind.«

»Wir sind noch nicht am Ende, Arthur.«

Sie liefen in einem Kreis durch den Garten.

»Ich habe noch einmal mit Dr. Thomas gesprochen. Die Ergebnisse des PSA-Tests machen ihm Sorgen.«

»Arthur! Warum hast du mir das nicht erzählt?«

»Ich wollte bis nach Weihnachten warten, aber er glaubt, der Krebs könnte zurück sein.«

Madeleine stiegen Tränen in die Augen.

»Wir haben gewusst, dass das immer passieren kann, Madeleine. Mit einer frühen Entdeckung ist schon viel gewonnen.«

»Diesmal können wir das nicht allein schaffen, Arthur. Du brauchst so viel Unterstützung wie möglich.«

»Wenn es so weit kommt, reden wir darüber. Bis dahin lass sie damit in Ruhe.«

Arthur wusste, dass Madeleine noch weiter darüber sprechen wollte. Er wusste, dass es ihr viel abverlangt hatte, seine Krebserkrankung geheim zu halten, aber sie hatten das damals zusammen durchgestanden. Jetzt konnte er das nicht von ihr erwarten, nicht, wenn sie sich gerade ein neues Leben aufbaute. Er hatte sie von allen Verpflichtungen befreit, doch an diesem Tag wollte er nicht über das nachdenken, was auf ihn zukommen würde.

Plötzlich musste er lächeln. Ihm war gerade eine Idee gekommen.

»Madeleine, kannst du reingehen, Patrick und Scarlett holen, und wir treffen uns dann vorne? Und pack sie alle warm ein.«

Während sie wieder nach drinnen ging, marschierte Arthur zur Garage und begann, darin herumzuwühlen. Nachdem er ein paar Minuten gesucht hatte, fand er endlich die beiden Holzschlitten, die ordentlich verräumt gewesen waren.

»Dad, was hast du vor?«, fragte Patrick und beäugte die Schlitten, die Arthur hinter sich herzog. »Es wird bald dunkel sein.«

»Wir werden uns ein paar Erinnerungen erschaffen!«, erklärte Arthur. »Scarlett, bist du schon einmal Schlitten gefahren?«

Sie schüttelte nervös den Kopf.

»Nun, es gibt für alles ein erstes Mal. Kommt, Leute, wir gehen auf den Hügel!«

Lachend und schwatzend trotteten sie den Hügel hinauf, dabei mussten sie gegen den Wind und den Schneefall ankämpfen. Bis sie die Kuppe des Hügels erreicht hatten, war Arthurs Nase knallrot.

»Ich bin schon jahrelang nicht mehr hier oben gewesen«,

stellte Patrick fest, während er über die Hügel sah, hinter denen die Sonne gerade unterging. »Wir haben früher ständig hier oben gespielt. Ich erinnere mich auch daran, dass ich meine erste Freundin für ein Picknick hierher mitgenommen habe – aber darüber müssen wir wahrscheinlich nicht sprechen.« Er hörte zu reden auf, als Scarlett zum Spaß eine Handvoll Schnee zusammenschob und sie zu einem Ball formte.

»Kommt schon, wir können ein Rennen machen!«, rief Arthur und setzte sich auf einen der Schlitten. Sein Herz raste bereits. »Madeleine, steig auf!«

Arthur lachte, als sich Madeleine zwischen seine Beine setzte und Patrick und Scarlett ihrem Beispiel folgten.

»Auf die Plätze«, rief Arthur. »Fertig. Los!«

Schreie und Gelächter erfüllten die Luft, als ihre beiden Schlitten den Hügel hinunterrasten. Arthur packte das Seil mit beiden Händen, Madeleine hielt sich an seinen Beinen fest.

Seite an Seite flogen die Schlitten dem Tal zu. So fest, als hinge ihr Leben davon ab, klammerte sich Scarlett an Patrick, als sie in Führung gingen.

»Das war UNGLAUBLICH!«, rief Scarlett und sprang ab, sobald sie zum Stehen gekommen waren. »Wenn ich noch genug Energie hätte, würde ich wieder nach oben klettern und es gleich noch einmal machen!«

»Lass dir aufhelfen«, sagte Arthur zu Madeleine und bot ihr die Hand an. Sie waren beide vom Schlitten gerutscht und übereinander im Schnee gelandet. Sobald er ihre Hand gepackt hatte, zog er sie wieder nach hinten in den Schnee. Lachend lagen sie nebeneinander, den Blick zum Himmel gewendet.

»Patrick! Scarlett! Wir machen Schnee-Engel.«

Arthur hielt immer noch Madeleines Hand fest, dann bewegten sie gemeinsam ihre ausgestreckten Arme und Beine.

»Ich könnte ewig hierbleiben«, sagte er fröhlich, während sich frische Schneeflocken auf seinem Gesicht niederließen.

Kapitel sechsundzwanzig

Teddy

Als alle Teller in die Geschirrspülmaschine geräumt waren, schlüpfte Teddy nach oben in das Zimmer, in dem er für gewöhnlich übernachtete. Durch das Fenster sah er Arthur im Garten herumgehen und bekam ein schlechtes Gewissen, weil er seinem Großvater mit seiner Enthüllung diesen Tag zerstört hatte, von dem er sich doch so sehr gewünscht hatte, dass er perfekt werden würde.

Das Zimmer war nicht besonders groß, aber es standen ein schmales Doppelbett und ein paar alte Möbelstücke darin. Er fühlte sich am ganzen Körper erschöpft. Wenn er nur zum Bett sah, brannten ihm schon die ohnehin angestrengten Augen. Wenn er sich nur fünf Minuten hinlegte, würde das schon helfen, dann konnte er für das Dessert wieder nach unten gehen. Der Weihnachtspudding von seiner Großmutter war es wert. Das Letzte, an das er sich noch erinnerte, war, wie sein Kopf auf das Kissen gesunken war.

Klopf.

Klopf.

Klopf.

Der Raum war komplett in Dunkelheit getaucht, nur das Mondlicht ermöglichte es ihm, zu sehen, wo er sein Smartphone hingelegt hatte. Ächzend streckte er die Hand danach aus.

Klopf.

Klopf.

»Teddy? Bist du wach?«

Er erkannte die Stimme sofort und setzte sich auf. »Shakeel?«

Die Tür öffnete sich knarrend. Shakeel streckte den Kopf hindurch, auf seinem Gesicht machte sich ein Lächeln breit. »Hallo, Schlafmütze. Frohe Weihnachten.«

»Was zum Teufel machst du denn hier? Ist alles in Ordnung?«

»Eleanor hat mich angerufen – sie hat mir erzählt, was passiert ist, also bin ich ins Auto gehüpft und gleich hergekommen.«

Die Erinnerung an die Geschehnisse beim Essen kam in Teddy hoch. Er hatte es wirklich getan.

»Oh Gott«, stöhnte er und stützte den Kopf in beide Hände. »Ich komme mir total verkatert vor, und dabei hatte ich nicht einmal einen richtigen Drink. Sind sie alle noch unten?«

»Ja, das war ein bisschen seltsam, deine Großeltern, dein Onkel und seine Freundin sind schneebedeckt die Einfahrt entlanggegangen.«

Shakeel setzte sich zu ihm aufs Bett. »Ich hab zuerst gedacht, Eleanor würde Scherze machen, weißt du.«

»Echt?«

»Total. Natürlich musstest du es ausgerechnet beim Weihnachtsessen hinausposaunen und an keinem anderen Tag. Ich bin so stolz auf dich, Teddy.«

»Das musst du nicht. Ich kann es immer noch gar nicht glauben. Es ist alles so schnell passiert.«

»Dann erzähl mal der Reihe nach. Was haben die anderen alle gesagt?«

Teddy rief sich den Antrag seines Onkels und die darauffolgende Unterhaltung ins Gedächtnis zurück, die ihn dazu veranlasst hatte, die unerwartete Gelegenheit zu ergreifen. Dabei musste er sich bemühen, nicht das Gesicht zu verziehen.

»Glaubst du, deine Mum kommt wieder zu sich?«, fragte Shak behutsam.

»Wer weiß?«, erwiderte Teddy resigniert. »Nach all diesen Jahren, in denen ich mir den Moment in meinem Kopf ausgemalt habe, war es in nur ein paar Minuten vorbei. Ich weiß im Moment wirklich nicht, was ich denken soll.«

»Hast du den anderen von dir und Ben erzählt?«

»Ja, der Teil war wirklich lustig. Evangelina ist schon ganz wild darauf, ihn kennenzulernen.«

»Wo ist er denn heute überhaupt?«

»Er ist bei seinem Onkel«, erklärte Teddy. Er hatte das Vertrauen von Ben nicht gebrochen und daher weder Shakeel noch Lexie von seinem Verhältnis zu seinen Eltern erzählt. »Er hat vier Nichten, bei ihnen geht es also schön lustig am Weihnachtstag zu. Was ist mit deinem Freund?«

»In der Arbeit.« Shakeel wandte den Blick von Teddy ab und ließ ihn über das Schlafzimmer streichen.

»Du bist zu nett, Shak.« Teddy streckte den Arm vor und legte seinem guten Freund die Hand aufs Knie. »Du verdienst jemanden, der dir viel Zeit widmen kann, der dich zum Essen oder ins Kino ausführt und der all die Sachen mit dir unternimmt, die du liebst.«

»Wir verbringen schon Zeit miteinander«, entgegnete Shak mit leicht distanzierter Stimme.

»Ich behaupte ja nicht, dass ihr gar nichts zusammen

macht, Kumpel«, sagte Teddy kopfschüttelnd. Warum reagierte Shak immer so abwehrend, wenn es um seinen geheimnisvollen Freund ging? »Du weißt doch, dass ich dir nur jemanden wünsche, der dich verdient. Du bist der schlauste, netteste, liebenswerteste ...«

Es geschah so schnell: Er saß immer noch wie erstarrt da, als Shakeel seine Lippen schon wieder von Teddys löste. Es hatte kaum ein paar Sekunden gedauert und fühlte sich doch wie eine Ewigkeit an. Mit weit aufgerissenen Augen starrten sie sich beide einen langen Moment an.

»Shakeel ...«

»Oh Gott, es tut mir so leid, ich weiß nicht, warum ich das gerade getan habe.« Shakeel brach die Stimme weg, und er schnappte nach Luft.

»Du ... du hast mich geküsst?«

»Ich muss weg, es tut mir so leid. Bitte, vergiss einfach, dass das passiert ist.«

»Nein, halt ...«

»Ich gehe, Teddy. Es tut mir leid! Bitte, vergiss, dass das je passiert ist.«

Er riss die Schlafzimmertür auf und rannte aus dem Zimmer.

Teddy konnte ihm nicht hinterherlaufen. Seine Füße waren am Boden festgewachsen. Eine falsche Bewegung, und er würde sicherlich umkippen. Er legte den Zeigefinger an die Unterlippe. Seine Gedanken rasten. Was zum Teufel war da gerade passiert?

Kapitel siebenundzwanzig

Arthur

Arthur wollte ihn nicht bedrängen, aber es war offensichtlich, dass Teddy nicht ganz er selbst war. Er hatte versucht, mit ihm zu reden, doch sein Enkel hatte nur beharrlich gesagt, er müsse sich keine Sorgen machen.

»Bereust du, was du getan hast?«

»Überhaupt nicht, damit hat es gar nichts zu tun. Es geht wirklich nur um Zeug aus der Arbeit, das ist alles«, betonte Teddy. Arthur beschloss, das Thema auf sich beruhen zu lassen. Falls Teddy für unbestimmte Zeit bei ihnen bleiben würde, so wollte er ihm das Gefühl geben, dass er ungestört genug wäre, um sein eigenes Leben zu führen.

»Elizabeth hat sich heute Morgen schon wieder nach ihm erkundigt«, erzählte Madeleine, während sie sich Tee eingoss. »Das macht sie jetzt schon seit zwei Wochen jeden Tag.«

»Sie ist immer noch seine Mutter, egal was zwischen ihnen los ist. Sie sollte ihn direkt anschreiben.«

»Sie denkt wahrscheinlich, er könnte das ebenfalls tun.« Sie seufzte und trank einen Schluck aus der Porzellantasse. »Die zwei sind so stur, und wir wissen beide, woher sie das haben.«

Arthur war gerade mit seinem Kreuzworträtsel fertig geworden, als Oscar in die Einfahrt einbog. Nachdem er inzwischen von seiner Reise zurück war, hatte er Arthurs Einladung zum Abendessen angenommen. Madeleine hatte ursprünglich geplant, wieder mit James auszugehen, doch auf Oscars eindringliche Bitte hin hatte Arthur sie gefragt, ob sie ihnen Gesellschaft leisten wollte.

Arthur sprang von seinem Stuhl auf, weil ihm wieder einfiel, dass die Fotoalben noch oben lagen, die sie bei ihrer Aufräumaktion im Speicher gefunden hatten. Er hatte Oscar versprochen, dass er sie ihm zeigen würde. Sie lagen jetzt in der obersten Schublade der Kommode in Teddys Zimmer. Ihm fiel das Bündel mit Briefen ins Auge, das er am selben Tag aus dem Speicher mit nach unten gebracht hatte. Arthur hatte sich nicht dazu überwinden können, sie zu lesen, sondern hatte sie nur neben den Alben in die Schublade geworfen. Er hob das kleine Bündel heraus und setzte sich aufs Bett.

Es war schon mehrere Jahrzehnte her, dass er zuletzt in einen der Umschläge geschaut hatte, trotzdem kannte Arthur immer noch den Inhalt jedes einzelnen Briefes. Er hatte immer noch den Geruch der blauen Tinte, mit der sie geschrieben waren, in der Nase. Für die meisten Menschen war Jacks schwache Handschrift unleserlich, aber er hatte seine genau gewählten Worte immer problemlos lesen können. Er hatte seine Mitteilungen immer knapp und ungenau gehalten, um zu vermeiden, dass die wahre Bedeutung zum Vorschein kam, sollte der Brief dem Falschen in die Hände fallen. Arthur öffnete den obersten Umschlag. Er wusste, wonach er suchte: Seit dem Tag, an dem er ihn erhalten hatte, war es sicher zwischen den Blättern des Briefes verwahrt gewesen. Arthur zog den Brief heraus und faltete das gelblich angelaufene Papier auseinander.

Ein kleines Schwarz-Weiß-Bild fiel aus ihm heraus aufs Bett. Arthur hob es hoch und drehte es um.

Das schmale Gesicht von Jack Johnson war genauso hübsch und voller Wärme, wie er es in Erinnerung hatte. Sein eckiges Kinn war normalerweise unter einem ordentlich gestutzten Bart verborgen gewesen, aber aus irgendeinem Grund war er an dem Tag, an dem das Foto gemacht worden war, glatt rasiert gewesen. Er mochte es, sich einen Bart stehen zu lassen, um die kleine Narbe an seinem Kinn zu verdecken: eine ständige Erinnerung an einen Unfall, den er gehabt hatte, als er jünger gewesen war. Seine Lippen waren zu einem schmalen Grinsen geformt. Arthur kannte dieses schelmische Grinsen nur zu gut: Es war nie lang zu sehen, bevor es sich in ein breites Lächeln verwandelte, bei dem alle Zähne zu sehen waren. Auf dem Bild lehnte sich Jack an ein Auto. Arthur wusste nicht, ob es ihm gehörte, oder wie es kam, dass er damit fotografiert worden war. Jack hatte sich in dem dazugehörigen Brief nicht weiter darüber ausgelassen. Jacks Augen starrten ihn an. Sogar in Schwarz-Weiß waren sie erfüllt mit der Freundlichkeit, an die sich Arthur so lebhaft erinnerte.

»Arthur? Arthur, bist du oben?«

»Ich komm schon. Ich hole nur noch die Alben.«

Vorsichtig legte er das Foto von Jack auf den Brief, den er dann faltete und in den Umschlag zurücksteckte. Niemand, nicht einmal Madeleine, hatte die Briefe je zu Gesicht bekommen, geschweige denn gelesen.

Madeleine wartete in der Küche auf ihn, wo sie ein Tablett mit ihrem besten Sonntagsgeschirr hergerichtet hatte.

»Für Oscar musst du doch nicht so einen Aufwand betreiben.« Arthur lachte. »Eine Kanne Tee und ein paar Scones, und der Mann schwebt im siebten Himmel.«

»Unsinn, ein weit gereister Mann wie Oscar verdient eine anständige Mahlzeit. Hast du die Alben gefunden?«

Arthur legte sie auf der Theke ab. »Sind alle hier. Es ist schon eine ganze Weile her, dass wir zuletzt etwas darin angeschaut haben. Ich bin mir sicher, dass er sich auf unsere Kosten gut amüsieren wird.«

Sobald er am Esstisch Platz genommen hatte, verschwendete Oscar keine Zeit, sondern nahm sich gleich die Alben vor. Er war so erpicht darauf, dass er nur ganz kurz von seiner Silvesternacht erzählte.

»Oh, so aufregend war es gar nicht.« Er lachte, als bei Madeleine nach einer halben Stunde die Neugierde überhandnahm. »Viele kleine Dramen, die dann alle im Sande verlaufen sind. Aber das scheint *hier* am Weihnachtstag ja ganz anders gewesen zu sein!«

»Je weniger Worte wir darüber verlieren, desto besser.« Madeleine seufzte, bei der Erinnerung stieg ihr die Hitze in die Wangen.

»Nun, liebste Lady, was ist das Leben denn ohne ein bisschen Dramatik? Ein Heiratsantrag und ein Coming-out? Ihr hattet die besten Plätze im Zuschauerraum.«

»Nun, so könnte man es vermutlich auch sehen.« Sie lachte. »Hat Arthur dir erzählt, dass er und Teddy das ganze Weihnachtsessen zubereitet haben?«

»Nein, das hat er nicht. Arthur! Das hast du geheim gehalten, du Spitzbube.«

»Das meiste hat Teddy gemacht. Ich war nur dabei, um ihn anzuleiten. Und Madeleine hat den Pudding gemacht.«

Oscar verdrehte zum Spaß die Augen und wandte sich dann an Madeleine: »War er schon immer so bescheiden?«

»Da könnte ich dir Geschichten erzählen!«

»Beim nächsten Mal, Madeleine. Dann lassen wir das

feine Geschirr im Schrank und holen nur die Sektgläser heraus.«

»Werde ich auch dazu eingeladen?«, wollte Arthur wissen.

Oscar und Madeleine zuckten beide mit den Achseln und lachten so laut, dass die Wände wackelten.

»Nun, liebe Madeleine, Arthur hat mir erzählt, dass du gerne demonstrierst. Ich wusste, dass man sich mit dir nicht anlegen sollte.«

»Davon will ich gar nicht erst anfangen, Oscar«, sagte Madeleine seufzend. Arthur lächelte bei sich. Er wusste, dass sie nur zu gern von dem Thema sprach, wenn sie einen bereitwilligen neuen Zuhörer gefunden hatte. Die neueste Ungerechtigkeit war die drohende Schließung der Notfallstation des lokalen Krankenhauses. Da sie sich noch nie untätig zurückgelehnt hatte, war sie eine der Ersten gewesen, die die Gemeinde zum Handeln und zum Widerstand gegen die Kürzungen mobilisiert hatten.

Kurz nachdem sie Madeleines selbst gemachte Lasagne fertig gegessen hatten, kam Teddy nach Hause.

»Hallo, entschuldigt, ich hatte vergessen, dass ihr heute Abend Besuch habt«, sagte er, als er den Kopf zur Tür des Speisezimmers hereinsteckte.

»Kein Problem, komm ruhig herein. Teddy, das ist Oscar.«

Oscar stand auf und schüttelte Teddy die Hand.

»Es ist mir eine Freude, dich kennenzulernen. Ich habe absolut wunderbare Dinge über dich gehört, junger Mann. Deine Großeltern müssen beide sehr stolz auf dich sein.«

»Das ist sehr nett von Ihnen, dass Sie das sagen. Es freut mich auch, Sie kennenzulernen, Oscar.«

»Teddy, warum setzt du dich nicht zu uns?«, fragte Madeleine und stand auf. »Es ist noch Essen im Ofen, ich gehe schnell und hole es dir.«

»Nein, nein, Nan, bleib sitzen, ich hole es mir selbst und komme gleich zurück. Lasst mir nur ein paar Minuten Zeit, damit ich mich umziehen kann.«

»Er ist dein absolutes Spiegelbild, Arthur. Sieht genauso aus wie du auf einigen dieser Bilder«, stellte Oscar fest, nachdem Teddy die Tür hinter sich geschlossen hatte. »Und seinen Freund hast du schon kennengelernt?«

Arthur nickte. »Netter Junge; ist vorbeigekommen und hat uns auf dem Flohmarkt geholfen. Ich bin mir allerdings nicht ganz sicher, ob er ihn schon als seinen Freund bezeichnet.«

»Und seine Mum tut sich mit alldem schwer?« Oscar sah kurz zur Tür, um sicher zu sein, dass sie immer noch unter sich waren.

»Ich glaube nicht, dass es ihr Schwierigkeiten macht, dass er schwul ist. Es hat sie verletzt, dass er nicht mit ihr reden konnte … und dazu der Zeitpunkt, so kurz nach meiner Eröffnung … nun, es hat sich alles potenziert, wie du dir sicher vorstellen kannst.«

»Teddy kann sich glücklich schätzen, dass er solche Großeltern wie euch hat, an die er sich wenden kann. Stell dir das zu unserer Zeit damals vor. Schon die Gerüchte hätten genügt, um Leute in den Tod zu treiben, Gott hab sie selig.«

Kaum war Teddy an den Tisch zurückgekehrt und hatte gegessen, da wandte sich Oscar ihm sofort wieder zu.

»Die jungen Leute heutzutage, ich komme gar nicht mehr mit bei all den Wörtern, die ich ständig höre, da müsstest du mir weiterhelfen«, sagte er und nippte an seiner Teetasse, die ihm Madeleine gerade gefüllt hatte.

»Ich bin mir wirklich nicht sicher, ob ich dafür so gut geeignet bin.«

»Du solltest Shakeel das nächste Mal einladen, wenn Oscar wieder hier ist, die beiden würden sich echt gut verstehen.«

»Ja, vielleicht.« Teddy wandte schnell den Blick ab und fing an, seine Serviette zusammenzuknüllen.

»Was ist los?«

»Nichts, er ist nur im Moment sehr stark eingebunden in der Arbeit, ich kann ihn schon seit Weihnachten kaum erreichen.«

»Auch noch ein fleißiger Arbeiter?« Oscar lachte. »Klingt, als hättest du dir jemand Tollen geangelt.«

»Oh, nein, ich bin nicht mit ihm zusammen ... Shak ist nur ein Freund.«

»Shakeel ist der beste Freund von Teddy aus Kindertagen«, erklärte Arthur. »Ben ist sein Freund, der, von dem ich dir erzählt habe.«

»Ich bitte um Verzeihung. Auch wenn ich versuche, es aufzuhalten, das Alter holt mich doch manchmal ein.«

»Kein Problem, wie Großvater schon gesagt hat: Ben ist ... Ben.«

»Und wie läuft es so mit der jungen Liebe seit deinem Coming-out?«

Arthur beobachtete Teddy genau, weil er gespannt war auf seine Reaktion. Er hatte nur wenig aus ihm herausbekommen, bei ihren letzten Gesprächen. Obwohl Teddy immer wieder versicherte, dass alles in Ordnung war, wollte Arthur wissen, wie er auf die Fragen von jemand anderem reagierte.

»Es ist komisch, seit ich mich geoutet habe. Ich hatte vorher gar nicht wirklich darüber nachgedacht, wie es mir danach gehen würde. Man vergisst, dass es nicht nur um einen Moment geht. Man hat ja dann auch danach mit jeder neuen Person, die man trifft, diesen einen Moment.«

»Ich weiß genau, was du meinst. Und ich bin mir sicher, da geht es deinem Großvater genauso.«

»Ja, also es war ein bisschen unangenehm, zur Arbeit zu gehen und dort auszutarieren, womit ich mich wohlfühle, falls das irgendwie Sinn ergibt.«

»Ah«, sagte Oscar und zog die rechte Augenbraue hoch. »Ist Ben bereit für eine eher offen gezeigte Beziehung?«

»So in der Art. Er hat gedacht, es wäre damit erledigt, dass ich mich meiner Mutter gegenüber geoutet habe, aber ich bin immer noch ich, und ich bin niemand, der allen Kollegen erzählen will, mit wem ich ausgehe. Das geht sie schließlich nichts an.«

»Das braucht Zeit. Wahrscheinlich ist er nur stolz, dass er bei all seinen Freunden mit so einem gut aussehenden jungen Mann angeben kann.«

»Da hat er nicht unrecht«, bestätigte Arthur. »Ben ist verständig. Diese Dinge ändern sich einfach nicht über Nacht. Er weiß, dass die Situation im Büro schwierig ist, bei dem Verhältnis zwischen dir und deiner Mutter.«

»Ich hoffe es. Auch wenn sie es jetzt weiß, will ich nicht, dass sie irgendwelche Gerüchte über meine Beziehung von jemand anderem hört. Ehrlich gesagt, wäre das auch nicht anders, wenn ich straight wäre.«

»Du bist ein schlaues Köpfchen, genau wie dein Großvater hier. Du könntest mir helfen, jemanden für ihn zu finden.«

»Ich wusste noch gar nicht, dass er auf der Suche ist!«

»Das ist er auch nicht«, sagte Arthur und starrte die beiden finster an.

»Oh, komm schon, Arthur. Du hast dich mit mir verabredet!«

»Und darunter habe ich schon genug zu leiden, danke vielmals.«

»Nun, ich fühle mich geehrt. Junger Mann, wir haben eine Aufgabe zu erfüllen, wir müssen dafür sorgen, dass der da etwas Spaß hat.«

»Solange Madeleine auf der Toilette ist, wollte ich dir eigentlich diese kleine Idee von mir vorstellen«, flüsterte Arthur vorgelehnt.

Arthur hatte sich in den letzten Wochen intensiv mit der Suche nach einer Fundraising-Idee für seine Stiftung beschäftigt. Es war ihm alles zu einfach vorgekommen. Er war entschlossen, Oscars Rat zu befolgen und sich etwas anderes einfallen zu lassen. Er wollte nicht einfach nur ein paar Hundert Pfund sammeln und es dabei belassen. Das musste etwas Spezielles werden.

»Spann uns nicht auf die Folter«, bat Oscar. »Ich kann es gar nicht abwarten, zu hören, worauf du gekommen bist.«

»Ich habe mich daran erinnert, wie du von deinen Flugstunden erzählt hast.«

»Deine Nan wird mich aufknüpfen lassen«, sagte Oscar an den grinsenden Teddy gewandt.

»Wart mal, du willst nicht wirklich das Fliegen lernen, oder?«, fragte Teddy mit vor Überraschung weit aufgerissenen Augen. »Du hasst es, zu fliegen!«

»Ich habe nicht vor, im Inneren des Flugzeugs zu sein«, entgegnete Arthur und genoss den Anblick ihrer verwirrten Gesichter. »Ich werde auf den Tragflächen stehen.«

»Entschuldige bitte? Habe ich richtig gehört?«, fragte Oscar, ehrlich erstaunt. »Teddy, habe ich tatsächlich das gehört, was ich soeben aus dem Mund deines Großvaters zu hören geglaubt habe?«

Teddy starrte ihn völlig perplex an.

»Bist du dir sicher, dass du weißt, wovon du da redest, Grandad? Oder meinst du etwas anderes?«

»Ich weiß, wovon ich rede. Und das ist auch genau der Grund, aus dem ich beschlossen habe, es zu tun. Es ist das Letzte, womit irgendjemand rechnen würde.«

»Darfst du denn überhaupt einen Tragflächenspaziergang machen, in deinem Alter?«, fragte Teddy, dabei schwang in seiner Stimme die Hoffnung mit, er könnte vielleicht gerade auf etwas gestoßen sein, das dieser Idee schnell ein Ende setzte.

»Mit dem Computer kann ich auch umgehen, danke. Ich habe mir die Filme angesehen. Es gab letztes Jahr eine dreiundachtzigjährige Frau, die das gemacht hat. Die Älteste im ganzen Land.«

»Ich weiß nicht, was ich sagen soll«, erklärte Oscar. »Das ist eine unglaubliche Idee!«

»Was?«, quiekte Teddy bei Oscars plötzlichem Stimmungswechsel.

»Sei nicht so, Teddy. Ich brauche dich in meinem Team.«

»Willst du, dass ich etwas darüber schreibe?«, wollte Teddy wissen.

»Das ist das eine«, entgegnete Arthur und sah dann zur Zimmerdecke auf. »Aber ich brauche dich auch als Unterstützung, wenn ich es deiner Nan erzähle.«

Kapitel achtundzwanzig

Teddy

»Wart eine Sekunde, hast du gerade eben gesagt, dein neunundsiebzigjähriger Großvater hätte vor, auf der Tragfläche eines Flugzeugs herumzuspazieren, um Spenden zu sammeln?«

Ben sah Teddy an, als wäre ihm gerade eben ein zweiter Kopf gewachsen. Sie lagen nebeneinander auf dem Bett in Bens Wohnung. Teddy war zum dritten Mal dort. Jedes Mal, wenn er zu Besuch kam, wirkte die Einzimmerwohnung auf ihn noch kleiner, doch Ben schien die Beengtheit nicht zu stören. Es war sein Platz, seine Zufluchtsstätte. Teddy wusste, wie wichtig es war, das zu haben.

»Genau das habe ich gesagt. Ich wünschte, du wärst dabei gewesen und hättest Nans Gesicht sehen können: Der Anblick war wirklich unbezahlbar. Irgendwie denke ich, sie glaubt immer noch, dass er sie bloß auf den Arm nimmt.«

»Das ist unglaublich. Deine Familie ist total irrwitzig. Ich find's super. Hat dein Grandad so etwas denn schon einmal gemacht?«

»Du meinst, ob er sich schon einmal auf die obere Tragfläche eines Flugzeugs hat binden lassen, um dann damit mehr als zweihundert Meter in die Luft zu steigen? Nein, nicht, dass ich wüsste.«

»Er ist mutiger als ich, das ist schon mal sicher. Hoffentlich kann ich hinkommen und das mit eigenen Augen sehen.«

»Natürlich kannst du das!«, sagte Teddy. »Grandad wird eine Menschenmenge dahaben wollen, die ihn anfeuert.«

»Glaubst du, deine Mum wird hingehen?«

»Darüber habe ich mir noch keine Gedanken gemacht, um ehrlich zu sein. Warum?«

»Ich hab mir nur gedacht, dass es nett wäre, wenn sie da wäre, um ihn zu unterstützen. Dann könnte ich sie auch endlich kennenlernen.«

Teddy drehte sich auf dem Bett ein wenig, um ihn direkt anzusehen. Dabei rutschte Bens Hand von seiner Brust.

»Ich würde nicht damit rechnen, dass sie dir einen roten Teppich ausrollt, wenn ihr euch trefft. So ein Mensch ist sie nicht, aber das weißt du ja bereits.«

Teddy war nicht in der Stimmung, schon wieder über seine Mutter zu sprechen. Falls sie dabei sein wollte, um seinen Grandad zu unterstützen, würde er sich darüber freuen. Arthurs Einfall hatte ihm geholfen, seine eigenen Sorgen völlig in den Hintergrund zu schieben. Es war nett gewesen, ein neues Gesprächsthema mit Ben zu haben, eines, bei dem seine Gedanken nicht immer zu Shakeel wanderten. Nichts von alldem hatte irgendeinen Sinn für ihn ergeben. Warum hatte Shakeel ihn geküsst? Sie hatten einander immer nahegestanden, aber es wäre ihm nicht in den Sinn gekommen, dass Shakeel mehr in ihm sehen würde als seinen besten Freund. Sogar jetzt, da er neben Ben auf dem Bett lag, konnte Teddy nicht einfach nur den Augenblick genießen.

»Du wirkst ein bisschen abwesend«, stellte Ben fest. »Bitte entschuldige, ich hätte deine Mum vielleicht nicht erwähnen sollen.«

»Kein Problem. Sorry, Ben, ich will nur jetzt gerade nicht darüber reden. Ich würde heute Nacht gerne einfach abschalten und ...«

»Sag nichts weiter«, unterbrach ihn Ben, schob sich näher an ihn heran und legte den Arm um seinen Freund. »Wir können einfach nur hier liegen und chillen.«

Teddys Körper entspannte sich in Bens Armen, die sich um ihn schlossen. Allerdings: Sobald er die Augen zumachte, starrte ihm wieder Shakeels verängstigtes Gesicht entgegen.

Ein paar Tage später zog Ben einige Ausdrucke aus dem Ordner auf seinem Schreibtisch, um sie Teddy zu zeigen.

»Ich weiß, dass du mit anderen Sachen beschäftigt warst, aber ich habe noch in einigen Archiven gewühlt und bin auf ein paar Totenscheine gestoßen, die zu Jack Johnson gehören könnten.« Er hielt inne und sah auf, um sich sicher zu sein, dass er Teddys volle Aufmerksamkeit hatte. »Ich weiß schon, dass du nicht begeistert bist von der Idee, aber meinst du nicht, du könntest Arthur nach etwas mehr Informationen fragen?«

»Das haben wir doch schon besprochen, Ben.« Teddy seufzte. »Ich habe dich ausdrücklich darum gebeten, nicht weiterzusuchen. Grandad wollte nicht, dass ich Nachforschungen über Jack anstelle, und das hätte ich respektieren sollen. Lassen wir es einfach gut sein.«

»Du willst es aber doch genauso wissen wie ich.«

»Ich wollte es wissen. Aber das ist nicht unsere Angelegenheit. Bitte versprich mir, dass du es diesmal bleiben lässt. Vergiss einfach, dass ich dir jemals etwas von Jack erzählt habe.«

Er wusste, dass Ben nicht glücklich war mit seiner Aufforderung, nicht weiter zu suchen, doch im Moment war das das Letzte, worum er sich kümmern konnte.

»Bleibt es dabei, dass wir heute Abend zusammen essen gehen?«, wollte Ben ein paar Minuten später wissen. Seine Stimme klang angespannt, als er so die Stille durchbrach, die sich zwischen ihnen ausgebreitet hatte.

»Ja, warum, ist etwas dazwischengekommen?«

»Nein, bei mir nicht, ich wollte nur bei dir sichergehen, falls …«

»Falls was?«

»Du hast mir diese Woche schon zweimal abgesagt, Teddy. Ich glaube, da habe ich ein Recht zu fragen.«

»Es tut mir leid, aber du weißt, wie sehr ich mit Arbeit eingedeckt war. Was ich auch mache, ich mache es verkehrt.« Teddy wusste, dass er übersensibel reagierte, aber er konnte nicht anders.

»Ich will mir nur einfach sicher sein, dass du nicht zu beschäftigt bist für mich.« Teddy entgegnete nichts, sondern beobachtete nur, wie sich Falten auf Bens Stirn formten. »Schau, vielleicht bin ich dir schon ein bisschen voraus, was das Outing angeht, und tue mir leichter damit, zu meiner Homosexualität zu stehen. Aber ja, ich kann es nicht abwarten, allen von uns zu erzählen. Ich will aber mit jemandem zusammen sein, der stolz darauf ist, mein Freund zu sein.«

»Entschuldige, du hast ja recht. Lass es mich wiedergutmachen, ja?«

»Wirklich? Denn wenn du nicht bereit bist …«

»Doch! Ich freue mich schon total auf das Essen heute Abend.«

Teddy wusste, dass er distanziert gewesen war, sogar wenn sie zusammen gewesen waren. Immer wenn er Ben angesehen hatte, hatte er sich schuldig gefühlt, weil er ihm nichts von Shakeels Kuss erzählt hatte. Das Ganze war noch schwieriger gewesen, weil Shakeel seit dem Weihnachtstag nicht mehr mit ihm gesprochen hatte. Jede Textnachricht und jeder Anruf waren unbeantwortet geblieben. Er musste mit Shak reden, um herauszufinden, was mit ihm los war. Shakeels Schweigen beunruhigte ihn langsam. Teddy wusste, dass er die Dinge nicht mehr lange so weiterlaufen lassen konnte. Dylan kam aus der Mittagspause zurück und ließ mehrere Tüten auf den Boden fallen. Teddy fiel ein, dass er ihm von der Wohltätigkeitsveranstaltung seines Großvaters erzählen wollte.

»Oh Mann, gut, dass ich das nicht machen muss«, sagte Dylan, nachdem er von dem Plan gehört hatte. Er zog sein Smartphone aus der Tasche. »Wann findet das statt?«

»Anfang März. Glaubst du, wir könnten da was machen? Es wäre toll, wenn wir Aufmerksamkeit dafür erzeugen und vielleicht auf seine Spendenseite hinweisen könnten. Er will so viel Geld wie möglich für Organisationen sammeln, die jungen Leuten helfen, die Probleme wegen ihrer sexuellen Orientierung haben.«

»Ich sehe da gar kein Problem. Aber lass mich das erst auch meiner besseren Hälfte erzählen, dann komme ich auf dich zurück.«

»Kumpel«, zischte Ben ihm zu. »Du weißt, dass seine Freundin Programmmacherin bei *Good Morning Live* ist, oder? Wenn sie daran interessiert ist ... nun, das könnte eine Riesensache werden.«

Ben lag nicht falsch. Kaum eine Stunde später erzählte Dylan ihnen, dass seine Freundin Maya mehr über Arthurs Tragflächenspaziergang hören wollte.

»Ich schicke dir ihre E-Mail-Adresse, sodass ihr direkt in Kontakt miteinander treten könnt.« Dylan lächelte ihn an.

»Das ist unglaublich«, sagte Teddy, immer noch überwältigt von der Geschwindigkeit, in der sich die Dinge entwickelten. »Danke, Dylan. Grandad wird überglücklich sein.«

Seine Mum hatte in einer Sache recht gehabt: Ihn in Dylans Umfeld zu setzen, war eine ihrer besseren Ideen gewesen.

»Ich werde euch das nicht allzu oft sagen, aber ihr beide gebt ein richtig gutes Team ab«, lobte Dylan Teddy und Ben. »Lasst euch noch mehr einfallen. Ihr könnt Leo vom Bereich Features fragen, welche Art von Geschichten er mag.«

Teddys Wangen taten weh, als er lächelte. So spannend die Geschehnisse dieses Tages auch waren und sosehr er sich auf das Abendessen mit Ben freuen wollte, er war zu stark abgelenkt von Shakeel. Er fragte sich, wie der wohl seine freie Woche verbrachte. Er musste dringend mit seinem alten Freund reden, das konnte nicht mehr warten.

»Dylan, mir ist gerade erst eingefallen, dass ich mit einem Pressereferenten vereinbart hatte, ihn zum Kaffeetrinken zu treffen. Das Café ist am anderen Ende der Stadt, also bin ich vielleicht nicht vor dem Ende des Arbeitstages zurück, aber ich bin über Mail zu erreichen.«

Teddy spürte Bens Blick auf sich.

»Ich komme direkt ins Restaurant, treffe dich dort«, sagte er und stand auf, bevor Ben auch nur die Chance hatte, etwas zu erwidern.

Teddy achtete überhaupt nicht darauf, wohin er lief, als er sich seinen Weg durch das volle Büro bahnte, sich dann in den Aufzug quetschte und durch die laute Empfangshalle hinaus auf die Hauptstraße rannte. Genau auf der anderen Seite der Straße hatte ein Taxi vor der roten Ampel angehalten. Ohne sich umzusehen, rannte er hinüber und klopfte an die Scheibe.

»Könnten Sie mich bitte so schnell wie möglich zur Union Row Nr. 65 bringen?«

Teddy schnallte sich bereits auf dem Rücksitz an, als der Fahrer noch nicht einmal die Adresse in seinem Navi gefunden hatte. Ihm schwirrte der Kopf. Was würde er sagen? Was wollte er von Shakeel hören? Warum tat er das jetzt?

»Wir sind da, Kumpel.« Die Stimme des Fahrers riss ihn aus seiner Trance. Er sah aus dem Fenster auf das Apartmenthaus, vor dem sie angehalten hatten, und holte tief Luft.

Teddy schlüpfte durch die offene Tür, als eine genervt aussehende Frau gerade einen Buggy hinausschob. Er stand allein und mit klopfendem Herzen im Aufzug. Als er zwischen den beigefarbenen Wänden im siebten Stockwerk entlanglief, wusste er immer noch nicht, was er sagen wollte. Der enge Flur schien sich um ihn herum schließen zu wollen, falls es ihm nicht rechtzeitig gelang, die Tür zu finden, die er suchte. Vierundsiebzig. Er schloss die Augen und spürte, wie seine Knöchel dreimal gegen das Holz schlugen.

Shakeel öffnete die Tür und starrte ihn mit leerem Blick an.

»Hi«, sagte Teddy. »Ich bin froh, dass du da bist, ich wusste nicht, ob du zu Hause sein würdest.«

»Aus dem Grund schneit man nicht einfach so unangekündigt herein, Teddy.« Shak klang distanziert und kühl.

»Das müsste ich auch nicht tun, wenn du eine Nachricht von mir beantworten oder überhaupt mit mir reden würdest, Shak. Denkst du, das tue ich gerne?«

Shakeel schnaubte und vergewisserte sich mit einem Blick in den Flur davon, dass sie allein waren. »Was willst du denn, Teddy? Warum bist du hier?«

»Ich wollte wissen, ob es dir gut geht. Du hast mich geküsst und bist danach verschwunden. Was zum Teufel soll
ich da denken?«

»Entschuldige, du hast recht, das war unfair von mir. Es
war mir peinlich, und ich wusste nicht, wie ich dir sagen
sollte ...«

»Mir was sagen?«

»Dass es nur ein dummer Fehler war. Ich war verwirrt
und einsam und habe einen Fehler gemacht.«

»Wirklich?«, wollte Teddy wissen.

»Den allerdümmsten. Ich habe ihn schon von dem Moment an bereut, und es tut mir leid, dass es mir zu peinlich
war, dir das einfach zu sagen und dann wieder normal zu
dir zu sein. Ich wusste nicht, ob du es verstehen könntest
und mir verzeihen würdest.«

»Du kannst immer mit mir reden, Shak, und mir sagen,
was du empfindest.«

»Ich habe es doch eben gesagt: Es war ein Fehler. Du hast
Ben, und ich habe ... ich habe Simon.«

»Simon? So heißt dein Freund?«, fragte Teddy. »Hast du
ihm gesagt, dass du mich geküsst hast?«

»Kannst du bitte einfach gehen? Er kommt vorbei, und
ich kann diese Unterhaltung jetzt wirklich nicht führen.«

»Diese ganzen Wochen bist du mir einfach aus dem Weg
gegangen, und jetzt sagst du mir, es wäre ein verdammter Fehler gewesen, und ich bekomme keine richtige Erklärung?«

»Bitte, Teddy, vergiss es einfach. Auf Wiedersehen.«

Er schloss die Tür. Teddy stand reglos davor und starrte
auf das Holz, verloren in der schweren Stille, die nun wieder
den ungemütlichen Flur ausfüllte. Ein dummer Fehler: So
hatte Shakeel es bezeichnet. Und er hatte keine Zeit, darü-

ber zu diskutieren, ob das die Wahrheit war oder nicht. Die Lampe über ihm flackerte, als er jetzt auf seine Armbanduhr sah. Ben würde schon bald das Büro verlassen. Wenn der Verkehr zur Stoßzeit nicht zu schlimm war, würde er ihn immer noch pünktlich im Restaurant treffen können.

Ben winkte ihm bei seinem Eintreffen in dem italienischen Restaurant kurz zu. Die Fahrt hatte Teddy kaum wahrgenommen. Ihm schwirrte der Kopf, doch während er durch den Raum ging, brachte er jedes Fitzelchen Energie auf, das ihm noch geblieben war, um sich ein Lächeln abzuringen. Ben stand auf, als Teddy sich dem Tisch näherte.

»Du bist ja der reinste Gentleman«, stellte Teddy fest und zwang sich, fröhlich zu klingen.

»Für Mr. Marsh nur das Beste. Ich muss gestehen, ich dachte, du verspätest dich.«

»Da sagst du was. Zum Glück kannte der Fahrer ein paar Abkürzungen.«

»Wie war das Kaffeetrinken denn?« Ben schenkte ihnen zwei Gläser Wasser aus dem Krug ein, der am Tisch stand. »Wen hast du gleich wieder getroffen?«

»Nur Lauren, sie kümmert sich um ein paar Promis, Fernsehmoderatoren und so.«

»Klingt gut. Hat sie in nächster Zeit viel Interessantes?«

»Nur ein paar Kleinigkeiten, aber sie hat gesagt, dass sie die ganzen Details dazu später per Mail schickt. Wie auch immer, du hast gesagt, wir sollten nicht über Arbeit reden.«

»Lass uns darauf trinken«, schlug Ben vor und hob sein Glas. »Ich liebe es, Zeit mit dir zu verbringen, Teddy.«

»Geht mir mit dir auch so, und ich wollte mich noch entschuldigen. Du hattest recht damit, dass ich seit Weihnachten ein bisschen neben mir gestanden habe. Ich glaube, die ganze Sache hat mir ganz schön zugesetzt.«

Teddy holte tief Luft. »Ich bin natürlich froh, dass ich mich geoutet habe, aber ich musste wirklich erst einmal alles verarbeiten, was damit einhergeht. Plötzlich war ich geoutet, und damit hatte es sich. Es war kein Heilmittel für alle meine Sorgen: Es hat mir nur neue beschert. Ich weiß nicht, was ich erwartet hatte, doch es war alles ein bisschen überwältigend.«

»Das verstehe ich, und es tut mir leid, falls ich dich unter Druck gesetzt habe, dich zu beeilen.«

»Danke, es ist ja nicht deine Schuld. Ich muss das nur in meinem eigenen Tempo angehen. Das hat nichts mit dem Büro oder mit meiner Mum zu tun, sondern nur mit der Person, die ich bin. Ich mag dich wirklich gern, und ich will das nicht zerstören, was auch immer es ist oder werden kann.«

»Ich bin wirklich froh, dass du darüber mit mir reden kannst«, sagte Ben, streckte seine Arme über den Tisch und nahm beide Hände von Teddy in die seinen. »Hierbei geht es nur um dich und mich. Vergiss Dylan und alle anderen außen herum. Wir sind immer noch dabei, uns kennenzulernen, und wenn das bedeutet, es langsam angehen zu lassen, dann ist das in Ordnung für mich.«

Teddy wusste, dass er Hunger hatte, aber das überdeckte nicht das Gewicht des Steins, der ihm im Magen lag. Er spürte, wie Ben seine klebrigen Finger wieder losließ, als die Kellnerin sich ihnen mit Getränken näherte.

»Ich habe schon einmal etwas bestellt, sobald ich wusste, dass du auf dem Weg bist«, erklärte Ben, während sie die zwei Gläser Negroni Sbagliato abstellte. »Mit Prosecco«, sagte er und schob einen der Cocktails über den Tisch.

»Mein Lieblingsdrink.« Grinsend nahm Teddy einen großen Schluck.

Das war der erste von vielen Drinks, die er an diesem Abend bestellen wollte.

Sobald Teddy später an diesem Abend nach Hause zurückkehrte, warf er sich aufs Bett. Bevor er schlafen ging, schickte er Maya allerdings noch eine ausführliche E-Mail über die Fundraising-Aktion seines Großvaters. Er erklärte, wie sich Arthur als homosexuell geoutet und was für Reaktionen es darauf in Northbridge gegeben hatte, außerdem, warum Arthur nach dem Tod von Sophie Rice nun entschlossen war, etwas zu unternehmen. Nun würde er einen Tragflächenspaziergang für einen guten Zweck unternehmen, vorgesehen war dafür der erste März, sein achtzigster Geburtstag. Maya hatte ihm schon Minuten später geantwortet, um ihm für die vielen Informationen zu danken und ihn um ein Telefonat am nächsten Morgen zu bitten.

Am nächsten Abend platzte Teddy bei seinem Großvater zur Tür herein, um ihm alles über sein Gespräch mit der Programmmacherin zu erzählen. »Nan, komm bitte ins Zimmer, das solltest du auch hören«, rief er, als Madeleine aus der Küche zu ihnen kam.

»Also, ich habe ein paar Neuigkeiten zu deiner Spendenaktion«, erklärte Teddy, während seine Großeltern ihn gebannt anstarrten. »Eine Programmmacherin von *Good Morning Live* findet, dass sie sich wirklich unglaublich anhört. Außerdem liebt sie deine Geschichte. Sie möchten eine ganze Folge darüber machen.«

»Sie wollen kommen und mich filmen?«, fragte Arthur mit aufgerissenen Augen und angespannter Körperhaltung.

»Besser! Sie wollen, dass du schon im Vorfeld zu ihnen

ins Studio kommst, um darüber zu reden, und dann werden sie auch noch kommen und alles filmen!«

»Teddy, das sind ja fantastische Neuigkeiten«, sagte Madeleine und packte Arthurs Arm.

»Sie wollen mich dazu interviewen, warum ich das mache?«

»Das ist richtig. Darüber, was dich dazu gebracht hat und warum es dir so wichtig ist. Ist das in Ordnung?«

»Das nehme ich an«, entgegnete Arthur und zog dabei die grauen Augenbrauen immer weiter zusammen. »Ich bin nie auf die Idee gekommen, dass ich über all das im Fernsehen reden könnte. Glaubst du, das ist okay, Madeleine?«

»Selbstverständlich ist es das, aber es liegt ganz bei dir. Du tust etwas unglaublich Mutiges, um Spenden zu sammeln, und jetzt kannst du deine Geschichte anderen Menschen erzählen, um sie zu inspirieren.«

»Nun, dann«, sagte Arthur und stand vom Sofa auf, »sollten wir mir besser Sachen suchen, die ich anziehen kann!«

Kapitel neunundzwanzig

Arthur

Ehe Arthur es sich's versah, saß er in einem schicken Hotelzimmer und blickte über den Fluss auf die Lichter Londons. Im Lauf der Jahre war er oft in der Hauptstadt gewesen, doch zum ersten Mal über Nacht zu bleiben, fühlte sich irgendwie anders an. Er beobachtete den Sonnenuntergang hinter den hohen Gebäuden am Horizont, deren Schatten über den gewundenen Fluss krochen, bis sie am Ende von der Dunkelheit geschluckt wurden. Um zu vermeiden, dass er früh morgens in die Stadt fahren musste, hatten Teddy und Oscar ihm als Überraschung ein Hotelzimmer für die Nacht davor gebucht. Begeistert davon, hatte Arthur ursprünglich vorgeschlagen, er und Madeleine könnten noch für eine zweite Nacht buchen, aber ihre Pläne hatten sich geändert, als James sie zu einem langen Wochenende an die Küste einlud. Arthur hatte darauf bestanden, dass sie ihm nicht absagen sollte. Madeleines strahlendes Lächeln, wenn sie von einem Treffen mit James zurückkehrte, machte ihn jedes Mal glücklich. Er freute sich riesig, dass sie so schnell jemanden gefunden hatte, mit dem sie gern Zeit verbrachte.

»Grandad, willst du noch irgendetwas für morgen durchsprechen?«, fragte Teddy und setzte sich an den Schreibtisch in der Ecke des Raums, um ihren Plan für den nächsten Tag durchzugehen. »Das Auto holt uns um zehn Uhr ab, also werden wir reichlich Zeit haben, um im Studio anzukommen, etwas zu essen und Maya zu treffen. Sie meint, sie sollte um die Mittagszeit fertig sein.«

»Das hört sich alles gut durchdacht an«, stellte Arthur fest. »Was machen wir hinterher?«

»Das wirst du morgen herausfinden!«, zog Teddy ihn auf, bevor er ins Bad ging und die Tür hinter sich zuzog.

Zu rätseln, was Teddys Überraschung sein könnte, diente Arthur als Ablenkung, während er sich umzog und in eines der Betten kletterte. Gähnend zog er die Decke über sich. Mit dem Kopf auf dem ungewohnt weichen Kissen sah er zu der feingemusterten Deckentäfelung auf. Wenig später erfüllte sein gedämpftes Schnarchen den Raum.

Am nächsten Morgen traf ihn Teddy aufbruchbereit und gespannt wartend fünf Minuten vor der Zeit im Foyer des Hotels. Sie erhielten eine Textnachricht des Fahrers und saßen kurz danach auf dem Rücksitz des Wagens auf dem Weg zum Studio.

Teddy zeigte Arthur auf seinem Smartphone die Spendenseite im Internet. Sie hatten bereits fast tausend Pfund erreicht. Ungläubig starrte Arthur darauf, ihm stiegen Tränen in die Augen, als er sich die Nachrichten durchsah, die von den Spenderinnen und Spendern hinterlassen worden waren.

»Das könnten wir heute sogar noch verdoppeln«, meinte Teddy. »Es werden dir viele Leute zusehen.«

Arthur lehnte den Kopf zurück und schloss die Augen. Es machte ihn nicht nervös, dass er vor den Fernsehkameras sitzen und aus seinem Leben erzählen sollte, vielmehr wollte er sicher sein, dass er genug tat, damit Menschen spendeten.

»Wir sind da, Grandad.« Teddy legte den Kopf zur Seite

und sah zu dem riesigen Glasgebäude hinaus, vor dem sie gehalten hatten. Der Fahrer hatte den Wagen schon verlassen und hielt ihnen nun die Tür auf. Nachdem er sich ausführlich bei ihm bedankt hatte, ging Arthur mit Teddy in den hell erleuchteten Empfangsbereich. Sie warteten ein paar Minuten, bis ein junger Mann kam, der sie nach oben begleitete. An den Wänden des schmalen Flures hingen zahlreiche gerahmte Bilder von verschiedenen Fernsehmoderatorinnen und -moderatoren sowie etlichen berühmten Persönlichkeiten.

»Sie werden heute mit Alex und Vanessa auf Sendung sein«, erklärte ihnen der Runner, als sie gerade an einem Foto der beiden vorbeikamen. »Beide sind wirklich nett, Sie sind also in besten Händen.«

Er scheuchte sie in ein Zimmer, in dem sie auf Maya warten sollten.

»Das ist ein bisschen surreal, oder?«, fragte Teddy und nahm sich eine Flasche Wasser aus dem gut gefüllten Kühlschrank.

»Ich kann immer noch gar nicht glauben, dass wir hier sind. Ich im Fernsehen. Was würde mein Vater jetzt wohl sagen?«

»Darüber solltest du heute nicht nachdenken, Grandad. Ich bin mir sicher, dass er auf seine Art stolz auf dich wäre, weil du das tust, was du tust.«

»Ich hoffe es«, erwiderte Arthur. Glauben konnte er es zwar nicht, aber es war eine hübsche Vorstellung. Mayas Eintreffen bewahrte ihn vor Grübeleien über die Frage, wie seine Eltern reagiert hätten, wenn sie erfahren hätten, dass er im Fernsehen über seine Sexualität reden würde. Mit einem freudigen Strahlen schüttelte sie Arthur zur Begrüßung die Hand, bevor sie sich neben ihn setzte.

»Es ist so wunderbar, Sie kennenzulernen, Arthur. Wir

haben uns sofort in Ihre Geschichte verliebt, als wir sie gehört haben«, erklärte sie. »Sicher sind Sie ein bisschen nervös wegen des Studios, aber ich versichere Ihnen: Alex und Vanessa sind beide ganz reizend und freuen sich sehr darauf, Sie zu treffen.«

»Das ist wirklich nett, danke. Sie wissen bereits alles?«

»Sie haben alle Informationen über Ihre Geschichte und darüber, was Sie tun, um Spenden zu bekommen. Falls es noch etwas gibt, das ich weitergeben soll, so kümmern wir uns darum, dass alle auf dem Laufenden sind. Wir wollen einfach nur, dass Sie sich rundum wohlfühlen.«

»Das hört sich für mich alles gut an. Teddy?« Arthur sah zu seinem Enkelsohn auf, um herausfinden, ob er noch irgendetwas fragen oder hinzufügen wollte.

»Oh, ja, alles bestens. Sie werden auch die Seite mit der Spendenkampagne einblenden können, oder?«

»Sie werden sie erwähnen, und wir werden sowohl auf unserer Website als auch in unseren Social-Media-Kanälen darauf verlinken. Also werden sich heute sehr viele die Seite anschauen.«

Bevor sie ging, teilte Maya ihnen mit, dass jemand etwas zu essen vorbeibringen würde, während sie warteten. »Im Laufe des Vormittags werden ein paar andere Gäste kommen und gehen. Dort steht ein Fernseher, auf dem Sie sich die Show ansehen können«, sagte sie. »Einer von den netten Runnern wird wiederkommen, um Sie abzuholen, wenn wir fertig sind. Falls Sie irgendetwas brauchen, fragen Sie einfach jemanden vom Team.«

Nachdem er ein bisschen Toast gegessen hatte, nickte Arthur auf dem großen Ledersofa ein. Es kam ihm so vor, als hätte er gerade erst die Augen geschlossen, da teilte ihnen einer der Runner mit, dass es gleich Zeit für sie wäre, ins

Studio durchzugehen. Während er davor wartete, tauchte eine kleine Frau aus dem Nichts auf, die ihm mit einem weichen Make-up-Pinsel über das Gesicht fuhr.

»Das lässt Sie im Scheinwerferlicht noch besser aussehen«, sagte sie blinzelnd zu ihm.

»Okay, Arthur, kommen Sie«, forderte Maya ihn auf, bot ihm den Arm an und führte ihn ins Studio.

Arthur fiel die Kinnlade herunter. Egal wie weit er seine Augen auch aufriss: Sie konnten nicht alles erfassen.

Die Bühne, die er vom Anschauen der Sendung her so gut kannte, befand sich direkt vor ihm. Die Moderatorin und der Moderator saßen auf dem vertrauten blauen Sofa und warteten auf ihn. Die starke Hitze der grellen Studiobeleuchtung traf ihn, sobald er sich darunter begab. Er tupfte sich die Stirn mit seinem Taschentuch ab.

»Es wird recht heiß unter denen da«, sagte der grauhaarige Mann und zeigte zur Decke, während er vortrat, um Arthur die Hand zu schütteln. »Es freut mich, Sie kennenzulernen, Arthur. Ich bin Alex und das ist Vanessa.« Er deutete auf die lächelnde große Frau, die es ihrem Co-Moderator nachtat und die Hand ausstreckte.

»Nehmen Sie Platz, Arthur. Wenn wir aus der Pause zurückkommen, werden wir ein kurzes Gewinnspiel einblenden, und dann sind Sie auf Sendung. Wer ist heute mit Ihnen hier?«

»Das ist mein Enkelsohn, Teddy«, sagte Arthur und deutete zu Teddy hinüber, der hinter einem Kameramann stand, um zuzusehen.

Arthur blieb still an seinem Platz sitzen, während die Moderatoren in ihre Kameras schauten und ihren Text ablasen. Ihm klopfte das Herz, doch ehe er es begriff, hörte er seinen eigenen Namen und setzte sich gerade auf.

»Bei uns ist nun ein Mann mit einer bemerkenswerten Geschichte zu Gast. Mit neunundsiebzig unternahm Arthur den mutigen Schritt, sich als homosexuell zu outen«, sagte Alex, bevor Vanessa den nächsten Teil der Vorstellung übernahm.

»Nun ist Arthur hier bei uns, um uns zu erzählen, warum er seinen achtzigsten Geburtstag mit einem wagemutigen Stunt für wohltätige Zwecke begehen will. Arthur, es ist so wunderbar, Sie heute Morgen bei uns zu haben.«

»Danke für die Einladung. Ich hätte nie geglaubt, dass ich einmal hier sitzen würde.«

»Nun, jetzt sind Sie hier, und es ist eine Wahnsinnsgeschichte. Nehmen Sie uns mit an den Anfang. Warum haben Sie mit neunundsiebzig diese große Entscheidung getroffen, sich zu outen?«

»Es gab viele Gründe, aber ich wusste einfach tief in mir, dass ich nicht so weitermachen konnte wie bisher. Jeder Tag fühlte sich wie eine Verschwendung an, und ich musste mich entscheiden, wie ich die Jahre verbringen will, die mir noch bleiben. Meine Ehefrau Madeleine, sie ist gerade verreist, aber sie sieht sicher zu, hat mich so toll unterstützt und mir geholfen, es unseren zwei Kindern zu sagen.«

»Das muss ein echter Schock für sie gewesen sein.«

»Das war es. Es war überhaupt nicht einfach, aber ich wollte sie nie verletzen oder beschämen.«

»Ihre Tochter Elizabeth Marsh ist eine Journalistin, die sich einen Namen mit ihren Kolumnen gemacht hat. Wie ist sie mit all dem klargekommen?«

Arthur runzelte die Stirn. Niemand hatte es mit ihm abgesprochen, dass er im Fernsehen Details von seinen Kindern preisgeben sollte.

»Ich bin der stolzeste Vater auf der ganzen Welt. Elizabeth hat mir drei wundervolle Enkelkinder geschenkt und mir so viel Liebe und Unterstützung gegeben. Sie wird in ein paar Monaten heiraten, und wir können es gar nicht erwarten, das zusammen zu feiern.«

Er warf einen Blick zu Teddy hinüber, der beide Daumen nach oben hielt.

»War es schwer, als die Leute es herausgefunden haben? Wurden Sie deshalb anders behandelt?«

»Natürlich, ich nehme an, dass es die Leute überrascht hat, und manchmal haben sie weniger gut darauf reagiert, als ich vielleicht gehofft hatte. Das ist nie nett, aber ich bin stolz darauf, wer ich bin und woher ich komme. Die Leute werden immer Fragen haben und ihre eigene Meinung. Deshalb mache ich das hier, in der Hoffnung, Spenden zu bekommen, die etwas Gutes bewirken können.«

»Erzählen Sie uns noch ein bisschen etwas darüber, was Sie geplant haben und wie es dazu gekommen ist«, bat Vanessa mit schief gelegtem Kopf und einem düster-erwartungsvollen Blick.

»Nun, traurigerweise hat sich Ende letzten Jahres die Enkelin von einem guten Freund von mir, Eric, selbst das Leben genommen. Nur sehr wenige Leute wussten, dass sie Probleme wegen ihrer sexuellen Orientierung hatte, doch sie wurde von ein paar ekelhaften Leuten unter Druck gesetzt, sich zu outen. Es zerreißt einem das Herz, wenn man daran denkt, dass sie geglaubt hat, sie hätte keinen anderen Ausweg.«

»Jetzt wollen Sie Geld sammeln für wohltätige Organisationen, die Menschen helfen, denen es so geht wie Sophie oder Ihnen selbst.«

»Das ist richtig. Es macht keinen Unterschied, ob man sechzehn ist oder neunundsiebzig, das Alter ist nur eine dumme Zahl, die uns ausbremst. Die Leute sollten in der

Lage sein, als die zu leben, die sie sind. So wie mein wunderbarer Enkelsohn Teddy, der mich heute begleitet, und sein fester Freund.«

»Teddy, kommen Sie zu uns herüber«, ordnete Alex an und winkte ihn her. »Setzen Sie sich doch dort neben Ihren Großvater.«

»Entschuldige«, sagte Arthur, als Teddy auf die Bühne stieg und sich neben ihn setzte.

»Kein Problem«, murmelte Teddy. Dann fügte er lauter hinzu: »Ich bin wirklich stolz auf Grandad, genauso, wie er gesagt hat. Es geht nur darum, Awareness zu schaffen und Spenden zu generieren.«

»Also, wer hat sich zuerst geoutet?«

»Das war tatsächlich Grandad. Er hat mich sehr inspiriert und enorm unterstützt, nicht nur jetzt, sondern im Verlauf meines ganzen Lebens.«

»Wie ist es, einen schwulen Großvater zu haben? Das muss doch ein recht gutes Gesprächsthema sein?«

»Ähm, nicht wirklich. Grandad war schon immer beliebt bei meinen Freunden, einfach nur, weil er so ist, wie er ist. Es macht ihn nicht plötzlich interessanter oder cooler für andere, genauso, wie es auch mich nicht anders macht.«

»Hat Arthur Ihnen irgendwelche Tipps gegeben, wie Sie die Liebe finden können?«, fragte Vanessa und blinzelte ihn dabei an. »Er sagte, Sie hätten auch einen Freund.«

»Das ist ein bisschen sehr neugierig«, merkte Arthur an und die Falten auf seiner Stirn wurden tiefer. »Ich habe Teddy immer nur geraten, das zu tun, was sich für ihn richtig anfühlt, und dafür zu sorgen, dass er gut aufgehoben und glücklich ist. Genau diesen Rat würde ich auch jeder anderen Person geben. Ich habe ein gutes Leben gehabt, das ist es, was ich auch allen anderen wünsche.«

»Das ist so zauberhaft, Arthur«, sagte Vanessa und wischte sich mit großer Geste eine Träne von der Wange. »Sie haben mich gerührt! Erzählen Sie uns von Ihrem großen Abenteuer: Sie steigen in die Luft, um einen Tragflächenspaziergang zu machen?«

»Das ist richtig. Ich wollte etwas tun, womit ich an meine Grenzen stoße. Wissen Sie, ich bin kein großer Freund von Höhe, also ist mir diese Herausforderung groß genug vorgekommen, um Spenden zu bekommen. Wir haben eine Spenden-Website aufgesetzt, und einige Leute sind bereits großzügig gewesen. Das ganze Geld geht an Wohltätigkeitsorganisationen, die jungen Leuten mit ähnlichen Schwierigkeiten wie Sophie helfen.«

»So mutig wie Sie bin ich nicht, Arthur! Wir blenden die Details jetzt ein und werden sie nachher auf die Website stellen, damit die Leute wissen, wie sie Ihre Sache unterstützen können. Vielen herzlichen Dank, dass Sie heute bei uns zu Gast waren, Arthur. Wir werden Arthur begleiten, wenn er in die Luft abhebt, also verpassen Sie das in ein paar Wochen nicht. Wir sind nach einer kleinen Pause gleich wieder für Sie da.«

Ein Mitglied des Produktionsteams nahm ein paar Bilder von ihnen mit Alex und Vanessa auf, bevor sie das Studio verließen.

»Du warst fantastisch!«, meinte Teddy, als sie sich in der Garderobe wieder hinsetzten.

»Einige dieser Fragen fand ich nicht so berauschend.«

»Ich weiß, aber du hast sie wirklich gut pariert, wie ein absoluter Profi.«

»Es tut mir leid, dass ich dich mit reingeholt habe. Ich war einfach so stolz, dass ich über dich reden konnte, und dann habe ich aus Versehen …«

»Mach dir keine Sorgen mehr, Grandad«, beruhigte Teddy ihn. »Ich bin jetzt geoutet! Und du hast Ben nicht namentlich erwähnt, also ist es nicht so, dass jetzt alle auf der Arbeit über uns Bescheid wüssten.«

»Leute, vielen, vielen Dank fürs Kommen. Ist alles gut?«, wollte Maya wissen, als sie durch den Raum auf sie zukam.

»Alles wunderbar, vielen Dank Ihnen für Ihre Hilfe«, sagte Arthur.

»Sind Sie sicher, dass Sie keinen Wagen brauchen, der Sie ins Hotel zurückbringt?«

»Danke, Maya, es ist schon für alles gesorgt«, entgegnete Teddy mit einem Blick auf Arthur.

»Ist es das?«

»Das gehört zu deiner Überraschung!«

Nachdem sie sich verabschiedet hatten, folgte Arthur Teddy hinunter in den Empfangsbereich. Grinsend tippte Teddy auf dem Display seines Smartphones herum.

»In dem Ding da muss ja eine echte Berühmtheit sitzen«, sagte Arthur und deutete auf eine schwarze Limousine, die draußen geparkt hatte.

»Das könnte schon sein. Willst du die Person treffen?« Teddy ging zu dem Wagen hinüber und klopfte an die Scheibe.

Das Fenster ging auf, und als Arthur hineinsah, begrüßte ihn lautes Geschrei: »Überraschung!«

Er konnte seinen Augen nicht trauen, als er Oscar, Ben, Lexie und Shakeel im Inneren entdeckte.

»Überraschung, Grandad!«, sagte Teddy. Dabei breitete sich ein gigantisches Grinsen auf seinem Gesicht aus. »Du wirst einen Tag lang wie ein richtiger Promi behandelt werden!«

Arthur stieg in die Limousine und ließ seinen Blick über seine Umgebung schweifen.

»So kurzfristig konnte ich nur die Baby-Limo bekommen, aber schau, wir können hier trotzdem eine Party feiern«, erklärte Oscar und betätigte einen Schalter, worauf eine Reihe blauer Lichter angingen.

»Wir haben uns das Interview angesehen, Arthur. Es war großartig«, sagte Shakeel, begleitet von Lexies und Bens bestätigendem Nicken.

»Du hast es wirklich raus, Arthur. Und es war so süß, als du über Teddy gesprochen hast.«

»Oh Gott, wie haben meine Haare ausgesehen, Lex? Ich habe überhaupt nicht damit gerechnet.« Teddy fuhr sich mit der Hand durch seine dichten Haare.

»Rutsch rüber«, sagte Ben und machte neben sich Platz für Teddy. »Du hast gut ausgesehen. Und ich schätze, du bist jetzt vor dem ganzen Land geoutet!« Er küsste Teddy auf die Wange.

Vorübergehende Leute sahen neugierig auf die Limousine, wahrscheinlich wollten sie wissen, wer damit unterwegs war. Arthur winkte zwei Frauen leicht zu, die stehen geblieben waren und herüberstarrten.

»Sie können nicht hineinsehen, Arthur.« Oscar grinste.

»Lass sie in dem Glauben, sie würden irgendeinem Hollywood-Fuzzi zuwinken.«

Alle lachten und winkten zurück. Die beiden Frauen mussten die Bewegung drinnen doch wahrgenommen haben, denn sie kreischten begeistert.

»Wohin fahren wir?«, wollte Arthur von Teddy wissen, als der Wagen sich in Bewegung setzte.

»Das wirst du schon sehen. Oscar hat eine große Sache für uns geplant!«

Kapitel dreißig

Teddy

Shakeel war tief versunken in ein Gespräch mit Oscar und Arthur. Teddy bemühte sich, mitzubekommen, worüber sie sprachen, aber er saß zwischen Lexie und Ben, die eine hitzige Debatte über Reality-TV führten.

»Entschuldigt, Leute, ich möchte nur ein Wort mit Grandad wechseln«, sagte er, kraxelte über Bens Beine und quetschte sich neben Shakeel.

»Danke, dass du heute gekommen bist«, merkte er leise an.

»Das ist in Ordnung. Du weißt doch, dass ich Arthur so sehr mag, als wäre er Teil meiner Familie.«

»Wie geht es dir?«

»Es ging mir schon besser, aber heute ist das nicht wichtig.«

»Das kann ich nachvollziehen«, antwortete Teddy. »Es war toll, das alles auf die Beine zu stellen.«

»Du musst doch kaum Zeit haben für … etwas anderes.«

Teddy sah, wie Shak Ben einen Blick zuwarf, der gerade Lexie etwas auf seinem Smartphone zeigte.

»Es ist alles gut«, sagte Teddy, um zu verhindern, dass Shakeel sich zu lange auf Ben konzentrierte. »Ich hoffe, wir können bald mal wieder richtig miteinander abhängen. Mir fehlen unsere Feierabenddrinks.«

»Mir auch, wir sollten bald etwas ausmachen.«

»Was ist da bei euch los?«, fragte Ben mit weit aufgerissenen Augen und wandte sich mitten im Gespräch von Lexie ab.

»Nichts, Shakeel und ich haben uns nur gerade über Feierabenddrinks unterhalten.«

»Wie schön, da bin ich jederzeit dabei«, erklärte Ben und wandte seine Aufmerksamkeit dann Shakeel zu. »Vielleicht kannst du deinen Freund auch mitbringen, Shakeel. Es hat ihn noch überhaupt niemand getroffen, oder?«

Teddy spürte, wie sich Shakeel neben ihm verspannte, dann aber erleichtert aufatmete, als Oscar ihn unterbrach, bevor er antworten konnte.

»Vermisst du es jetzt nicht, wieder der junge Arthur zu sein?«, fragte Oscar liebevoll.

»Nicht für eine einzige Sekunde. Ich bin recht zufrieden mit dem, was ich habe. Lass den Kids ruhig ihren Spaß.«

»Würdest du nicht gern zurückgehen und es anders machen, Arthur?« Lexie wandte den Kopf und wurde mit einem Mal sehr ernst.

»Ich glaube nicht. Erfahrungen machen uns zu den Menschen, die wir sind. Natürlich gibt es Dinge, von denen ich mir wünschen würde, sie wären anders gelaufen, aber dann würde ich ja auch nicht hier in einer Limousine mit euch allen sitzen, oder?«

»Hatten Sie jemals einen Freund?«, fragte Ben. Dabei bemühte er sich eindeutig darum, dass die Frage – deren Antwort er ja bereits kannte – so beiläufig wie möglich klang. Teddy warf ihm einen warnenden Blick zu, aber Ben wich ihm aus. Er spürte Shakeels Blick auf sich und verbarg schnell den Ausdruck von Verärgerung, der in seiner Miene aufgeblitzt war.

»Ich nehme an, das könnte man so sagen, ja«, erwiderte Arthur leise. »Er hieß Jack.«

Im Wagen herrschte eine absolute Stille. Alle lauschten aufmerksam Arthurs Geschichte. Teddy beobachtete die Reaktionen der anderen, als sie hörten, welches Ende das geheime Verhältnis von Arthur und Jack damals gefunden hatte.

»Das ist ja der reinste Kinofilm«, meinte Lexie und wischte sich die Augen mit ihrem Ärmel trocken. »Und er hat dir geschrieben?«

»Zumindest für eine Weile. Dann, nehme ich an, ist er weitergezogen und hat sein eigenes Leben gelebt.«

»Ich kann gar nicht glauben, dass du ihn nie gesucht hast.« Lexie schnäuzte sich in das Taschentuch, das Shakeel ihr gab. »Er ist einfach irgendwo dort draußen.«

»Das war am besten so«, sagte Arthur. »Ich will Jack so im Kopf behalten, wie ich ihn erlebt habe. Das ist das Happy End, das er verdient hat.«

»Aber Arthur«, mischte sich Ben ein. »Was ist, wenn er noch am Leben ist und dort draußen irgendwo herumläuft? Wenn er dich heute im Fernsehen gesehen hat?«

»Es hat keinen Sinn, sich von der Vorstellung mitreißen zu lassen«, winkte Arthur ab. »Ich werde keine alten Erinnerungen ausgraben, wenn er das vielleicht gar nicht will. Überhaupt: Das reicht jetzt mit dem Zurückblicken. Heute sollten wir feiern.«

»Ich könnte dir helfen zu suchen …«

»Arthur hat Nein danke gesagt, Ben, hast du ihm nicht zugehört?«, unterbrach ihn Shakeel. Teddy sah schnell zu Shakeel hinüber, der jetzt finster in Bens Richtung starrte.

»Ich habe zugehört, danke, Shakeel. Ich wollte nur höflich sein.« Ben klang beleidigt. Teddy war völlig perplex, wie gut es Ben gelungen war vorzutäuschen, er wüsste nichts von der Sache.

»Egal«, sagte Shakeel. »Wir sind zum Feiern hier, genau wie es Arthur gesagt hat.«

»Absolut richtig!« Oscar klatschte in die Hände und drückte dann auf einen anderen Knopf an dem Bedienfeld neben sich, um die Musik anzuschalten.

»Ich weiß ja, dass er ein Freund von dir ist, aber ich wäre schon froh, wenn mir dieser Musterknabe Shakeel nicht gleich den Kopf abbeißt«, flüsterte Ben Teddy ins Ohr.

»Ich habe dich ausdrücklich darum gebeten, das mit Jack auf sich beruhen zu lassen, also mach Shak da jetzt keinen Vorwurf«, flüsterte er zurück. »Er kennt Grandad schon seit Jahren und will ihn bloß schützen.«

»Und das kann ich nicht auch wollen?«

»Das habe ich nicht gesagt. Ihr müsst euch darum nicht streiten, aber wie konntest du einfach so tun, als wüsstest du von nichts, und dann auch noch die beleidigte Leberwurst spielen?«

»Entschuldige, wäre es dir denn lieber gewesen, wenn ich deinem Grandad gesagt hätte, dass du mir hinter seinem Rücken von seinem Privatleben erzählt hast? Nein. Das glaube ich nicht, Teddy.«

Teddy zog sich der Magen zusammen. Er hatte Ben ja nur eingeweiht, weil er wollte, dass sie an etwas zusammenarbeiten konnten. »Komm schon«, sagte er und bemühte sich, den Eindruck loszuwerden, dass er gerade bedroht worden war. »Lass uns jetzt einfach den Rest des Tages genießen.«

Ben und Shakeel schienen allerdings vorzuhaben, ständig gegeneinander zu sticheln. Zwischen ihnen eingekesselt zu sein, war nicht gerade das, was sich Teddy für den heutigen

Tag gewünscht hatte. Doch seine Gefühle verstand er nicht ansatzweise, auch dann nicht, wenn er sie sich beide ansah. Er hatte in Shakeel noch nie etwas anderes gesehen als seinen besten Freund. Sie hatten jedes große Ereignis in ihrem ganzen Leben gemeinsam erlebt, vom Tod seines Vaters bis hin zu Shakeels Coming-out. Jetzt entdeckte er noch etwas anderes in der Art, wie Shakeel ihn ansah. Er gehörte nicht zu den Leuten, die immer Streit suchten, doch jetzt hatte er es bei jeder Gelegenheit, die sich ihm bot, auf Ben abgesehen. Teddy konnte es nicht leugnen: Ihm gefiel diese Seite von Shak. Aber es spielte auch keine Rolle. Shak hatte darauf bestanden, den Kuss zu vergessen. Wollte er das wirklich? Falls dem so war, warum verhielt er sich dann immer noch so eigenartig? Warum schaute Shak ständig zu ihm herüber?

Teddy schloss die Augen. Sie hatten schon immer im Spiel miteinander geflirtet und sich gegenseitig aufgezogen. Wenn Shakeel mehr als sein bester Freund wäre, so würden sie damit eine jahrelange Freundschaft aufs Spiel setzen. Lohnte es sich tatsächlich, dieses Risiko einzugehen, gerade dann, wenn er versuchte, Ben richtig kennenzulernen? Ihm schwirrte der Kopf. Er stöhnte bei dem unangenehmen Gefühl in seinem Bauch. Er wollte bestimmt in keine Situation geraten, in der er riskierte, entweder Shakeel oder Ben ganz zu verlieren.

Wie war es dazu gekommen? Nur wenige Wochen nach einem der wichtigsten Momente seines ganzen Lebens wünschte er sich bereits, er könnte die Uhr zurückdrehen und neu anfangen.

Nach einer Sightseeing-Tour durch die Innenstadt hatte Oscar einen Tisch für den Nachmittagstee in einem Hotel reserviert, von dem er einen der Manager kannte.

»Das ist absolut irrwitzig«, sagte Lexie, als sie sich in dem edlen Speisesaal umsah. »Hier drinnen könnte ich mir nicht einmal ein Glas Wasser leisten.«

»Ich bin auch nicht sonderlich begeistert von solchen Orten«, merkte Shakeel an. »Ich komme mir immer so vor, als würden mich alle anstarren.«

Teddy wollte ihm gerade zustimmen, als Ben ihn schon an der Hand packte und ihn zu einem der Plätze auf der anderen Seite des großen runden Tisches brachte.

»Nun, mir gefällt es«, verkündete Ben demonstrativ.

»Wir sollten einmal hier zu Abend essen.« Teddy nickte leicht zur Bestätigung. Das hier war der letzte Ort, an dem er eine Verabredung haben wollte, und das wusste Ben.

»Oscar, ich kann gar nicht glauben, wie viele Mühen du auf dich genommen hast«, sagte Arthur, während er die Auswahl edler Speisen begutachtete, die gerade für sie aufgetragen wurde.

»Unsinn, du hast vor, dich auf ein Flugzeug schnallen zu lassen. Natürlich gehört das alles zu deinem Geburtstagsgeschenk, also erwarte nichts anderes mehr.«

Die Kellnerin stellte zwei Etageren mit Finger Sandwiches, Scones und Kuchen auf den Tisch. Teddy beobachtete amüsiert, wie sich Oscar und Arthur aufgeregt darüber stritten, ob die Clotted Cream oder die Marmelade zuerst auf Scones gehörte. Schon bald nippte Lexie an einem Glas Sekt und gab eine Nachahmung von Vanessa zum Besten, wie sie Arthur und Teddy interviewt hatte.

Bis Oscar auf seine Armbanduhr sah und versuchte, sie wieder zum Aufbrechen zu bewegen, schienen nur Minuten vergangen zu sein. Teddy musste so lachen, dass ihm der Bauch wehtat, als er bemerkte, wie Shakeel einige verbliebene Gebäckstücke in Servietten wickelte.

»Was? Ich könnte ja einen Snack brauchen, wo auch immer wir als Nächstes aufschlagen!«, protestierte Shak.

»Wenn du in meine Tasche langst, um dir einen herauszuholen, wirst du nicht mehr lachen.«

Teddy zog eine Augenbraue hoch.

»Benimm dich!«, warnte Shakeel ihn. Doch bei dem nervösen Grinsen auf seinem Gesicht machte Teddys Herz einen Sprung.

Sobald sie wieder unterwegs waren, enthüllte ihnen Oscar den nächsten Teil ihres Plans.

»Ich hoffe, es hat niemand Angst vor Wasser«, sagte er ernst. »Weil wir nämlich zu einer Weinprobe auf den Fluss gehen!«

»Oscar, das ist alles unglaublich. Ich kann nicht fassen, dass du das alles für Grandad tust.«

»Das mache ich gern. Dein Grandad hat mich daran erinnert, wie viel Glück ich in meinem Leben hatte, und euch kennenzulernen, ist so reizend gewesen. Es ist, als hätte ich die Familie gefunden, die ich niemals hatte.«

»Du bist ihm so ein fantastisch guter Freund gewesen in den vergangenen paar Monaten. Ich habe ihn noch nie so glücklich und voller Leben gesehen.«

»Halt, hör auf, ich werde nicht auf der Party von jemand anderem zu weinen anfangen«, erklärte Oscar und durchsuchte seine Tasche nach einem Tuch. Das Lächeln auf seinem Gesicht verblasste nicht, während er sich die Augen trocken tupfte.

Während der Weinprobe bemühte sich Teddy, zwischen den beiden Gruppen, die sich gebildet hatten, hin und her zu wechseln. Als sich Lexie, Shakeel und Oscar gerade gut miteinander amüsierten, blieb er in der Nähe von Arthur und Ben.

»Ich wollte mich noch bei dir wegen vorhin entschuldigen, Arthur. Es sollte nicht so wirken, als wollte ich dich wegen Jack bedrängen«, sagte Ben, während sie sich durch die verschiedenen Weine probierten, die zur Auswahl standen. Teddy schwieg.

»Das musst du nicht. Ich kann deine Fragen ja verstehen, ich habe sie mir selbst häufig gestellt.«

»Ich kann mir nur einfach nicht vorstellen, dass ich sie nicht nutzen würde, wenn ich in fünfzig Jahren die Chance hätte, herauszufinden, was Teddy macht«, fügte Ben hinzu und klang dabei ein wenig melancholisch.

»Und das ist genau der Unterschied, junger Mann. Du hast die Möglichkeit, dein Leben zu leben, ohne dass du zurückschauen musst und dich fragst: Was wäre gewesen, wenn? Du musst dafür keine alten Briefe lesen oder auf ein altes Foto starren.«

»Du hast ein Foto, Grandad?« Teddy wirbelte auf dem Absatz herum.

»Nur ein einziges. Er hat es mir in seinem letzten Brief geschickt.«

»Da fällt mir gerade ein«, sagte Ben und holte sein Smartphone aus der Tasche, »wir sollten ein paar Fotos von uns allen machen.«

Teddy spürte Shakeels Blick auf sich, als sie für die Bilder posierten und Ben ihn und Arthur dazu aufforderte, Grimassen zu ziehen. Als Ben sein Smartphone wieder senkte und sich den anderen zuwandte, war sich Teddy sicher, dass seine Wangen knallrot leuchteten.

»Vielleicht könnte Shakeel noch ein richtiges von uns zu dritt machen. Shakeel? Kannst du das übernehmen?«

Stöhnend beobachtete Teddy, wie Shakeel sein zuletzt geleertes Glas abstellte und das Smartphone von Ben entgegennahm. Der stellte sich daraufhin zwischen ihn und Arthur und legte beiden einen Arm um die Schulter.

Teddy hatte viele Male gesehen, wie Shakeel vor seinen Eltern versucht hatte, zu überspielen, dass er betrunken war. Jetzt erkannte er den leicht abwesenden Gesichtsausdruck und seine wackelige Haltung wieder. Shakeel starrte beim Fotografieren auf das Display. Teddy war sich sicher, dass er gesehen hatte, wie sich seine Augen dabei auf einen Punkt konzentrierten, doch Shakeel gab das Smartphone schnell Ben zurück.

Ben sah die Bilder durch.

»Du bist nicht gerade Annie Leibovitz, oder, Shakeel?« Ben lachte.

Teddy schaffte es gerade noch, Shakeel am Arm festzuhalten, bevor dieser vornübergefallen wäre. »Lexie, kannst du mir bitte schnell helfen?«

»Was ist los?«, fragte Lexie und sah sich verwirrt um, während sie Shakeels anderen Arm packte.

»Keinen Alkohol mehr für dich, Mister. Können wir schon von diesem Boot herunter?«

Sie setzten Shakeel auf einen freien Stuhl. Sekunden später schnarchte er leise.

»Komm schon, Shak«, bat Lexie. »Du hast mir versprochen, dass du das heute nicht machst.«

Teddy begriff schlagartig. »Er hat es dir erzählt, oder? Von dem Kuss?«

Er musste Lexies Antwort gar nicht abwarten, denn sie biss sich nervös auf die Unterlippe.

»Heilige Scheiße, Lex. Du hättest mir sagen können, dass du es weißt.«

»Es tut mir leid, Teddy, wirklich. Ich wollte es dir erzählen, aber ich hab ihm versprochen, dass ich es nicht tue.

Er war so fertig deshalb, und ich konnte ihn nicht hintergehen.«

»Ich weiß nicht, was los ist, Lex. Er will nicht mit mir darüber sprechen, was er empfindet.«

»Er hat Angst, Teddy. Er hat eure Freundschaft aufs Spiel gesetzt und versucht gerade weiterzumachen, damit du ihn nicht dafür hasst.« Lexie runzelte die Stirn. »Du hast Ben. Lass Shak über seine Gefühle hinwegkommen, was auch immer er dafür braucht.«

»Wart mal. Er glaubt wirklich, ich würde ihn wegstoßen?« Shakeel nuschelte irgendetwas. »Mamakind. Muttersöhnchen.«

Teddy fiel die Kinnlade herunter. »Nennt er ... nennt er mich im Schlaf ein Muttersöhnchen?«

»Ich weiß nicht, was in seinem Dickkopf vorgeht, Teddy«, sagte Lexie, ohne auf Shakeels Genuschel zu achten. »Ich weiß nur, dass er über das hinwegkommen muss, was auch immer es ist, mit oder ohne deine Hilfe.«

Sie wandte ihre Aufmerksamkeit wieder Shakeel zu, als er sich von Neuem rührte.

Ben war immer noch damit beschäftigt, Arthur und Oscar die Fotos zu zeigen, als sich Teddy wieder zu ihnen gesellte.

»Ich glaube nicht, dass ich noch mehr Wein will«, sagte er und lehnte das Glas von Ben ab, der bereitwillig dafür sorgte, dass es nicht weggekippt werden musste.

»Was?« Er grinste. »Immerhin bin ich nicht so fertig wie Shak.«

Er ließ Teddy gar nicht zu Wort kommen, sondern hielt Arthur ein anderes gefülltes Glas hin.

»Nein, ich denke, ich hatte ebenfalls genug. Es war wirklich nett, aber ich werde nicht ...«, begann Arthur.

»Du wirst mich doch jetzt noch nicht im Stich lassen, Arthur Edwards.« Oscar riss die Arme in die Luft. »Wir haben noch einen Halt vor uns.«

»Beim Hotel?«

»Sehr witzig.« Oscar lachte. »Wir nehmen dich in deine erste Schwulenbar mit!«

Teddy war erst ein einziges Mal in einer Schwulenkneipe gewesen, als er Shakeel an der Uni besucht hatte. Sogar die Bars in London waren ihm zu nah an seinem Heimatort vorgekommen, solange er sich noch nicht offen geoutet hatte. Jetzt hatte er diese Ausrede nicht mehr. In dem Laden war mehr los, als er angenommen hatte, aber das schien Arthur und Oscar nichts auszumachen, als sie sich einen Weg nach drinnen bahnten. Teddy war froh, dass Oscar vorausging und Arthur alles zeigte. »Sollen wir Getränke für alle besorgen?«, fragte er.

»Ich begleite dich«, sagte Ben, ergriff Teddys Hand und führte ihn zur Bar hinüber.

»Ist alles in Ordnung bei dir?«, wollte Teddy wissen, als sie darauf warteten, dass der Barkeeper einen anderen Kunden fertig bediente.

»Alles gut, das wird aber vielleicht mein letzter Drink, dann gehe ich heim.«

»Vielleicht solltest du ein Wasser bestellen und dir dann ein Taxi nehmen? Ich könnte mitkommen, wenn du willst.«

Ben schüttelte den Kopf. »Ist gut, ich muss morgen sowieso früh raus. Du solltest bei Arthur bleiben.«

»Okay, lass uns dann jetzt diese Drinks organisieren, und danach kannst du dich von allen verabschieden.«

Ben blieb nicht mehr lange, nachdem er geholfen hatte, die Getränke zu dem Tisch zu tragen, an dem Oscar und Arthur nun saßen. Er verabschiedete sich und verschwand durch die Menge in Richtung Ausgang.

»Wo ist Ben hingegangen?«, fragte Lexie und ließ Shakeel allein, der mit einer Gruppe von Leuten tanzte, die er nicht kannte.

»Er muss morgen früh raus. Ich glaube, er hatte auch genug zu trinken.«

»Das hab ich gemerkt. Shak wird vermutlich nicht allzu traurig darüber sein, dass er weg ist«, merkte sie an.

»Lass das bitte, Lex«, sagte er und griff ihrer nächsten Frage voraus. »Ich weiß, was du sagen willst.«

»Willst du eigentlich wirklich mit Ben zusammen sein, Teddy?«

»Ich denke schon. Ja. Manchmal?«

»Ich glaube, wir haben das Problem gefunden.« Seufzend nahm sie einen Schluck aus ihrer Wasserflasche.

»Es liegt an mir, Lex. Ich schiebe ihn dauernd weg und finde Gründe, damit es nicht schneller geht mit uns. Er ist nur …«

»Hör dir mal selber zu, Teddy. Du entschuldigst ihn ständig. Falls du glaubst, es wäre auch nur im Entferntesten möglich, dass du dasselbe empfindest wie Shak, dann verdient er es, das zu wissen. Bring dein Durcheinander in Ordnung, bevor noch jemand verletzt wird.«

»Das kann ich nicht.«

»Unfug. Du *kannst* es. Du hast nur Angst, genauso, wie du Angst hattest, den Job anzunehmen, weil ihn dir deine Mum organisiert hat, und genauso, wie du Angst hattest, dich zu outen. Aber sieh dich jetzt einmal an. Warte nicht mehr darauf, dass dir jemand anderer sagt, was und wen du wirklich willst.«

Sie sah sich um und erkannte dabei schnell, dass sie

denjenigen, den sie suchte, nicht finden konnte. »Oh Gott, wo ist Shak hingegangen? Ich habe ihn genau hier zurückgelassen.«

»Ich gehe ihn suchen.« Teddy stellte sein Getränk ab und bahnte sich einen Weg durch die Menschengruppen, die inzwischen den ganzen Platz einnahmen. Der Geruch nach Alkohol und Schweiß wurde immer stärker, je weiter er in die Mitte der Tanzfläche vordrang. Sobald er sich sicher war, dass Shakeel nicht dort war, ging er in Richtung Toiletten. Die Frage, wo er suchen sollte, falls Shakeel auch dort nicht war, ließ er noch nicht an sich heran.

»He! Pass auf, wo du hingehst«, schrie ihn eine Stimme an, als er über einen Fuß stolperte.

»Sorry, Kumpel, ich wollte nicht ...«

Er brach ab. Seine Augen mussten sich immer noch an das wenige Licht in dem engen Flur gewöhnen, der zu den schäbigen Toiletten führte, dennoch war das, was er da sah, eindeutig.

»Shak? Verdammt, was tust du da? Geh von ihm weg!«

Er griff nach vorn und zog denjenigen, der an Shakeel hing, von ihm fort. »Ich nehme an, das ist nicht Simon?«, fragte Teddy, während er den Fremden losließ, der ihn aufs Übelste beschimpfte.

Ehe Teddy ihn stoppen konnte, hatte Shakeel den Rest von seinem Drink hinuntergekippt und hatte sich an ihm vorbei in Richtung Bar geschoben.

»Shakeel, halt!«, rief Teddy und jagte ihm hinterher. »Wo gehst du hin, verflucht?«

Erst auf der Straße, ein Stück entfernt vom Haupteingang, holte er ihn schließlich ein.

»Was? Komm schon, Teddy, sag, was du zu sagen hast«, forderte Shakeel ihn kopfschüttelnd und ohne seinen Blick zu erwidern, auf. »Was ist? Ich habe jemanden geküsst, bist du nicht einfach nur froh darüber, dass du nicht derjenige warst?«

Doch Teddys Gehirn war leer. Es hatte so vieles gegeben, das er hatte sagen wollen, aber jetzt, da er seinem besten Freund direkt in die Augen starrte, war es alles weg. Ihm klopfte das Herz in der Brust. Er hasste es, Shakeel so zu sehen.

»Das ist einfach toll, Teddy. Du bist derjenige, der unbedingt mit mir reden wollte, und jetzt weißt du nicht, was du sagen sollst?«

»Was hat das zu bedeuten? Gibt es etwas, von dem du willst, dass ich es sage?«

»Ich … nein.« Shak sah mit einem Mal müde aus. »Nichts von all dem hätte passieren sollen.« Er vergrub den Kopf in den Händen.

»Red mit mir, bitte! Du bist derjenige, der mich geküsst hat, Shakeel, weißt du noch? Sag mir ins Gesicht, dass ich ein Muttersöhnchen bin.«

Shakeel lehnte sich gegen eine Hauswand und starrte in den klaren Nachthimmel hinauf. Das Kreischen einer Alarmanlage von einem in der Nähe geparkten Auto durchschnitt die Stille.

»Was … woher weißt du …«

»Vorhin, als du betrunken warst. Das ist es also, wofür du mich hältst, oder?«

»Wie kannst du mich so was fragen? Das war doch nicht ich, der da geredet hat. Das war …«

»Versuch gar nicht erst, es auf den Alkohol zu schieben, Shak. Steh wenigstens dazu.«

Schweigend standen sie nebeneinander und sahen einem Polizeiauto nach, das an ihnen vorbeifuhr.

»Ich hätte dich an Weihnachten nicht küssen sollen«, sagte Shakeel leise, während sich das Mondlicht in seinen Augen spiegelte. »Es hätte nicht so passieren sollen. Nicht nach so langer Zeit.«

»Du meinst ...«

»Und ich wollte auch nicht Arthurs großen Tag ruinieren, aber ich habe gedacht, du würdest mich hassen, weil ich unsere Freundschaft zerstört habe. Das solltest du wahrscheinlich auch!« Er senkte den Kopf und starrte zu Boden.

»Du hast nicht einmal abgewartet, dass ich sage, was ich fühle, Shak. Du hast dich geweigert, mit mir zu sprechen, sodass ich keine Möglichkeit hatte, zu verstehen, was bei dir los ist.«

»Das stimmt nicht, Teddy. Es gibt nichts mehr zu sagen: Du hast einen festen Freund. Lass uns einfach vergessen, dass es passiert ist, und dann versuchen wir, uns wieder normal zu verhalten.«

»Wir müssen das klären.«

»Du bist derjenige, der nicht damit aufhört, Teddy.«

»Weil du mein bester Freund bist! Du bist mir wichtig, und ich will mir sicher sein, dass es dir gut geht.«

Shakeel wollte gehen, doch Teddy streckte den Arm vor und hielt ihn fest.

»Lass los!«, zischte Shak und stieß Teddy mit ganzer Kraft von sich. Teddy stolperte zurück und fiel auf das Straßenpflaster. Ihm tat der ganze Körper weh.

»Weshalb zum Teufel hast du das getan?« Teddy schnappte nach Luft.

»Warum kannst du niemals lockerlassen?«, rief Shakeel mit Tränen in den Augen.

Ehe Teddy etwas erwidern konnte, ging Shakeel die Straße hinunter, ohne sich noch einmal umzusehen.

»Verflucht«, murmelte Teddy bei sich, während er sich wieder aufrappelte. Die Schürfwunde an seiner Hand blutete. Mehrere Leute starrten ihn an, und ein paar von ihnen lachten über die Szene, die sie gerade gesehen hatten. Ohne sie zu beachten, eilte er zurück nach drinnen. Sein Großvater und Oscar waren im Karaoke-Zimmer. Teddy ließ sich auf einen Stuhl neben dem weggedämmerten Arthur plumpsen. Der sah sich verwirrt um.

»Singt er *immer noch*?«, fragte er grinsend und setzte sich aufrecht hin.

»Du bist wach! Genau rechtzeitig, ich brauche einen Sonny für meine Cher.«

Teddy musste einfach lachen, als Oscar Arthur an der Hand packte und ihn vom Stuhl hochzog, bevor er ihm ein zweites Mikrofon gab.

»Ich weiß nicht, was es da zu lachen gibt«, sagte Arthur, während die Musik zu spielen begann. »Du bist als Nächster dran.«

Kapitel einunddreißig

Arthur

Nichts hätte Arthur auf das vorbereiten können, was sich nach seinem Auftritt bei *Good Morning Live* ereignete: eine Verdreifachung seines Fundraising-Ziels; Leute, die ihn auf der Straße anhielten, um ein Foto mit ihm zu machen; ganz Northbridge war ein Arthur-Fanclub geworden.

»Mum hat erwähnt, dass ein paar Leute bei ihr in der Arbeit über das Interview gesprochen haben«, erzählte Teddy Arthur. »Ich glaube, sie ist immer noch ein bisschen überrascht von den positiven Reaktionen und davon, wie interessant die Leute dein Coming-out in deinem Alter finden, Grandad.«

»Sie sollten mich einmal sehen, wenn ich nur Gemüse fürs Abendbrot einkaufen will und dann Leute aus dem Nichts auftauchen und mich nach einem Foto fragen«, sagte Arthur seufzend. Obwohl er es so darzustellen versuchte, als wäre es ihm lästig, war Arthur bewusst, dass ihn das Glitzern in seinen Augen verriet.

»Du genießt das wirklich, Grandad«, stellte Teddy mit einem wissenden Lächeln fest. »Koste jede Sekunde davon aus!«

»Ich muss jetzt in die Apotheke gehen, wenn ich also in

einer halben Stunde noch nicht zurück bin, kannst du kommen und mich vor meinen Fans retten.«

In Northbridge war so viel los wie immer. Autos, die auf den vielen, über die ganze Stadt verteilten Parkplätzen keine Stellfläche mehr gefunden hatten, warteten am Straßenrand, bevor sie sich in den lauernden Verkehr stürzten und von der Masse verschluckt wurden. Arthur hatte ein schlechtes Gewissen, als er an der Apotheke vorbeifuhr. Er hasste es, Teddy darüber anzulügen, wohin er fuhr, doch vorerst musste noch niemand davon erfahren. Er konnte sein Glück gar nicht fassen, als er den freien Parkplatz direkt vor dem Eingang zum Krankenhaus entdeckte. Er kam auf die Minute pünktlich zu seinem Termin beim Onkologen.

Fast als hätte sie gewusst, dass er gerade frei sprechen konnte, tauchte Madeleines Name auf dem Display seines Smartphones auf.

»Ich will gerade hineingehen«, sagte er. »Wir sehen uns später zu Hause.«

Er holte tief Luft und stieg aus dem Auto.

»Entschuldigen Sie, sind Sie nicht der Mann, der diese Wohltätigkeitsaktion macht?«

Als sich Arthur umdrehte, sah er einer Frau ins Gesicht, die er auf Ende fünfzig schätzte. Die Haare trug sie hinten im Nacken ordentlich zu einem Dutt festgesteckt.

»Hallo, ja, das bin ich, Arthur Edwards«, sagte er und streckte ihr die Hand hin. Sie ergriff sie und schüttelte sie erfreut.

»Ich wusste, dass mir Ihr freundliches Gesicht bekannt vorkam«, erklärte sie. »Ich habe Sie im Fernsehen gesehen. Ich habe gleich gespendet und den Link mit meinen Freunden geteilt, damit sie das Gleiche tun.«

»Ich danke Ihnen, das ist sehr nett von Ihnen«, entgegnete Arthur. Er spürte, wie seine Augen feucht wurden, als ihn die Gefühle überschwemmten. »Es tut mir leid, aber ich habe einen Termin, zu dem ich gehen muss.«

»Sie müssen sich nicht entschuldigen, ich wollte Ihnen nur viel Glück wünschen«, sagte sie und ließ seine Hand los.

Arthur eilte schnell davon und hielt den Kopf gesenkt, bis er sicher im Gebäude war. Er ging durch die Flure bis zu dem leeren Warteraum. Während er dort auf seinen Termin wartete, bereute er plötzlich, wie beharrlich er Madeleines Begleitung abgelehnt hatte.

»Mr. Edwards?«, fragte eine Frau leise und legte ihm eine Hand auf die Schulter. »Hallo. Wir haben jetzt Zeit für Sie.«

Arthur spürte, wie seine Beine zitterten, als er aufstand und ihr durch die zweiflügelige Tür folgte.

»Grandad? Bist du zurück?«, rief Teddy, nachdem er gehört hatte, wie die Tür ins Schloss gefallen war.

»Ja, ja, ich komme gleich wieder runter. Schaue nur schnell nach oben.«

Arthur schloss seine Schlafzimmertür hinter sich und setzte sich auf den Rand seines Bettes. Er wusste, dass Madeleine auf ein Gespräch mit ihm wartete, aber er brauchte erst eine Minute für sich.

Es war unvermeidlich: Ein paar Minuten später klopfte Madeleine an die Tür. Doch ehe sie ihm auch nur eine Frage stellen konnte, brach Arthur bereits in Tränen aus.

»Ich kann das nicht machen, Madeleine«, schluchzte er, während sich Madeleine neben ihn auf die Bettkante setzte.

»Ich muss den Tragflächenspaziergang absagen. Ich habe da einen fürchterlichen Fehler gemacht.«

»Hör sofort auf, Arthur Edwards.«

Er drehte sich herum, sodass er ihr Gesicht sehen konnte.

»Ich habe mich schon gefragt, wie lange es dauern würde, bis das passiert. An dem Punkt waren wir doch schon, Arthur.«

Er kratzte sich am Nacken. Er verstand nicht, wovon Madeleine sprach.

»Oh, Arthur«, sagte sie sanft und tätschelte seinen Arm. »An dem Abend, bevor du dich geoutet hast, erinnerst du dich noch? Was wolltest du da machen?«

»Ich wollte das Essen absagen«, antwortete Arthur und dachte daran zurück, wie er beinahe schon Elizabeth und Patrick angerufen hätte, um ihnen mitzuteilen, dass sie nicht zu kommen brauchten.

»Bist du froh, dass ich dich davon abgehalten habe?«

Er nickte.

»Gut. Jetzt erzähl mir mal, was beim Arzt passiert ist, das das ausgelöst hat.«

Madeleine hörte Arthur zu, als er sorgfältig berichtete, was ihm an diesem Nachmittag mitgeteilt worden war.

»Du hast dir die Erhebungen zum Thema Prostatakrebs doch schon beim letzten Mal genau angesehen, Arthur. Sie würden dir keine Behandlung empfehlen, wenn sie nicht davon ausgehen würden, dass sie anschlägt.«

»Das habe ich beim letzten Mal auch gedacht, Madeleine. Doch jetzt sitze ich wieder hier.«

»Du kannst das schaffen.«

Arthur schüttelte den Kopf.

»Was? Du gibst schon auf? Das ist nicht der Arthur Edwards, den ich kenne. Das ist nicht der Mann, den ich geheiratet habe, und es ist auch ganz bestimmt nicht der Mann, dem die Leute dabei zugesehen haben, wie er davon erzählt hat, dass er sich auf ein fliegendes Flugzeug stellen wird!«

Er lachte leise, während Madeleine seine Hand drückte.

»Ich bin doch nicht derjenige von uns, der auf die Straße geht, um die Notfallambulanz vor der Schließung zu bewahren. Du hast die ganze Stadt hinter dir versammelt und wirklich etwas verändert.«

»Die Ambulanz ist noch nicht gerettet«, sagte Madeleine.

»Aber schau dich einmal an, du bist schon immer der tapferste, entschlossenste Mann gewesen, den ich kenne. Wenn mich die Leute fragen, weißt du, was ich ihnen dann über dich erzähle?«

Arthur schüttelte den Kopf, worauf Madeleine ihn anlächelte.

»Dass du mein bester Freund bist. Dabei spielen weder die Ringe an unseren Fingern eine Rolle noch das, was die Leute heutzutage für normal halten. Wir sind eine ganz besondere kleine Familie, und das sind wir auch schon immer gewesen. Du wirst für mich da sein, und ich werde für dich da sein, auch wenn das bedeutet, dass wir uns auf wagemutige Stunts einlassen müssen!«

»Danke dir, Liebes«, sagte Arthur. »Auch wenn ich am Samstagabend mehrere Hundert Fuß in der Luft sein werde: Ich werde nur nach deinem Lächeln Ausschau halten.«

Kapitel zweiunddreißig

Teddy

Seit ihrem Streit vor dem Club hatte Teddy von Shakeel nichts gehört und gesehen.

Es war auch nicht so, dass es ein Unterschied gewesen wäre. Er hatte keine Ahnung, was er hätte sagen sollen, selbst wenn Shakeel sich gemeldet hätte. Shakeel war sein bester Freund. Mit Ben war er zusammen. Warum konnte er das, was passiert war, nicht einfach auf sich beruhen lassen? Was für eine Erklärung wollte er von Shakeel denn noch hören? Er hatte seitdem jede Nacht wach gelegen und sich endlos Fragen gestellt, verwirrt von dem, was zwischen ihnen gerade vor sich ging.

»Wie war der Rest der Nacht? Hatte Arthur Spaß?«, fragte Ben Teddy.

»Viel war nicht mehr los. Irgendwann ist es uns dann gelungen, Grandad und Oscar die Mikrofone abzunehmen.«

Teddy verspürte ein Ziehen im Bauch, als er Ben lachen sah.

»Verdammt, ich wünschte, ich hätte noch länger bleiben können, um mitzusingen. Aber ich war völlig fertig.«

»Es war ein langer Tag«, stimmte Teddy ihm zu. »Und ich weiß auch, dass es kein ganz einfacher Tag war.«

Seine Stimme versagte den Dienst, aber das spielte keine

Rolle. Bens Gesichtsausdruck verriet ihm, dass er verstanden hatte, was Teddy meinte.

»Ich will wirklich, dass es funktioniert, Teddy«, sagte Ben leise. »Aber jedes Mal, wenn ich glaube, dass wir irgendwie weiterkommen … Ich weiß nicht, es ist, als würdest du es nicht wollen.«

»Entschuldige … ich weiß wirklich nicht, was ich sonst sagen kann.«

»Ja, ich hab mir schon gedacht, dass du das sagen würdest«, erklärte Ben. »Das ist schon ein Teil des Problems. Es ist, als wärst du immer noch nicht bereit dazu, der zu sein, der du in Wirklichkeit bist. Das habe ich schon an unserem ersten gemeinsamen Arbeitstag gemerkt. Du konntest dich nicht entscheiden, ob dir dein Nachname peinlich ist oder nicht. Dann war es dasselbe mit deiner Homosexualität. Jetzt kommt es mir vor, als wäre ich dran. Bin ich dein fester Freund oder irgendein großes Geheimnis?«

»Du bist kein Geheimnis, Ben. Ich bin nur nicht so wie du.«

»So wie ich? Ich war auch nicht von Anfang an so, Teddy. Glaubst du, es war mein großer Traum, von meinem Vater hinausgeworfen zu werden? Oder keinen Kontakt mit meiner Mutter zu haben, oder um einen Job kämpfen zu müssen, der mir genug einbringt, damit ich in einer kleinen Schachtel leben kann?«

»Das meinte ich nicht …«

»Nee, Teddy, du meinst es nie so. Du bist in einem riesigen Haus groß geworden mit einer Mum, die dir helfen konnte, deinen Traum zu verwirklichen. Sogar nachdem du es ein paar Jahre lang versaut hattest.«

Teddy stieg das Blut in die Wangen.

»Es versaut? Mein Dad war tot. Ich bin morgens nicht

aus dem Bett gekommen. Nichts und niemand hat mehr eine Rolle gespielt für mich: nicht Mum oder Grandad, nicht meine Freunde und ganz bestimmt nicht irgendeine von diesen Möglichkeiten, von denen meine Mutter dachte, sie könnten mich mit einem Mal wieder heilen. Ich konnte meinem Vater nie erzählen, dass ich schwul bin. Ich habe nie erfahren, ob er mich so geliebt hat, wie ich bin. Alles, was ich wollte, war, dass er stolz auf mich ist, und das werde ich nie mehr schaffen.«

Der Außenbereich vor dem Gebäude war leer. Ben stand von der Bank auf, auf der sie gesessen hatten.

»Klar wäre er stolz auf dich«, sagte Ben. »Wie könnte er das nicht sein?«

»Ich habe viele Fehler gemacht, Ben. In diesen dunklen Zeiten war ich fürchterlich zu den Menschen, die ich am meisten liebe. Dass ich mich schließlich auf diese Vermittlung eingelassen habe, war meine Art, das bei meiner Mum wiedergutzumachen. Ich will nicht, dass die Leute mich als einen Versager betrachten, dem ein Job auf dem Silbertablett serviert werden musste, vor allem du sollst nicht so denken.«

Ben setzte sich wieder neben ihn auf die Bank.

»Schau, es ist deine Entscheidung, aber willst du, dass ich zu Arthurs Event komme, oder nicht?«

Es war eine Ja-Nein-Frage. Teddy konnte Ben die Chance geben, die er verdiente. Oder er konnte es jetzt beenden. Er spürte Bens Hand auf seiner Schulter. Er holte tief Luft, hob dann den Kopf und sah ihm direkt in die dunkelbraunen Augen.

Kapitel dreiunddreißig

Arthur

Patrick und Scarlett fuhren am Abend vor dem Event bei Arthur vorbei, um nach ihm zu sehen. Scarlett umarmte ihn so fest, dass er schon fast um Hilfe rufen wollte.

»Wenn sie so weitermacht, wird Scarlett noch alles Leben aus mir herausquetschen, bevor ich überhaupt in die Luft komme!«, lachte Arthur, als er sich wieder hinsetzte.

»Ich kann immer noch nicht glauben, dass du das tatsächlich machst, Arthur!«, sagte Scarlett mit einem lauten Quieken. Patrick half Madeleine dabei, Tee zu servieren.

Arthur lächelte seine zukünftige Schwiegertochter an, die geistesabwesend ihren Verlobungsring mit dem Rubin am Finger herumdrehte.

»Habt ihr schon mit der Planung angefangen?«

»Nein, das hat keine Eile. Wir wollen nichts Ausgefallenes.«

»Verschwendet keine Zeit«, sagte Arthur. »Denkt an das Sprichwort: ›Was du heute kannst besorgen, das verschiebe nicht auf morgen.‹ Genießt euer Leben.«

»Danke, Arthur. Wir werden keine Zeit verschwenden. Ich kann es kaum abwarten, ein Mitglied dieser Familie zu werden.«

»Wirklich? Sind wir dir nicht peinlich?«

»Warum fragst du so etwas? Hatte es irgendwann den Anschein, dass mich irgendetwas stört? Du meine Güte, weil …«

»Nein, nein, es tut mir leid, das war eine dumme Frage. Ich weiß nur, dass es da draußen immer noch Leute gibt, denen nicht wirklich gefällt, was ich getan habe.«

»Das ist ihr Pech«, merkte Scarlett mit strenger Miene an. »Deine Familie ist die freundlichste, liebenswerteste Familie, die ich je kennengelernt habe. Das hat mir schon die Art gezeigt, auf die ihr Patrick unterstützt habt. Nun sehe ich den Zusammenhalt zwischen dir und Madeleine und wie ihr beide mit Teddy umgeht. Warum sollte das irgendjemand peinlich finden?«

»Du siehst immer das Gute, Scarlett. Das ist eine ganz besondere Gabe.«

»Ich bemühe mich«, sagte sie lächelnd. »Das Leben kann hart sein. Das habe ich am eigenen Leib erfahren, doch dann habe ich begriffen, dass ich trotzdem lächeln und meine positive Einstellung verbreiten kann. Manche Leute mögen das nicht, und das ist in Ordnung, aber so bin ich.«

»Gut. Ich bin froh, dass du hier bist und das für uns alle tust.«

»Immer gerne.«

»Schwatzt ihr beiden über mich?«, fragte Patrick, während er sich neben seine Verlobte setzte.

»In der Tat, ja. Scarlett hat mir erzählt, dass du den Tragflächenspaziergang mit mir gemeinsam machen willst, und ich halte das für eine fantastische Idee!«

»Was?«, keuchte er und verschluckte sich am heißen Tee, während die beiden lachten.

Arthur brachte sich selbst an diesem Abend früh ins Bett. Madeleine hatte seine Kissen mit ihrem Lavendelspray eingesprüht und ihm versichert, dass es ihm beim Einschlafen helfen würde. Er musste am nächsten Tag zwar erst um zwei Uhr nachmittags auf dem Flugplatz sein, dennoch wollte er so ausgeruht sein wie möglich. Nach seinem Gespräch mit Scarlett hatte er sogar ein noch besseres Gefühl, was seinen Tragflächenspaziergang anging. Ihm fiel die freundliche Frau ein, die er vor dem Krankenhaus getroffen hatte. Sie hatte sich die Zeit genommen, um selbst zu spenden und um andere dazu zu bringen. Genau darum ging es bei all dem. Er lächelte versonnen. Er hatte die achtzig erreicht und schlug ein völlig neues Kapitel in seinem Leben auf. Ihm wurden die Lider schwer, und seine Augen schlossen sich langsam. Arthur wusste, dass er gleich so gut schlafen würde wie seit Monaten nicht mehr.

»Alles Gute zum Geburtstag, Grandad!«, sagte Teddy und schloss Arthur in die Arme, sobald er am nächsten Morgen zur Haustür hereingekommen war. Madeleine hatte ihm ein besonderes Geburtstagsfrühstück zubereitet.

»Vermutlich hast du davon noch nichts gehört, Grandad, aber ein Journalist von einer Zeitschrift, die *Gay Life* heißt, hat mit mir Kontakt aufgenommen«, erzählte Teddy, als er und Arthur sich an den Tisch im Esszimmer setzten. Dabei bemerkte Teddy das Aufblitzen in Arthurs Augen. »Oh, vielleicht kennst du es dann doch schon, umso besser.«

»Ich habe schon davon gehört«, sagte Arthur mit einem leichten Grinsen. »Wollen sie dir einen Job anbieten?«

»Ha, das wäre schön. Nein, es geht ihnen natürlich um dich. Sie wollen ein Interview mit dir machen. Wärst du dafür zu haben?«

Arthur dachte daran zurück, wie er vor einigen Monaten

im Zeitungsladen gestanden hatte. Schon das Anschauen des Covers hatte ihn nervös gemacht.

»Ich vermute, das könnte nicht schaden«, erwiderte Arthur. »Würdest du das für mich organisieren?«

»Natürlich, ich lasse dich dann wissen, wie es ablaufen wird«, sagte Teddy. »Oh, und Oscar wird kurz vor eins hier sein.«

»Danke, Teddy, das hast du mir heute Morgen schon zweimal gesagt.«

Arthur fühlte sich bestens vorbereitet. Er konnte jetzt nichts weiter tun. Keine Diagnose würde ihm nun noch in die Quere kommen. Er summte das Lied im Radio mit, während alle anderen im Haus herumwuselten. Sie hatten versucht, einen großen Wirbel um seinen Geburtstag zu machen, doch er hatte ihnen eingeschärft, dass das alles warten konnte bis danach. Er brauchte die Ablenkung nicht, ehe er mit den Füßen wieder fest auf der Erde stehen würde.

»Ich hab James gesagt, er solle keine Umstände machen, aber er hat darauf bestanden, alles für ein Picknick mitzubringen«, jammerte Madeleine vor sich hin, während sie die Bank abwischte. »Als könnte ich ruhig herumsitzen und Sandwiches essen, wenn Arthur *so etwas* über uns in der Luft macht.« Sie wedelte dramatisch mit den Armen herum.

»Hoffentlich werde ich nicht *so etwas* machen«, lachte Arthur und ahmte sie nach. »Du wirst einen schönen Nachmittag mit James haben. Es ist wirklich sehr nett von ihm, dass er dich begleitet.«

»Es macht dir doch nichts aus, oder?«

»Madeleine, darüber müssen wir nicht noch einmal reden. Konzentrier du dich nur darauf, Oscar von euch fernzuhalten, sonst isst *er* euer Picknick.«

Ben kam kurz nach elf Uhr vormittags in Northbridge

an. Er und Teddy wollten ungefähr um zwölf aufbrechen, sodass sie Shakeel und Lexie am Bahnhof abholen konnten, bevor sie zum Flugplatz fuhren. Zufällig schnappte Arthur noch das Ende einer Unterhaltung auf, als er den Raum betrat.

»Mit ein bisschen Glück beschließt Shakeel vielleicht in letzter Minute, doch nicht zu kommen«, grummelte Ben.

»Das hoffe ich nicht, er gehört zur Familie«, mischte sich Arthur ein. »Bitte versuch heute, mit ihm zu reden, tu es für mich. Klärt die Luft zwischen euch.«

Bens Ohren liefen rot an, als er erkannte, dass Arthur mitgehört hatte.

»Entschuldige, Arthur. Ich werde natürlich mit ihm reden.«

»Irgendwas gehört von deiner Mutter, Teddy?«, fragte Arthur.

»Leider nicht, Grandad. Ich dachte wirklich, sie würde heute Morgen vorbeikommen.«

»Keine Sorge. Wir machen weiter!« Arthur versuchte seine Enttäuschung so gut zu verbergen, wie er konnte. Wiederholt hatte er sich selbst gesagt, dass er nicht darauf hoffen durfte, Elizabeth würde die Gelegenheit nutzen, um ihn zu besuchen. Sie hatte ein paarmal mit Teddy telefoniert. Einerseits war er froh darüber, dass sie überhaupt miteinander redeten, andererseits hatte er immer noch gehofft, sie würde vorbeikommen. Bei jedem Klopfen an der Tür hatte er sich für einen Moment gefreut, nur um wieder enttäuscht zu sein, wenn es nicht sie war.

Schon bald war Arthur allein im Haus und wartete auf das Eintreffen von Oscar. Als James angekommen war, um Madeleine abzuholen, hatte er ihn kurz begrüßt.

»Bist du dir sicher, dass es dir gut geht?«, hatte Madeleine gefragt und ihn dabei genau angesehen, bevor sie zur Haustür hinausgegangen war.

»Es ist mir noch nie besser gegangen. Jetzt geh bitte und hab Spaß. Ich sehe euch beide dann am Flugplatz.«

Oscar verspätete sich. Arthur hatte gewusst, dass das leicht passieren konnte, deshalb hatte er einen kleinen Puffer in seinem Zeitplan eingebaut. Er hörte die Standuhr im Speisezimmer schlagen: Jetzt waren sie wirklich spät dran. Unruhig ging er im Wohnzimmer auf und ab und sah immer wieder aus dem Fenster auf die Einfahrt hinaus. Fast fünfundvierzig Minuten später als vereinbart fuhr Oscar endlich vor.

»Es tut mir so leid, Arthur. Es gab einen Unfall, und ich habe blöderweise mein Smartphone zu Hause gelassen. Ein totaler Albtraum.« Er entschuldigte sich weiter ausführlich, während er ein Glas Wasser austrank. Dann wischte er sich mit einem Tuch den Schweiß von der Stirn.

»Jetzt bist du ja hier, aber wir sollten besser losfahren, sonst sind wir niemals rechtzeitig da. Wir werden eine Stunde brauchen, und das ohne Stau«, meinte Arthur.

»Wir nehmen die kleinen Straßen außen herum. Ich habe es schon ins Navi eingegeben.«

Die kurvigen Sträßchen waren nicht für größere Fahrzeuge geeignet. Arthur mied sie normalerweise unter allen Umständen. Die wild wuchernden Bäume und Büsche ragten ohne Gnade in den schmalen Straßenstreifen hinein. Wenn man auf ein entgegenkommendes Fahrzeug stieß, folgte darauf eine Kraftprobe, bis einer der Fahrer genervt nachgab und rückwärts bis zu einer Stelle navigierte, an der der andere vorbeifahren konnte. Die Augen hatte Arthur starr auf die Uhr am Armaturenbrett gerichtet. Jede Minute kam ihm vor wie zehn.

»Du meine Güte«, sagte Oscar und klammerte sich an dem vibrierenden Steuer fest, als der Wagen zu ruckeln begann.

»Was ist los?«

»Das muss der Motor sein.«

»Schau, das ist eine Parkbucht. Fahr rein.«

Sobald der Wagen zum Stehen gekommen war, sprangen sie beide hinaus. Oscar drückte auf die Motorhaube, sodass sie sich öffnete. Schwarzer Rauch strömte in einer Wolke hinaus und hüllte sie ein. Arthur drehte sich der Magen um.

»Ich glaube, wir könnten ein kleines Problem haben.« Oscar hustete und sprang von dem ächzenden Fahrzeug weg.

Kapitel vierunddreißig

Teddy

»Danke, dass du heute da bist, Ben«, raunte Teddy leise. Er dachte darüber nach, seine Hand auf Bens Knie liegen zu lassen, zog sie aber in letzter Sekunde wieder zurück. »Ich finde es wirklich toll, dass du gekommen bist.«

Auf der Hauptstraße herrschte ungewöhnlich viel Verkehr. Teddy war froh, dass sie früh zum Bahnhof im Ortszentrum hatten aufbrechen können. Lexie und Shakeel hatten den Stau bemerkt und waren vom Bahnhof zu einer ruhigeren Kreuzung gelaufen, wo sie sich getroffen hatten, sodass sie jetzt zu viert im Wagen saßen und Richtung Flugplatz fuhren. Egal wie sehr er versucht hatte, den Plan zu ändern: Ben hatte darauf bestanden, dass sie die beiden anderen abholten.

»Ich kann gar nicht fassen, dass Arthur heute achtzig geworden ist«, durchbrach Lexie die Stille.

»Ich weiß, was du meinst«, stimmte Shakeel ihr zu. »Es ist schon verrückt, wie wenig er sich im Lauf der Jahre verändert hat.«

Teddy sah in den Rückspiegel, aber Shakeel hatte den Blick aus dem Fenster gewandt.

»Wie läuft's bei der Arbeit, Shak?«, fragte Lexie, als sie auf der Brücke aus der Stadt heraus waren.

»Viel los, allerdings keine dramatischen Sachen, also nichts, was ich ausplaudern könnte.« Shakeel redete so leise, dass sich Teddy anstrengen musste, um ihn bei dem laufenden Radio zu hören. »Ich freue mich schon darauf, wenn ich irgendwann ein paar Wochen weit weg buchen kann. Es wäre gut, rauszukommen.«

Teddy bewunderte Lexies Bemühungen, das Gespräch am Laufen zu halten. Sie hatten am Abend zuvor miteinander geredet, und dabei hatte sie versprochen, sich einzubringen, damit die Dinge nicht kompliziert wurden. Er hasste es, dass es mit Shakeel zurzeit so seltsam war; wenn er also nur eine normale Unterhaltung wollte, dann würde Teddy sein Bestes geben.

»Was ist mit dir, Ben? Hast du irgendwelche Urlaubspläne?«

»Nein«, antwortete Ben schnell. »Ich weiß noch nicht einmal, ob ich in einem Monat noch einen Job haben werde, also kann ich nicht wirklich so weit vorausplanen.«

Teddy warf Ben einen überraschten Blick zu, weil er die Job-Situation angesprochen hatte. Bei all dem, was im Moment los war, hatte Teddy die Tatsache, dass einer von ihnen vielleicht *The Post* verlassen musste, weit von sich geschoben. Aus dem Augenwinkel heraus sah er, wie Shakeel immer noch durchs Fenster auf die vorbeiziehenden Felder starrte.

Sie waren unter den Ersten, die auf dem Flugplatz eintrafen. Selbst die Fernsehcrew war noch nicht da.

»Würdest du so etwas je machen?«, fragte Ben ihn.

»Dafür fehlt mir der Mut. Ich glaube, ich würde mich nicht einmal in so ein kleines Flugzeug *hineinsetzen*. Wie sieht es mit dir aus?«

»Vielleicht. Vermutlich würde ich aber eher Fallschirm springen.«

»Ich fürchte, das müsstest du auch allein machen.« Teddy lachte.

»Ich würde Fallschirm springen.« Shakeels Einwurf überraschte sie alle.

»Als ob. Du hast doch Höhenangst«, schnaubte Lexie, während sich Teddy auf seinem Platz umdrehte, um seine beiden Freunde anzuschauen.

»Ja, das gehört doch zu der Herausforderung, oder? Es geht darum, etwas anderes zu tun, etwas, das niemand erwartet hätte, so wie Arthur.«

Teddy wusste nicht, ob er lachen sollte oder besser nicht. Shakeel starrte ihm schließlich so direkt in die Augen, als wollte er ihn zumindest zu einem Lächeln herausfordern.

»Ich denke, ich bleibe lieber dabei, mich nur in Flugzeuge zu setzen, die mich an einen Strand weit weg von hier bringen«, merkte Lexie an.

Teddy rutschte auf seinem Sitz herum. Er musste aus dem Auto raus, und das schnell.

»Ich gehe dann mal in das Büro und sage ihnen, dass wir da sind«, erklärte er und stieß die Autotür auf. »Ich muss mir WLAN suchen. 4G ist hier draußen verdammt nutzlos.«

»Ich begleite dich«, sagte Ben, folgte Teddy aus dem Wagen und schlenderte neben ihm her. Er war den ganzen Morgen über ungewohnt still gewesen.

In dem kleinen Abfertigungsgebäude fanden sie schnell jemanden, der Teddy vorschlug, seinen Laptop im hinteren Büro aufzustellen. Teddy rief Dylan an, um sich bestätigen zu lassen, dass er die Story mit Bildern so schnell wie möglich hochladen sollte.

»Wo ich dich gerade am Apparat habe«, sagte Dylan, »das hast du nicht von mir, aber es wird bald eine Stelle zu vergeben sein. Ich kann im Moment nicht viel mehr sagen, wollte euch beide nur wissen lassen, dass sie wahrscheinlich mit euch und ein paar anderen Volontären bald ein Gespräch führen werden.«

»Oh, wow, danke Dylan. Ich sage es Ben weiter.«

»Ist er gerade bei dir?«

»Ja, stimmt etwas nicht?«

»Leo hat sich beschwert, dass er irgendetwas nicht abgegeben hat. Ich bin mir nicht sicher, woran er gearbeitet hat, aber sag ihm, dass er Leo nicht noch länger warten lassen soll.«

»Oh, ich wusste gar nicht, dass er an etwas gearbeitet hat. Aber ich kümmere mich darum, dass er Bescheid weiß. Hast du eine Ahnung, um was es geht?«

»Keinen Schimmer. Leo hat nichts erzählt. Gut, ich muss los. Ich hoffe, heute läuft alles gut.«

Ben beobachtete ihn, als er das Gespräch beendete. »Was ist?«

»Es wird eine Stelle vergeben. Wir werden noch diese Woche wegen Bewerbungsgesprächen angefragt.«

»Oh, in Ordnung«, entgegnete Ben. »Nun, wir wussten beide, dass das früher oder später passiert.«

»Denke schon. Er weiß noch nicht, wann genau, wollte uns aber vorwarnen. Außerdem hat er gesagt, Leo würde auf deine Geschichte warten. Ich wusste gar nicht, dass du an einer für ihn gearbeitet hast. Warum hast du das nicht erwähnt?«

»Er muss etwas durcheinandergebracht haben«, sagte Ben mit gerunzelter Stirn. »Ich hatte über eine Sache für nächste Woche gesprochen. Ich habe nur im Vorbeigehen einen Einfall von mir erwähnt, und der hat ihm gefallen. Ich rufe ihn gleich mal an.«

Teddy sah ihm zu, wie er mit dem Telefon am Ohr das Büro wieder verließ und nach draußen ging. Er kaute an seiner Unterlippe und fragte sich, woran Ben für die kommende Woche wohl arbeitete, denn es stand nichts in ihrem gemeinsamen Terminplan.

»Klopf, klopf, kann ich reinkommen?«

»Hey, Lex. Wo ist Shak?«

»Er ist bei deiner Großmutter und ihrem Freund. Einfach anbetungswürdig, die beiden zusammen, oder?« Mit einem Seufzer legte sie sich beide Hände übereinander aufs Herz. »Das will ich auch.«

»Ich weiß. Sie sind süß miteinander. Nehme an, dass es ein bisschen seltsam für ihn sein muss, heute mitzukommen.«

»Oh ja! Stell dir nur mal vor, du gehst mit deiner Freundin zu einem Event, bei dem ihr zuseht, wie ihr schwuler Ehemann auf einem Flugzeug steht! Ich liebe deine Familie so sehr!«

Teddy musste einfach lachen. Lexies Fähigkeit, ihre absurden Erfahrungen kurz und prägnant zu beschreiben, war wirklich unübertrefflich. Das war eine Gabe, die sie schon immer gehabt hatte.

»Wie sind die Dinge bei dir so?« Lexie saß ihm gegenüber, in Rekordzeit hatte sie von Stand-up-Comedian zu Talkshowmoderatorin umgeschaltet. »Ich habe eine gewisse Anspannung im Auto wahrgenommen.«

»Das ist nichts. Ben war ... verständnisvoll.«

Lexie spielte mit einem Kugelschreiber auf dem Schreibtisch. »Shak wäre heute fast nicht gekommen.«

»Wirklich? Wie hast du seine Meinung geändert?«

»Habe ich gar nicht«, sagte sie. »Im einen Moment wollte er nicht mit, und im nächsten stand er schon fertig angezogen vor mir. Ich denke, er war nervös, dich zu treffen ... nachdem, du weißt schon.«

»Nachdem er mich zu Boden gestoßen hat? Ja, ich weiß. Er weiß, dass ich für ihn da bin, falls er jetzt reden will. Was kann ich sonst machen? Er ist schließlich derjenige, der mich plötzlich geküsst hat.«

»Wach auf, Teddy«, sagte Lexie. »Er ist die ganzen letzten sechs Monate herumgestapft und hat jedes Mal das Gesicht verzogen, wenn du Bens Namen erwähnt hast. Er würde alles für dich und für deine Familie tun. Wie kannst du nicht sehen, was er wirklich für dich empfindet?«

Teddy konnte es nicht glauben: Es war mehr gewesen als nur ein Kuss! Die ganze Zeit hatte er Shakeels wahre Gefühle überhaupt nicht wahrgenommen.

»Warum hat er es mir nicht gesagt?«

»Oh, Süßer. Ich hab dich ja lieb, aber manchmal bist du echt ein hoffnungsloser Fall. Schau, ich sage jetzt gar nichts mehr. Sprich mit Ben. Sprich mit Shakeel. Sprich mit demjenigen, der das in Ordnung bringen kann, wer auch immer das ist.«

»Argh!« Teddy legte den Kopf auf den Schreibtisch. »Das ist so ein Schlamassel. Ich bin so ein Schlamassel.«

»Flipp nicht gerade jetzt aus. Du musst dich auf deinen Grandad konzentrieren und diese Geschichte fertigbekommen.«

»Du hast recht, das muss ich«, sagte er mit einem Blick auf seine Uhr. »Tatsächlich sollte Grandad inzwischen wirklich hier sein. Ich werde mal nachschauen gehen, was da los ist.«

Teddy ging nach draußen und blickte sich nach Arthur

und Oscar um. Er entdeckte nur seine Großmutter, die besorgt aussah. »Nan, haben wir immer noch nichts von ihnen gehört?«

»Nichts, und sein Telefon klingelt auch nicht«, antwortete sie mit brüchiger Stimme. »Ich hoffe, es geht ihnen gut.«

»Offenbar hat es einen Unfall gegeben, der zu Staus in und um Northbridge geführt hat«, erklärte Shakeel und sah von seinem Smartphone auf. »Ich finde keine Einzelheiten heraus, aber vielleicht stecken sie irgendwo fest.«

Teddy sah die plötzlich aufsteigende Panik in den Augen seiner Großmutter.

»Ich bin mir sicher, sie verspäten sich bloß, Nan. Warum gehst du nicht und setzt dich wieder hin? Sie werden im Stau stecken, und Grandad hat wahrscheinlich nur vergessen, sein Smartphone aufzuladen.«

Er beobachtete, wie James Madeleine an der Hand nahm und sie zu einem kleinen Picknicktisch führte. Die Zeit schien stillzustehen, als sie nun alle gemeinsam warteten und auf die Einfahrt zum Parkplatz starrten. Ben war wieder nach drinnen gegangen, um eine Toilette zu suchen.

»Irgendetwas Neues?«, fragte Shakeel, als er bemerkte, wie Teddy auf sein Smartphone sah.

»Nichts. Und wenn irgendetwas los ist, Shak?« Bis zu diesem Augenblick hatte er sich selbst noch nicht erlaubt, zu glauben, es könnte etwas geschehen sein. »Was, wenn …«

»Hör auf. Krieg keine Panik. Sie werden bald hier sein, okay? In den nächsten Minuten.« Teddys Herz machte einen Freudensprung, als er Shakeels Arm an seiner Schulter spürte. Er lächelte ihn schwach an. Shakeel war sein bester Freund. Warum fühlte sich das hier anders an? Lexie hatte recht. Shakeel würde alles für ihn tun. Und er würde alles für Shakeel tun.

Kapitel fünfunddreißig

Arthur

Arthur wühlte in seiner Tasche, um sein Telefon zu finden. Irgendjemand würde sicher herkommen und sie abholen können. Es würde alles gut werden.

»Es gibt kein verdammtes Netz. Überhaupt nichts hier draußen«, sagte er, während er das Smartphone in die Luft hielt. »Wir sind total aufgeschmissen.«

Arthur begann, hin- und herzulaufen. Er musste an die Leute denken, die am Flugplatz saßen und auf ihn warteten. Die Filmcrew von *Good Morning Live*, die sicher alles aufgebaut hatte, fertig zum Filmen. An alle, die Geld gespendet hatten. Ihm drehte sich der Magen um.

»Komm her und setz dich hin«, flehte Oscar. »Es wird alles gut werden.«

Arthur konnte nur lachen. Nicht einmal Oscars Optimismus würde die Katastrophe retten.

»Was hat das für einen Sinn, Oscar? Es wird nicht stattfinden.«

»Arthur ...«

»Sie werden mich für einen Feigling halten, der einfach nicht gekommen ist.«

»Schau, Arthur, da ist ...« Oscars Stimme wurde mit jedem Wort schriller.

»Ich kann mich jetzt nirgends mehr zeigen. Niemand wird jemals glauben, dass wir …«

»Dad?«

Arthurs Herz machte einen Satz, als er herumwirbelte und Elizabeth sah, die ihn aus ihrem geöffneten Autofenster heraus anstarrte. Er war so von seinen Sorgen eingenommen gewesen, dass er überhaupt nicht bemerkt hatte, wie sie neben ihnen stehen geblieben war. »Solltest du jetzt nicht eigentlich auf dem Flugplatz sein?«

»Ich bin so froh, dich zu sehen. Wir sind liegen geblieben!«

»Dann steigt ihr mal besser beide ein. Kommt schon, schnell!« Oscar und Arthur sprangen hinein.

»Was machst du hier draußen?«, wollte Arthur wissen.

»Der Verkehr. Es gab einen Unfall und … nun, ich musste doch rechtzeitig am Flugplatz sein.«

Arthur spürte, wie sich seine Kehle zuschnürte. »Du … du kommst?«

»Dad, es tut mir so leid. Ich habe es so hinausgezögert, und dann war es mir zu peinlich, heute Morgen zu dir zu kommen. Ralph war mit den Mädchen schon weg, und ich habe einfach nur ganz allein herumgesessen.«

»Das spielt keine Rolle. Nichts davon ist wichtig. Du bist ja jetzt hier«, sagte er und drückte ihr die Hand.

»Ich war schrecklich, Dad. Ich weiß nicht einmal, ob du mich noch anschauen kannst.«

»Wie oft habe ich dir das schon gesagt, Lizzie? Ich wusste, dass du Zeit und Raum für dich brauchst. Ich war immer da.«

»Du warst so wunderbar in der Show. Ich habe mich hinterher gefühlt wie ein fürchterliches Miststück, als die Leute mir ständig gesagt haben, wie viel Glück ich hätte und dass ich stolz sein sollte, dabei habe ich dich die ganze Zeit so schlecht behandelt.«

»Jedes Wort, das ich gesagt habe, entsprach der Wahrheit«, erklärte Arthur. »Ich könnte nicht stolzer sein, dich zur Tochter zu haben.«

»Ich glaube nicht, dass dir Edward da zustimmen würde.«

»Ihr seid euch zu ähnlich. Doch ihr müsst euch beide immer noch daran gewöhnen, euch aufeinander zu verlassen, ohne Harry zwischen euch. Teddy muss einfach nur wissen, dass du für ihn da bist, und dass du bereit bist, ihn so zu akzeptieren, wie er ist.«

»Ich habe das alles so falsch gemacht. Was ist, wenn er mir nicht vergeben kann?«

»Das wird er, glaub mir. Sobald er dich heute sieht, wird er wissen, dass es dir einiges abverlangt hat.«

Sobald sein Smartphone wieder Empfang hatte, ließ Arthur Madeleine wissen, dass sie wieder unterwegs waren. Im schlimmsten Fall, so nahm er an, wären sie etwa fünfzehn Minuten zu spät.

»Wir haben es jetzt nicht mehr weit«, meldete sich Oscar von hinten zu Wort. Arthur hatte ihn noch nie so still sitzen sehen wie jetzt während der Fahrt. Nur ein leises Schluchzen erinnerte sie hin und wieder daran, dass er da war.

»Das ist alles so wunderbar, wie in einer dieser Dokumentationen, in denen Familien wieder vereint werden. Ich werde einen Sekt brauchen«, sagte Oscar und nahm sich das dritte Taschentuch aus der Schachtel neben ihm.

»Den wird es nicht geben, bis wir danach wieder sicher zu Hause sind.«

»Darf ich wieder ins Haus nach dem letzten Mal?«, fragte Elizabeth leise. Arthur sah den gleichen unsicheren

Ausdruck auf ihrem Gesicht, den sie schon als kleines Mädchen gehabt hatte.

»Wir werden mit der ganzen Familie zusammen feiern.«

Endlich tauchte der Flugplatz auf. Aufregung breitete sich in Arthurs ganzem Körper wie eine Welle aus. Sie fuhren auf den Parkplatz, auf dem einiges los war, und Oscar sprang aus dem Wagen, um allen mitzuteilen, dass sie eingetroffen waren.

»Dad«, sagte Elizabeth und hielt ihn am Arm fest, »ich wollte dir nur sagen, dass ich wirklich stolz auf dich bin und dass ich dich liebe.«

Tränen stiegen ihr in die Augen. Arthur lehnte sich vor und schloss sie in die Arme. Sie legte ebenfalls die Arme um ihn und drückte ihn fest an sich.

»Alles Gute zum Geburtstag, Daddy«, sagte sie mit brüchiger Stimme, während ihre Tränen auf Arthurs Schulter tropften.

Kapitel sechsunddreißig

Teddy

Diejenigen, die bereits angekommen waren, hatten sich in Grüppchen auf dem Feld vor dem Gebäude verteilt. Irgendwann wurde die Stille von Madeleine unterbrochen.

»Sie sind unterwegs!«, rief sie mit erleichterter Stimme aus. »Dein Grandad hat gerade geschrieben. Alles ist absolut in Ordnung.«

»Gott sei Dank«, seufzte Teddy und fühlte dabei, wie Shakeel auch noch den anderen Arm um ihn legte. Es kam ihm so vor, als hätten sie sich mehrere Minuten lang umarmt, ungeachtet all der anderen um sie herum.

»Was für eine Erleichterung«, sagte Ben, während er von Madeleine zu ihnen herüberkam.

Teddy wich von Shakeel zurück. Seine Ohren brannten, während er sich die Jacke glatt strich. Er hatte gar nicht bemerkt, dass Ben zurückgekommen war.

»Ja, ich habe wirklich schon langsam Panik geschoben.«

»Komm mit«, schlug Ben vor. »Lass uns einen Tee bei dem Imbisswagen holen, bevor sie hier sind.«

»Klar, das hört sich gut an. Shak, kommst du mit?«

»Oh, ähm, nein, ich will nur … ich will mit Lexie reden.«

»Ich bin froh, dass er Nein gesagt hat«, erklärte Ben, während sie auf den Imbisswagen zuliefen.

»Wie bitte?«

»Warum hast du ihn überhaupt gefragt? Ich habe schon mit Absicht nur dich gefragt.«

»Ich weiß wirklich nicht, ob du das ernst meinst, Ben. Was wäre denn schlimm daran, wenn er mit uns mitgeht, um sich was zu trinken zu holen?«

»Ist er durstig geworden von den ganzen Umarmungen?« Teddy blieb stehen und schaute Ben finster an.

»Da haben wir es. Wenn du mir etwas sagen willst, dann sag es, Ben.«

»Komm schon, ich bin doch nicht der Einzige, der das denkt. Ihr zwei kabbelt euch ständig wie so ein altes Ehepaar. Ich darf nur mitlaufen und versuchen, die Aufmerksamkeit von meinem Freund zu bekommen, während er ganz klar von jemand anderem abgelenkt ist.«

Mit geballten Fäusten stürmte er an Teddy vorbei.

»Ben! Lauf bitte nicht vor mir weg, lass es mich doch erklären.«

Er blieb abrupt stehen und wandte sich wieder Teddy zu, seine Augen blickten ihn wutentbrannt an. »Beantworte mir eine Frage, Teddy, denn ich weiß eigentlich nicht, warum ich hier bin«, sagte er. »Willst du mit mir zusammen sein?«

»Ich versuche, das alles herauszufinden, Ben. Ich … ich will wirklich …« Seine Stimme verebbte.

»Danke, Teddy, das sagt schon alles. Du kannst zu Shakeel gehen und mit ihm abhängen, ich brauche etwas Abstand.«

Nachdem er zugesehen hatte, wie Ben davonstürmte, schleppte sich Teddy über den Flugplatz zurück zum Parkplatz. Er wünschte sich, er hätte es einfach gleich erledigt und hätte Ben die Wahrheit gesagt. Er war immer noch tief in Gedanken versunken, als er einen aufgeregt wirkenden Oscar auf sich zurennen sah.

»Teddy! Dein Großvater ist da!«

Sofort vergaß er seinen Streit mit Ben und rannte zu Lexie auf den Parkplatz. »Grandad!« Er warf Arthur so schwungvoll die Arme um den Hals, dass er ihn beinahe umgerissen hätte. »Herrje, tu uns das nie wieder an. Die arme Nan wird einen starken Drink brauchen.«

»Es tut mir so leid, wir haben versucht, den Stau zu umfahren, und sind liegen geblieben, aber dann hat uns deine Mum gefunden.«

»Mum?« Teddy schüttelte ungläubig den Kopf. »Ich verstehe nicht.«

»Sie ist gekommen, um zuzusehen. Wir hatten ein gutes Gespräch im Auto, Teddy. Sie ist wirklich hier.«

Sein Kopf war voller Fragen, aber er hatte keine Zeit, sie zu ordnen, bevor sie schon – vor einem amüsierten Arthur – aus ihm heraussprudelten.

»Hat sie sich entschuldigt?«

»Das hat sie, auch wenn ich es nicht gebraucht hätte. Wir können später über alles reden, aber lass sie es heute einfach versuchen. Gib ihr diese Chance. Tu's für mich.«

Teddy schloss die Augen und nickte. Arthur drückte seine Schulter.

»Komm schon, Arthur«, rief Oscar und wedelte mit den Armen in der Luft herum. »Du kannst es immer noch tun, wenn du jetzt, verdammt noch mal, in die Gänge kommst!«

Er sah seinem Großvater zu, wie der über die Wiese eilte, so schnell ihn seine Beine tragen wollten. Teddy folgte ihm langsam. Lexie saß auf einer Bank in der Nähe.

»Die Unterhaltung von Ben und dir war nicht die leiseste,

die ihr je geführt habt. Entschuldige, ich wollte euch nicht belauschen, aber ich war sozusagen direkt dort.«

»Ich will nicht, dass unsere Streitigkeiten den Tag heute versauen. Ich werde versuchen, die Dinge später im Haus wieder geradezubiegen«, sagte Teddy bedrückt. »Er weiß, dass irgendwas komisch ist mit mir und Shak, aber ich konnte ihm die Wahrheit nicht sagen.«

»Schau dir deinen Großvater an, Teddy«, riet sie ihm. »Er ist achtzig Jahre alt, und er hat sich nicht nur geoutet, sondern will sich auch noch oben auf ein winziges Flugzeug stellen.«

»Komm zum Punkt, Lex, bitte.«

»Sei mutiger!«, rief sie. »Ich glaube, tief in dir weißt du, warum du so fixiert bist auf Shakeel. Du musst dir selber eingestehen, was du empfindest, und dann musst du etwas deswegen unternehmen.«

Ehe Teddy etwas erwidern konnte, sprang Lexie von der Bank auf. »Wo wir gerade von Mut sprechen … deine Mum kommt direkt auf uns zu«, ergänzte sie leise.

Teddys Herz machte einen Aussetzer, als er aufsah und seine Mutter entdeckte, die übers Feld schritt.

»Hallo, Mrs. Marsh, nett Sie zu sehen.«

»Hallo, Lexie, wie läuft's bei der Arbeit?«

»Stressig, aber der Job gefällt mir sehr. Ich lasse euch beide mal allein, damit ihr …«

Teddy sah Lexie nach, die über den Platz hüpfte und sich im Zuschauerbereich zu der Gruppe der Wartenden gesellte.

»Hallo«, sagte Elizabeth und setzte sich neben ihn. »Das ist alles ein bisschen verrückt, oder?«

»Ja. Ich kann gar nicht glauben, dass es endlich passiert, nach der wochenlangen Planung.«

»Du hast ganz tolle Arbeit geleistet, Edward. Du solltest sehr stolz darauf sein, dass du deinem Großvater geholfen hast, so viel Geld zu sammeln.«

»Danke, Mum«, sagte er und starrte auf den Flugplatz hinaus. »Es hat aber auch eine Menge Spaß gemacht.«

»Das ist gut. Es ist still gewesen im Haus ohne dich.«

»Ich bin mir sicher, dass es das nicht war. Ich bin davon ausgegangen, dass du den Hochzeitsplaner inzwischen schon in meinem Zimmer einquartiert hast.«

Elizabeth wollte streng die Stirn runzeln, musste dann aber lächeln.

»Wie laufen die Vorbereitungen?«

Die Augen seiner Mutter begannen zu leuchten, als sie über die Hochzeit zu sprechen begann. Bis dahin waren es jetzt nur noch drei Monate.

»Warte nur ab, bis du die Location siehst, Teddy. Das Anwesen ist so wunderschön«, schwärmte sie. »Egal, ich will, dass du weißt: Dein Zimmer ist immer noch da, wann immer du willst. Deine Schwestern hätten dich auch liebend gern wieder zu Hause. Wir vermissen dich alle so sehr.«

»Danke, Mum«, erwiderte Teddy. »Das wäre schön. Es kann aber sein, dass ich noch ein paar Nächte brauche, um einige Dinge zu klären.«

»Okay, das ist in Ordnung. Falls es irgendetwas gibt, das ich tun kann: Du weißt, dass du mich um Hilfe bitten kannst, oder?«

Lächelnd erwiderte sie sein Nicken. Diese Bestätigung, dass er sich an sie wenden würde, war alles, was sie wollte.

»Vielen Dank, dass du das heute für Grandad getan hast«, sagte Teddy. »Das hat ihm alles bedeutet, und es bedeutet mir auch viel. Dadurch, dass du heute hier bist, hat sich der Tag für ihn gelohnt.«

»Und was ist mit dir?«

»Es ist ein guter Anfang, Mum. Ich bin froh, dass du hier bist.«

Teddy musste einfach lächeln, als seine Mutter den Arm ausstreckte und seine Hand in ihre nahm. In ihren Augen standen Tränen, trotzdem lächelte sie ihn an.

»Es tut mir leid, dass ich dich geohrfeigt habe, Teddy. Es hat mich selbst angewidert, wie ich mit dem umgegangen bin, was du mir erzählt hast. Du hast mich gebraucht, und ich habe dich im Stich gelassen, weil ich wütend und verängstigt war, obwohl ich kein Recht dazu hatte.«

»Das verstehe ich, Mum. Ich weiß, dass du eine Menge zu verarbeiten hattest, aber dass ich schwul bin ...«

»Dass du schwul bist, ist kein Problem. Ich liebe dich, so wie du bist. Du wirst immer mein Sohn sein. Nach dem Tod deines Vaters haben wir uns voneinander entfernt, und das alles hat mich nur daran erinnert, dass du geglaubt hattest, du könntest nicht mit mir reden. Ich habe dich im Stich gelassen, habe als Mutter versagt.«

Die Tränen in ihren Augen nahmen schließlich überhand und liefen ihr über die Wangen.

»Das hast du nicht«, sagte Teddy. »Das darfst du bitte nie denken, Mum. Nachdem Dad gestorben ist, wusste ich sehr lange nicht, wer ich bin. Wie hätte ich weitermachen sollen, ohne einen so großen Teil meines Lebens? Ich habe alles aufgegeben, doch du hast mich immer weiter angetrieben. Nur deshalb bin ich heute hier.«

»Aber du hättest die Möglichkeit sehen sollen, mit mir darüber zu reden. Was wäre gewesen, wenn du so geendet hättest wie die arme Sophie? Wie hätte ich dann noch mit mir selbst leben können? Deborah auf der Beerdigung zu sehen. Und wenn das ich gewesen wäre?«

»Warte«, sagte Teddy. »Auf der Beerdigung? Du warst dort?«

Elizabeth nickte. »Ich wollte niemandem im Weg stehen, also bin ich allein hingegangen.«

»Du bist hinten gesessen, oder? Ich wusste, dass ich dich an dem Tag gesehen habe.«

»Sogar dann hattest du Angst, es mir zu erzählen. Hast befürchtet, dass ich dich nicht lieben würde, so wie du bist.«

»Ich habe mir selbst eingeredet, dass ich es dir nicht sagen kann. Das war nichts, was du getan hast, Mum. Dann, nachdem Grandad …«

»Ich habe es so vermasselt, als ihr beide meine Unterstützung gebraucht habt«, sagte sie und tupfte sich behutsam die Augen mit dem Taschentuch trocken, das sie aus ihrer Handtasche geholt hatte.

»Vergiss das alles. Jetzt bist du hier, das ist das Wichtigste.«

Sie sahen sich beide um, als von der Menschengruppe ein leises Jubelgeschrei zu hören war, weil Arthur in seinem Fliegeranzug aus dem Gebäude getreten war.

»Komm, lass uns jetzt Grandad zusehen«, bat Teddy und drückte ihr noch einmal beruhigend die Hand. »Onkel Patrick hat einen Zehner darauf gesetzt, dass er ein Nickerchen machen wird, wenn er da oben ist.«

Kapitel siebenunddreißig

Arthur

Arthur wurde auf der oberen Tragfläche der Boeing Stearman festgebunden. Er hob den Arm und winkte der Zuschauermenge zu. Zwar konnte er nicht alle erkennen, aber er sah Madeleine ganz vorne mit Elizabeth. Sie winkten ihm beide begeistert zu. Schon allein das Wissen, dass sie zusammen waren, brachte sein Herz vor Freude fast zum Bersten. Die Sonne war endlich durch die Wolken gedrungen und schien jetzt mit aller Kraft auf ihre ländliche Umgebung hinunter. Er hatte ihren Namen nicht aufschnappen können, doch die Frau, die seine Schutzausrüstung überprüft hatte, hatte ihm erklärt, dass die Bedingungen ideal waren. Er atmete tief ein, als die Maschine röhrend ansprang.

Der Wind blies ihm immer stärker ins Gesicht, während sie über den Flugplatz rollten. Als er schließlich spürte, wie das kleine Flugzeug vom Boden abhob, schoss das Adrenalin durch seinen gesamten Körper. Vollkommen den Elementen ausgesetzt, fühlte er das Stechen der kalten Luft auf seinem Gesicht. Der Blick in den Himmel und über die Felder, die wie eine Patchworkdecke unter ihm ausgebreitet lagen, war das aber wert. Er flog! Das war mit nichts vergleichbar, was er je erlebt hatte. Arthur schaffte es gerade so, seine Arme zu heben, um allen zuzuwinken, als das Flugzeug nahe am Zuschauerplatz etwas niedriger flog.

»Ich fliege!«, schrie er mit pochendem Herzen zum leuchtend blauen Himmel hinauf. Arthur spürte, wie sein Körper herumrutschte, als der Pilot sie wieder nach oben mitnahm und beschleunigte, bevor er hoch in der Luft ein paar Kreise und Kurven beschrieb. Bevor Arthur es begriff, begannen sie wieder abzusinken, setzten auf dem Boden auf und blieben dort stehen, wo sie gestartet waren.

»Vorsichtig jetzt, Sie werden ein wenig wackelig sein«, sagte die Frau zu ihm, während sie ihn an der Hand nahm, um ihm herunterzuhelfen. Sobald er wieder mit beiden Beinen fest auf der Erde stand, sah er noch einmal an dem gelben Flugzeug hoch und strahlte übers ganze Gesicht. Er hatte es getan. Er reckte die Faust in die Luft und stieß einen Freudenschrei aus. Noch mehr Jubelschreie füllten die Luft, als er auf seine Familie und seine Freunde zuging.

Zu Hause warteten schon alle auf sie. Arthur wusste, dass Madeleine mit Absicht langsam gefahren war, damit alle vor ihnen ankommen konnten, trotzdem war er immer noch aufgekratzt. Er hatte während der ganzen Rückfahrt unablässig geredet und seiner Tochter jede Sekunde des Erlebten detailliert beschrieben. Falls sie sich dabei irgendwann gelangweilt hatte, so hatte sie es ihm nicht gezeigt.

»Glaubst du, du wirst so etwas jemals wieder tun wollen, Dad?«

»Einmal ist schon mehr als genug«, lachte er. »Damit kann ich das auf meiner Bucket List abhaken.«

»Du hast eine Bucket List? Was steht denn da noch drauf?«

»Oh, nur ein paar alberne Sachen«, sagte Arthur und bereute seine Wortwahl. Darüber wollte er jetzt nicht nachdenken. Er sah zu dem klaren, blauen Himmel über ihnen auf. Nein, heute war ein Tag zum Feiern. Er würde jeden einzelnen Moment genießen, den er hatte.

Arthur ging als Erster ins Haus und tat beim Betreten der Küche überrascht, als ein Jubelschrei erklang. Beim Anblick der lächelnden Gesichter um sich herum strahlte er vor Stolz.

»Wir sind so stolz auf dich, Grandad!«, rief Eleanor und warf beide Arme um ihn. »Ich dachte schon, ich muss mich übergeben, als das Flugzeug auf den Boden zugeschwankt ist!«

»Du hast so klein ausgesehen, dort oben. Wie ein Punkt am Himmel«, sagte Scarlett und hielt Zeigefinger und Daumen nur wenig voneinander entfernt, um zu unterstreichen, wie winzig sie meinte.

»Ich bin mir auch winzig vorgekommen. Mein ganzer Körper … es war, als würde ich schweben. Ich habe mich total schwerelos gefühlt.«

»Das klingt fantastisch.« Scarletts Augen leuchteten. »Pass auf, Arthur, sonst überzeugst du mich noch, dass ich dir das nachmache!«

Als er etwas Ruhe hatte, zog Arthur Teddy gleich beiseite.

»Ich wollte dir nur danken, Teddy«, erklärte er, während er sich in einer Ecke der Küche auf einen Hocker setzte. »Für das alles. Ohne deine Hilfe und deine Unterstützung hätte ich das nicht tun können. Du hast mich daran erinnert zu leben. Ich muss nicht so sein wie andere Leute in meinem Alter, ich kann immer noch tolle Dinge erleben und vielfältige Erfahrungen machen.«

»Du könntest nie so sein wie andere Achtzigjährige,

Grandad«, stellte Teddy fest. »Du bist derjenige, der uns alle inspiriert.«

»Ich bin so stolz, was für ein junger Mann du geworden bist, Teddy. Ich will nur, dass du das weißt.«

Arthur kam auf dem Hocker ins Schwanken, als Teddy ihn ohne ein Wort in beide Arme schloss und fest umarmte.

Eric und Claudette Brown kamen an diesem Abend noch vorbei, um Arthur zu gratulieren.

»Es tut mir so leid, dass wir nicht hinkommen konnten, aber wir haben einige Filme im Internet gesehen«, erklärte Claudette. »Euch muss das Herz bis zum Hals geschlagen haben, als ihr ihn dort oben gesehen habt!«

»Ich werde jetzt nicht behaupten, ich hätte dich beneidet, Arthur, aber das sah schon wie ein unglaubliches Erlebnis aus. Du hast schon etwas Besonderes, Arthur Edwards«, sagte Eric und schlug Arthur auf die Schulter.

»Wir können dir wirklich gar nicht genug danken, dass du das zum Andenken für Sophie machst. Dieses ganze gespendete Geld, wir können dir nicht einmal ansatzweise sagen, was es uns allen bedeutet, dass du das getan hast«, fügte Claudette hinzu, der die Tränen in die Augen stiegen. »Besonders nachdem wir, nun, nachdem wir uns dir gegenüber so verhalten haben.«

»Das gehört alles der Vergangenheit an«, stellte Arthur beharrlich fest und streckte den Arm aus, um Eric die Hand zu schütteln.

»Diese Stadt hat ein verdammtes Glück, dass sie dich hat«, sagte Eric. »Und dich auch, Madeleine. Wie ich gehört habe, werden wir vielleicht immer noch eine Notaufnahme haben dank dir.«

»Ich habe Eric auf dem Weg hierher gerade erzählt, dass dieser Abgeordnete endlich seinen Teil dazu beigetragen hat, die Station zu retten«, erklärte Claudette. »Du musst wirklich erschöpft sein von den Verhandlungen mit diesen Leuten, Madeleine.«

»Das war schon ein ganz schönes Bohei, aber Mr. Mitchell hat gesagt, er würde sich diese Woche noch melden, also können wir uns danach vielleicht endlich zurückziehen!«

Sie blieben nicht besonders lang, aber Arthur freute sich darüber, dass sie sich überhaupt die Mühe gemacht hatten, vorbeizukommen. Sie zeigten sich beide noch wenig in der Stadt, wie Madeleine ihm erzählt hatte, und Claudette war vom Vorstand einer lokalen Wohltätigkeitsorganisation zurückgetreten.

»Die Armen, Trauer ist etwas Fürchterliches«, sagte Madeleine. »Erinnere mich daran, dass ich diese Woche mal bei ihnen vorbeischaue, Arthur. Ich werde etwas backen und ihnen ein paar Sachen bringen.«

Teddy stürzte mit dem Laptop in der Hand herein.

»Schau«, rief er aus und zeigte Arthur eine Internetseite. »Ich habe meine Story gerade erst fertig geschrieben, und sie steht schon online! Sie haben Bilder eingebaut und auch das bisschen Filmmaterial, das ich ihnen geschickt habe«, sagte er und stellte den Laptop ab, sodass Arthur den Text lesen konnte.

»Der tollkühne Großvater? Nennst du mich jetzt so?« Er lachte.

»Dafür kann ich keine Verantwortung übernehmen, das war Dylan. Trotzdem können nicht gerade viele von sich erzählen, dass ihr achtzigjähriger Großvater auf einem Flugzeug stehend durch die Luft geflogen ist!«

»Er wird unerträglich werden.« Madeleine lachte und verdrehte spielerisch die Augen, als Arthur bei einem weiteren Bild von sich selbst verweilte. »Das ist aber ein fantastisches Bild, wer hat das gemacht?«

»Ich!«, sagte Shakeel und schob sich näher heran, damit er auf den Bildschirm sehen konnte. »Wow, ich hätte nicht gedacht, dass sie es verwenden würden.«

»Denkst du, wir könnten vielleicht einen Abzug davon bekommen, Shakeel?«

»Sicher, Mr. Edwards«, entgegnete er. »Ich kläre das für Sie, sobald ich kann.«

Arthur sah mit zusammengekniffenen Augen auf den Bildschirm. Eine Überschrift weiter unten war ihm aufgefallen.

»Teddy, was ist das? Da kommt mein Name vor.«

»Das ist wahrscheinlich nur ein Pop-up-Fenster mit einer Werbeanzeige, Grandad. Lass mich mal sehen.«

Teddy drehte den Laptop zu sich, um nachzusehen. Ohne ein weiteres Wort klappte er ihn zu und hob ihn vom Tisch.

»Ja, das ist das mit dem Internet«, erklärte er. »Pop-up-Fenster von Werbeanzeigen.«

»Fürchterlich, die wissen viel zu viel über uns.«

»Ich bin erstaunt, dass noch keine Paparazzi vor dem Haus campieren.« Oscar lachte und tat, als würde er mit einer unsichtbaren Kamera Fotos von ihnen schießen.

»Nur wenn du ihnen einen Hinweis gegeben hast.«

Madeleine tauchte mit einem großen Biskuitkuchen auf, der mit brennenden Kerzen in Form einer Acht verziert war. Arthur konnte ein Stöhnen nicht unterdrücken. Das war der Teil, den er schon immer am meisten gehasst hatte. Trotzdem stand er auf, als sie jetzt die Gruppe zu einer lauten Darbietung von »Happy Birthday« animierte. Er hatte einen Kloß im Hals beim Blick auf all die lächelnden, singenden Gesichter ringsum. Jedes davon war voller Freude über den Moment mit ihm gemeinsam. Madeleine stellte den Kuchen auf dem Tisch ab.

»Hipp, hipp, hurra!«

»Hipp, hipp, hurra!«

»Hipp, hipp, hurra!«

»Ich danke euch allen, ich weiß wirklich nicht, womit ich es verdient habe, euch alle hier um mich zu haben. Das ist ein Geburtstag, den ich nie vergessen werde.«

Arthur legte beide Arme um Madeleine. »Ich danke *dir* für alles.«

»Unsinn«, widersprach sie. »Niemand verdient das hier mehr als du, Arthur.«

»Wohin ist Teddy verschwunden? Hat er den Kuchen verpasst?«

»Das muss er wohl, er ist mit dem Laptop rausgegangen«, erklärte Oscar. »Ich habe Ben vor ein paar Minuten kommen sehen, also sollten wir sie nicht stören, wenn du weißt, was ich meine.«

»Kein Wein mehr für Oscar«, sagte Lexie, schnappte sich die Flasche vom Tisch und tat so, als wollte sie sie vor ihm verstecken.

Beim Aufwachen am nächsten Morgen konnte Arthur sich gar nicht mehr daran erinnern, wie er ins Bett geklettert war. Er rieb sich die Augen und setzte sich auf. Der vergangene Tag kam ihm vor wie unter einem Nebel verborgen. Es dauerte ein paar Sekunden, dann holte ihn die Erinnerung an das Fliegen wieder ein. Mit einem Grinsen im Gesicht starrte er zur Decke hoch. Die Vorstellung, das Ganze noch einmal zu machen, kam ihm jetzt gar nicht mehr so dumm vor. Vielleicht sollte er das aber nicht erwähnen, zumindest nicht heute.

Er führte seine übliche Morgenroutine durch: putzte sich gründlich die Zähne und kippte sich dann eiskaltes Wasser ins Gesicht. Dann sah er in den Spiegel und trug vorsichtig die teure Feuchtigkeitscreme, die Madeleine ihm als Weihnachtsgeschenk gekauft hatte, unter den Augen auf. Er fühlte sich schon frischer, als er nun noch in seine Cordhose schlüpfte, das Hemd zuknöpfte und zuletzt seinen geliebten Pullover mit dem Rundhalsausschnitt überzog. Dass er achtzig war, bedeutete noch lange nicht, dass sich alles ändern musste.

Er kam gerade unten an der Treppe an, als der Zeitungsjunge die aktuelle Ausgabe von *The Post* durch den Briefschlitz steckte. Er hörte das Geräusch der Fahrradreifen des Jungen auf dem Kies, während er sich hinunterbeugte, um die Zeitung aufzuheben. Was er dann sah, ließ ihn sofort erstarren.

Völlig reglos starrte Arthur auf die Titelseite. Seine eigenen Augen blickten ihm entgegen. Langsam ging er ins Wohnzimmer, setzte sich hin und atmete so tief ein, wie es ihm seine Lunge erlaubte. Alles in ihm wand sich, als er die Zeitung wieder anhob.

Exklusiv: Die geheime Liebesgeschichte des tollkühnen schwulen Großvaters
Von Benjamin King

Arthur Edwards *ist Millionen von Menschen bekannt als der tollkühne Großvater, der fünfstellige Summen für wohltätige Zwecke sammelt. Heute enthüllt* The Post *den geheimen Liebeskummer des Rentners aus Northbridge, den er seit mehr als fünfzig Jahren vor seiner Familie und seinen Freunden verborgen hat. Die ganze Geschichte finden Sie auf den Seiten 8 und 9.*

Jedes Wort, das er las, fühlte sich wie ein neuer Schlag in den Magen an. Dort stand alles, schwarz auf weiß. Jedes noch so kleine Detail, von seiner ersten Begegnung mit Jack Johnson bis zu dem Tag, als sein Vater ihn unter Androhung des Todes aus der Stadt gejagt hatte. Arthur wusste nicht, wann er zu weinen begonnen hatte. Erst als die Tränen von seinen Augen auf das Papier hinunterfielen, bemerkte er es. Er sah sich die Bilder auf den Seiten an.

Arthur und Madeleine mit ihren Kindern.

Arthur und Teddy.

Arthur auf der Tragfläche des Flugzeugs.

Und schließlich: ein Foto von Jack Johnson.

Als sein Blick auf das Bild von Jack fiel, drehte sich ihm der Magen um. Es handelte sich um das Foto, das er Arthur in diesem letzten Brief gesandt hatte. Um das Foto, das er mehr als fünfzig Jahre in Ehren gehalten hatte: Jetzt war es dort für alle zu sehen. Er konnte kein Wort mehr davon lesen. Er warf die Zeitung beiseite und eilte aus dem Zimmer.

Die frische Luft war genau das, was er jetzt brauchte. Als er auf der Bank unter dem Küchenfenster saß, verlor er jegliches Zeitgefühl. Ohne wahrzunehmen, was um ihn herum vorging, starrte er in den Garten hinaus. Er wollte jetzt nicht nachdenken. Nachzudenken hätte bedeutet anzuerkennen, dass irgendetwas von all dem wahr war, dass es sich nicht um einen Albtraum handelte, aus dem er jede Minute erwachen würde. Nachzudenken hätte bedeutet zu wissen, dass Elizabeth und Patrick von den Handlungen ihres eigenen Großvaters lesen und wissen würden, dass ihr Vater einen Menschen aus ganzem Herzen geliebt hatte, noch vor Madeleine. Es gab nichts, das er tun konnte, außer den Tränen freien Lauf zu lassen.

Kapitel achtunddreißig

Teddy

Teddy hatte sich mit seinem Laptop unter dem Arm von den anderen unbemerkt aus dem Raum geschlichen. Seine Hände zitterten und sein Herz raste, als er immer zwei Stufen auf einmal nehmend die Treppe hochrannte. Er erreichte sein Schlafzimmer, schloss die Tür hinter sich und warf den Laptop aufs Bett. Vielleicht hatte er falsch gelesen. Vielleicht war es nicht das, was er dachte, das es war. Er klappte den Laptop auf und wartete, bis die Seite wieder auf dem Bildschirm auftauchte. Ihm zog sich der Magen zusammen, als er die Zusammenfassung las, bevor er auf die Überschrift in Großbuchstaben klickte. Ein Bild von dem lächelnden Gesicht seines Großvaters füllte die Seite. Seine blitzenden Augen blickten ihn an.

Teddy riss die Augen auf, als er Bens Namen unter dem Bild las. Natürlich. Es konnte nur er gewesen sein.

Klopf. Klopf.

»Teddy? Bist du da?«

Ben kam ins Zimmer, sein Gesicht hellte sich auf, als er denjenigen sah, den er gesucht hatte.

»Ich habe dich gesucht! Schau, ich weiß, wir hatten keine Möglichkeit, uns auszusprechen. Doch heute geht es um deinen Großvater, also können wir die Sache begraben?«, fragte Ben. Als Teddy nicht antwortete, runzelte er die Stirn. »Warum versteckst du dich hier oben? Was habe ich nicht mitbekommen?«

»Nichts, Ben. Offensichtlich gibt es nichts, das du nicht mitbekommen hast.«

»Was soll das heißen?« Ben setzte sich auf die Bettkante und starrte ihn an. »Im Ernst, Teddy, was ist los?«

»Hör auf mit der Heuchelei, *Benjamin.* Warum fangen wir nicht beim Anfang an, zum Beispiel bei dem Moment, in dem du beschlossen hast, eine Geschichte über das Privatleben meines Großvaters zu schreiben, nachdem ich dir gesagt hatte, du sollst es lassen?«

Ben verspannte sich am ganzen Körper. »Okay, Teddy, lass mich das erklären«, sagte er vorsichtig. »Ich weiß, dass das übel aussieht.« Er versuchte, nach vorne zu greifen, um den Laptop zu schließen, doch Teddy zog ihn schnell von ihm weg.

»Wow, das weißt du?« Teddys Stimme zitterte, während er sich bemühte sich zusammenzureißen.

»Ich hatte Panik. Ich brauchte irgendetwas. Du verstehst das ...«

»Du sitzt in seinem Haus und versuchst noch, das zu rechtfertigen? Hörst du dir eigentlich selbst zu?«

»Ich suche keine Entschuldigungen. Ich weiß, was ich getan habe, aber das hätte jeder an meiner Stelle auch getan, wenn er diesen Job so sehr gewollt hätte wie ich.« Er streckte seine Hände vor Teddy aus, als wollte er ihn anflehen, ihn zu verstehen. »Hör mal, Teddy. Das ist eine fantastische Geschichte. Genau das ist es, was wir tun. Du hattest diese Geschichte genau vor deiner Nase, und du wolltest sie noch nicht mal in Betracht ziehen.«

Ben stand vom Bett auf und wollte Teddys Hand in seine nehmen.

»Fass mich nicht an«, warnte Teddy und scheuchte Ben fort. »Wie kannst du es wagen, so beiläufig darüber zu reden, dass du den Schmerz meines Großvaters als eine Überschrift genutzt hast, um dir damit einen Namen zu machen? Ging es bei alldem nur darum, mich auszustechen? Ist das alles, was du wolltest? Ich wusste, dass du den Job willst, aber ich habe nicht begriffen, dass das bedeutet, uns alle fertigzumachen.«

»Und was nun?«, fragte Ben leise mit Tränen in den Augen.

»Ich werde versuchen, das von der Webseite herunterzubekommen.«

»Es kommt in der gedruckten Ausgabe, Teddy.«

»Was? Woher weißt du das?«

»Einer von den Jungs hat mir geschrieben, um es mir mitzuteilen. Es ist ... es ist auf der Titelseite.«

Teddy zitterte am ganzen Körper.

»Du musst gehen«, sagte er so ruhig er konnte. »Verlass sofort dieses Haus.«

»Bitte, lass uns reden. Ich werde mit Arthur sprechen, versprochen. Ich werde ihm alles erklären.«

»Nein, das wirst du nicht. Du wirst meinen Großvater nie wieder sehen. Er hat dir vertraut. Ich hätte dich niemals in irgendetwas von all dem einweihen dürfen. Ich habe dich *gebeten*, es sein zu lassen, als du ständig wieder mit Jack angefangen hast. Ist es das, worum es dir die ganze Zeit ging? Bist du deshalb mit mir zusammen? Hast du nur versucht, deinen großen Knaller für die Titelseite zu kriegen?«

»Ich habe einfach nur gewusst, dass es eine fantastische Story ist!«, protestierte Ben. »Und ich habe es auch für Arthur getan. Wäre es nicht wunderbar, wenn wir Jack für ihn finden könnten?«

»Hörst du dir jetzt gerade eigentlich selbst zu, Ben?«
Teddy starrte ihn finster an. »Er hat dich quasi angefleht,
dich nicht einzumischen. Er hat dir erzählt, dass er nichts
wissen will, nicht nur seinetwegen, sondern auch für Jack.
Falls er überhaupt noch lebt. Hast du dir überlegt, was es
für Grandad bedeuten würde, wenn er herausfinden muss,
dass Jack tot ist? Nein, natürlich nicht, denn es ist ja nur
eine *Story* für dich. Nur ein Job.«

Aus Bens Gesicht war alle Farbe gewichen. Wieder tau-
melte er vor, um Teddys Hand zu packen.

»Ich sage es nicht noch einmal«, erklärte Teddy und
sprang vom Bett auf. »Ich will, dass du jetzt, ohne irgendeinen Wirbel zu machen, dieses Haus verlässt. Verabschiede
dich von niemandem, geh einfach. Lass Grandad seinen Geburtstag genießen, und ich werde morgen die Scherben auf-
sammeln, die du hinterlassen hast.«

»Gut, ich werde gehen. Versprich mir nur, dass du mir
zuhören wirst und dass ich dir alles erklären kann, wenn
du dich beruhigt hast.«

Ben stand langsam auf und ging durch das Zimmer.
Er öffnete die Tür und trat in den Flur hinaus. Teddy
konnte hören, dass unten laut »Happy Birthday« gesun-
gen wurde.

»Toll, das habe ich jetzt verpasst«, sagte Teddy zornig.
»Gibt es noch irgendetwas, das du mir gerne vermasseln
möchtest, solange du hier bist?«

Ben senkte den Kopf und ging leise die Stufen hinunter,
nur einmal blieb er stehen, um einen letzten Blick auf Teddy
zu werfen, bevor er hinausging und die Haustür behutsam
hinter sich zuzog.

Unten hatten alle ihren Spaß. Teddy überlegte sich, ob
er gleich ins Bett gehen sollte, aber er wusste, dass seine

Abwesenheit nur Aufmerksamkeit erregen würde. Er war verpflichtet zuzuschauen, wie Arthur seine Feier genoss.

Es war ein Uhr morgens, als er schließlich in sein Zimmer zurückkehrte. Nachdem seine Großeltern zu Bett gegangen waren, hatte er noch versucht, so viel wie möglich von dem Chaos zu beseitigen. Der Rest konnte bis zum Morgen warten. Beim Spülen des Geschirrs hatte er genug Zeit gehabt, sich einen Plan zurechtzulegen. Es würde zwar unmöglich zu verhindern sein, dass sein Großvater die Zeitung sah, doch er konnte zumindest das Exemplar, das morgens ins Haus geliefert würde, vor ihm abfangen. Das würde ihm ein bisschen Zeit verschaffen, um sich zu ihm zu setzen und ihm die Sache zu erklären. Bei dem Gedanken, Arthur mitzuteilen, dass die Person, die er in sein Haus eingeladen hatte, so einen fürchterlichen Verrat begangen hatte, spürte er einen dicken Kloß im Hals.

Gegen drei Uhr morgens hatte Teddy die Hoffnung auf Schlaf aufgegeben. Er wälzte sich im Bett von einer Seite zur anderen und ging im Kopf immer wieder sein Gespräch mit Ben durch. Seine Augen taten ihm weh vor Müdigkeit, aber es schien unmöglich, mit dieser Wut im Bauch zu schlafen.

Sonnenlicht fiel durch den Spalt zwischen den hastig zugezogenen Vorhängen herein. Irgendwie war er schließlich doch eingenickt. Sein Körper schmerzte. Er suchte nach seinem Smartphone, das in seinem Bett nach unten gewandert war und jetzt unter dem Kissen lag. Es war acht Uhr dreißig. Mit sinkendem Mut kletterte er aus dem Bett. Der Zeitungslieferant würde in der Zwischenzeit schon da gewesen sein.

Die Schlafzimmertür seines Großvaters weiter hinten im Flur stand offen, und sein Bett war genauso perfekt gemacht wie jeden Morgen. Er blieb vor der Tür zum Schlaf-zimmer seiner Großmutter stehen und lugte durch den Spalt. Sie schlief immer noch. Teddy wusste, dass es noch eine Weile dauern würde, bis sie aufstand, da er gesehen hatte, wie sie gemeinsam mit seiner Mutter bei der Feier mehrere Flaschen Wein geleert hatte. Er hetzte die Stufen bis ganz nach unten: Die Zeitung lag nicht auf dem Fuß-boden. Vielleicht hatte Arthur sie aufgehoben, sie sich aber noch nicht angesehen. Er hatte vielleicht noch eine Chance. Ihm schmerzte bereits der Kopf.

»Grandad? Grandad, wo bist du?«

Nur das Knacksen der Heizungsrohre im ganzen Haus antwortete ihm. Er überprüfte jeden Raum im Erdgeschoss, bevor er sich auf die Hintertür zubewegte. Sie war unver-schlossen. Er öffnete sie und atmete endlich erleichtert auf. Arthur saß auf der Bank und starrte in den Garten hinaus.

»Da bist du, Grandad. Alles in Ordnung bei dir?«

»Morgen, Teddy. Hast du gut geschlafen?«

»Nein, aber jetzt muss ich erst etwas erledigen, und dann muss ich mit dir reden.«

»Die Zeitung ist schon gekommen, Teddy.«

Teddy spürte, wie ihm das Blut aus dem Gesicht wich. Es war, als hätte jemand für alles um sie herum auf die Pau-setaste gedrückt.

»Du hast sie? Wo ist sie?«

»Sie liegt im Wohnzimmer. Ich habe so viel gelesen, wie ich konnte.« Arthur drehte sich zu ihm, um ihn anzusehen. Seine sonst so leuchtenden Augen waren jetzt mit Traurig-keit gefüllt. Teddy schmerzte die Brust, als er in sie blickte.

»Grandad, es tut mir so leid. Ich kann gar nicht fassen, dass er das getan hat. Aber mach dir keine Sorgen, er ist fort, und er wird nicht wiederkommen.«

Mit gerunzelter Stirn schüttelte Arthur den Kopf.

»Wer? Wer wird nicht wiederkommen, Teddy?«

»Ben. Er hat die Story geschrieben. Er war das alles.«

Schweigend saßen sie nebeneinander und hielten sich an der Hand. Nur das Zwitschern der Vögel, die sich ihr Frühstück im feuchten Gras suchten, drohte die Stille zu unterbrechen.

»Ich wollte deine Feier gestern Abend nicht ruinieren, als ich es herausgefunden habe«, erklärte Teddy schließlich. »Ich hab gedacht, ich hätte vielleicht genug Zeit, damit ich versuchen kann, es runterzukriegen, aber dann … nun ja, ich hab gewusst, dass ich es nicht für immer verstecken kann. Ich dachte, ich könnte die Zeitung vielleicht als Erster in die Hände bekommen, mir ein bisschen Zeit verschaffen, um dich vorzubereiten. Es tut mir so leid, das ist alles meine Schuld. Ich habe ihm zuerst von Jack erzählt. Ich hatte gehofft, wir könnten für dich mehr über Jacks Leben herausfinden.«

Das schlechte Gewissen hatte ihn schon von dem Moment an geplagt, in dem er die Überschrift gesehen hatte. Er hatte Ben auf diese Fährte gestoßen. Es spielte keine Rolle, wie wütend er auf ihn war: Er selbst war derjenige, der das Vertrauen seines Großvaters zuerst missbraucht hatte.

»Du musst dich nicht entschuldigen, Teddy. Ich habe ihm meine Geschichte ja auch erzählt. Es ist alles drin, er hat immerhin nichts davon erfunden.«

»Das ist egal, Grandad. Du hast ihn darum gebeten, nicht nachzuforschen. Ich hab ihm ja sogar die Fotos gezeigt. Ich hab das verursacht. Aber ich wusste nichts von der Story. Ich hab ihn gebeten aufzuhören, ich verspreche dir, dass ich das gemacht habe.«

Arthur wedelte mit der Hand in der Luft herum, damit Teddy still war.

»Nein, nein, hör auf. Nichts mehr davon. Jetzt ist es zu spät. Es hat keinen Sinn, sich jetzt total aufzuregen.«

»Grandad, da ist dein Leben voll ausgebreitet über die …«

»Genau, Teddy, mein Leben«, warf Arthur sanft ein. »Dafür schäme ich mich nicht. Habe ich mir je überlegt, anderen davon zu erzählen? Nein. Ist es mir peinlich, dass alle von dem Mann wissen könnten, den ich einmal geliebt habe, der mich glücklich gemacht und mir ein Gefühl der Sicherheit gegeben hat und der mich so zum Lachen gebracht hat wie niemand anderer? Nein. Ich muss jetzt stark sein für deine Großmutter.«

Das schrille Läuten der Türglocke war im ganzen Haus und durch die Hintertür hindurch zu hören.

»Ich schwöre bei Gott, wenn er die Dreistigkeit hat, so bald schon wieder hierherzukommen, dann kann ich nicht für meine Handlungen garantieren«, sagte Teddy.

»Sei nett, Teddy. Denk daran: Fehler sind dazu da, dass wir aus ihnen lernen.«

Teddy stand auf und ging – gefolgt von Arthur, der Mühe hatte, Schritt zu halten – zurück nach drinnen in den Eingangsbereich.

Er schloss die Tür auf und atmete tief durch, bevor er sie aufriss.

»Cora? Entschuldige, aber ist alles in Ordnung?« Er starrte die lächelnde Frau an.

Cora hatte eine Schachtel mit Kaffeebechern auf dem Arm und trug außerdem noch eine Tüte mit Gebäck.

»Ich habe mir überlegt, ich könnte das hier vorbeibringen«, sagte sie und hielt die Becher hoch. »Die Nacht und der Morgen waren ein bisschen lang, und ich wollte nicht mit leeren Händen kommen. Guten Morgen, Arthur.«

Arthur trat vor und stellte sich neben Teddy. Er sah genauso verblüfft aus wie sein Enkelsohn.

»Morgen, Cora. Du machst doch jetzt keinen Lieferservice, oder?«

»Nein, leider nicht, Arthur. Das ist so etwas wie ein Spezialservice, weißt du. Ich habe die Story gestern Abend auf der Website gesehen, und mein armes Herz schlug mir bis zum Hals.«

Cora tanzte beim Sprechen quasi auf der Stelle, mit jedem Wort schien sie aufgeregter zu werden. Teddy dachte schon, sie würde gleich platzen.

»Wir waren von der Sache eher überrumpelt, um ehrlich zu sein«, erklärte Arthur, der sich nicht wirklich sicher war, warum sie die Geschichte interessieren sollte. Abgesehen von ihren Cafébesuchen wusste Teddy nicht, dass seine Großeltern Cora besonders nahestanden.

»Das ging mir genauso. Ich bin sofort ins Auto gesprungen. Mehrere Stunden hin und zurück, aber ich musste es einfach tun, als ich das gestern Abend gesehen habe.«

Nichts von dem, was sie sagte, ergab für Teddy irgendeinen Sinn. Doch dann öffnete sich die Tür auf der Beifahrerseite des Wagens. Ein Mann, der beinahe genauso groß wie Teddy war, stieg aus und kam auf sie zu, um sich dann neben Cora zu stellen. Er sah müde aus, aber in seinen Augen glitzerten eine jugendliche Energie.

»Arthur«, sagte Cora sanft und wandte sich wieder ihnen zu. »Ich nehme an, du kennst meinen Onkel Jack.«

Kapitel neununddreißig

Arthur

Arthur starrte den Mann an, der an seiner Türschwelle stand. Jack sah genauso gut aus wie in seiner Erinnerung. Sein dichtes Silberhaar glänzte im schwachen Sonnenschein.

Cora strahlte übers ganze Gesicht und sah zwischen Jack und Arthur hin und her.

»Grandad? Geht es dir gut?«

Als Teddy ihn stützen wollte, zog er den Arm weg. Er brauchte Teddy nicht als Unterstützung. Er trat vor und aus der Diele hinaus. Jack rührte sich nicht, als Arthur zu ihm ging.

Er war etwas kleiner als Jack: Das war er schon immer gewesen.

Jack sagte nichts, als Arthur sein Gesicht mit beiden Händen umschloss. Sobald seine Handflächen die warmen Wangen von Jack berührten, schlug Arthurs Herz schneller. Seine leicht runzelige Haut war immer noch so weich wie in seiner Erinnerung. Ein Kribbeln lief durch Arthurs ganzen Körper, als er mit den Fingern über die kleine Narbe an Jacks Kinn strich. Ein ganzer Vulkan an Gefühlen, der mehr als fünfzig Jahre geschlafen hatte, konnte jede Sekunde ausbrechen, so fühlte es sich an.

»Du bist alt geworden, Jack Johnson«, flüsterte Arthur.

Jacks Lippen zuckten, bevor sie sich zu dem breiten Lächeln verzogen, das Arthur so gut kannte.

»Ich nenne es stilvoll reifen. Das solltest du auch ausprobieren, Artie Edwards.«

Niemand sonst hatte ihn jemals Artie genannt. Es fühlte sich an, als könnte ihm das Herz aus der Brust springen. Jacks Stimme war gealtert, aber es handelte sich immer noch um die Stimme, die Arthur nie vergessen hatte. Selbst wenn er lange Zeit nicht an ihn gedacht hatte, konnte er diesen rauen, ruhigen Tonfall immer noch genauso hören wie das laute, freudige Lachen, das ihn immer zum Lächeln gebracht hatte, selbst wenn er an einem Tiefpunkt gewesen war. Arthur konnte keine Sekunde mehr warten. Er öffnete die Arme, trat einen letzten Schritt vor und umfasste Jacks Körper. Er spürte, wie Jacks Arme dasselbe taten und ihn zum ersten Mal seit mehr als fünf Jahrzehnten fest drückten.

»Da werde ich etwas Stärkeres brauchen als einen Kaffee«, schluchzte Cora, wobei die heißen Getränke aus den Bechern schwappten, denn sie zitterte am ganzen Körper.

Im Haus bestanden Teddy und Cora darauf, Jack und Arthur im Wohnzimmer allein zu lassen, damit sie sich in Ruhe austauschen konnten.

»Ich gehe nach oben und wecke Nan auf, Grandad«, erklärte Teddy und zog die Tür hinter sich zu.

»Teddy ist mein Enkelsohn. Er ist ein guter Junge, aber recht schnell besorgt«, erläuterte Arthur.

»Das erinnert mich an jemanden, den ich kenne, oder vielleicht sollte ich sagen: den ich gekannt habe«, sagte Jack lächelnd.

Dem konnte Arthur nicht widersprechen. Alles war damals ein Grund zur Sorge gewesen. Jack hatte sich seine Befürchtungen immer angehört und Lösungen gefunden, er hatte ihm Sicherheit gegeben, als er sie am dringendsten gebraucht hatte. Seine Sorgen waren nicht immer unbegründet gewesen. Jack hatte seine eigenen Ängste wegen des Lebens in Northbridge und ihren Geheimnissen gehabt, aber Arthur nie damit belastet. Das war ein Fehler gewesen, über den sie oft diskutiert hatten: eine der wenigen Ursachen für Spannungen zwischen ihnen, als sie versucht hatten, direkt vor den Augen der ihnen nahestehenden Personen ein geheimes Leben zu führen.

»Ich würde gerne von mir behaupten, dass ich spontaner und besser darin geworden bin, mir weniger Sorgen zu machen«, sagte Arthur.

»Ist das der Mann, der vor vierundzwanzig Stunden oben auf einem Flugzeug gestanden hat?«, erwiderte Jack lachend.

»Woher weißt du ... oh, die Zeitung.«

Arthur hatte für einen Moment ganz vergessen, wie es gekommen war, dass Jack auf dem Sofa in seinem Wohnzimmer saß.

»Cora hat mir erzählt, dass du im Fernsehen warst, zu der Zeit war ich aber in Frankreich, also ist es total an mir vorbeigegangen. Ich hoffe, du hast eine Aufnahme für mich, die ich mir anschauen kann.«

»Das war das Erste, worum sich Madeleine gekümmert hat«, erklärte Arthur. »Ich will mich nur bei dir entschuldigen, falls dich der Artikel verärgert hat. Das ist heute Morgen ein kleiner Schock für mich gewesen.«

Jack klatschte in die Hände und schüttelte den Kopf.

»Verärgert?« Er lachte. »Verdammt, ich war überglücklich, als Cora mich angerufen hat. Da warst du, auf allen diesen wunderbaren Bildern. Ich war so froh, einfach nur dein Gesicht zu sehen. Ich konnte es gar nicht fassen, als ich den Text gelesen habe.«

»Das war echt ein Jahr, ich sag es dir.«

»Was ist passiert, Arthur? Ich weiß, dass du nicht einfach eines Morgens aufgewacht bist und beschlossen hast, dich zu outen.«

»Nein, das war schon ein Weg bis dahin, aber am Ende hat sich alles zu einem Bild zusammengefügt.« Arthur richtete sich auf und räusperte sich. Er holte tief Luft, um schließlich zuzugeben, was ihn zu der Entscheidung, sich zu outen, gebracht hatte.

»Das weiß nur Madeleine«, begann er, »aber vor fast drei Jahren ging es mir nicht gut. Ich musste Tag und Nacht ständig auf die Toilette. Ich habe es einfach dem Alter zugeschrieben. Madeleine hat zum Glück darauf bestanden, mich zum Arzt zu schleifen. Natürlich hat sie richtiggelegen. Die Ärzte haben mir mitgeteilt, ich hätte Prostatakrebs.« Erleichterung durchströmte ihn, nachdem er es laut ausgesprochen hatte.

»Arthur, das tut mir so leid.« Jack legte seine linke Hand auf Arthurs rechtes Knie.

»Sie haben ihn frühzeitig und gut erwischt, aber ich wollte keinerlei Wirbel und niemanden beunruhigen.«

»Also hattest du eine Behandlung?«

»Ich kann mich nicht erinnern, wie es jetzt genannt wird, doch es hat seinen Zweck erfüllt.«

»Externe Strahlentherapie?«

»Das war's«, antwortete Arthur mit hochgezogenen Brauen. »Woher hast du das gewusst?«

»Mein Bruder. Erinnerst du dich daran, dass ich dir von meinem älteren Bruder Richard erzählt habe? Sie haben es mit Strahlentherapie versucht, aber der Krebs hat zu schnell gestreut, Gott lasse ihn in Frieden ruhen.«

»Oh, Jack. Es tut mir leid, das zu hören. Diese teuflische Krankheit. Es vergeht kaum eine Woche, in der der Krebs hier nicht irgendjemanden holt.«

»Cora ist Richards Tochter«, erklärte Jack. »Ich lebe jetzt in der Nähe von seiner restlichen Familie. Hinter all den Kleinen herzulaufen, hält mich fit und gesund.«

»Bist du jemals irgendwo sesshaft gewesen?«

Arthur wusste nicht, was ihn dazu veranlasst hatte, so direkt zu fragen. Kaum dass die Worte seinen Mund verlassen hatten, wünschte er sich, der Boden würde sich unter ihm auftun und ihn verschlucken. Er fühlte sich wieder wie der junge Mann, der damals versucht hatte, diesen Neuankömmling auszufragen.

»Das bin ich. Eine reizende Frau, sieben Kinder, kannst du dir das vorstellen?«

Jack konnte den Satz nicht einmal beenden, bevor sein ernster Gesichtsausdruck verblasste und ein breites Grinsen sich von einem Ohr zum anderen ausbreitete. »Nein, Arthur. Ich habe mich nie irgendwo niedergelassen. Ich habe es versucht, aber …« Er zuckte mit den Achseln. »Das Leben hatte andere Pläne mit mir.«

»Erzähl mir davon. Ich will alles von deinen Abenteuern erfahren.«

»Irland war hart, aber ich dachte, es wäre der sicherste Ort, nachdem ich Northbridge verlassen hatte. Ich verbarg immer noch, wer ich war, ich habe mich unauffällig verhalten und bin mit den Sachen klargekommen. Fast fünfzehn Jahre bin ich dageblieben, bin in verschiedenen Counties herumgereist. Ein paar Jahre hab ich oben im Norden in Fermanagh verbracht«, fügte er hinzu. »Zurückgekommen bin ich, als Richard eine Werkstatt aufgemacht und mir Arbeit angeboten hatte. Da wusste er schon, dass ich schwul bin. Ich glaube, mich in seiner Nähe zu behalten, war seine Art, auf mich aufzupassen. Du weißt, wie es damals in den Achtzigern war. Sie wollten nicht, dass ich mich … nun, du weißt schon.«

»Du hast dich aber von den Schwierigkeiten ferngehalten, oder?«

»Erstaunlicherweise, ja. Richard und Catherine haben mich nie verurteilt. Sie haben auch vor ihren Kindern offen darüber geredet, und schwul zu sein war nie ein Problem, es gehörte einfach zu mir. Ich hatte sehr viel Glück, Verwandte zu haben, die mich so akzeptierten, wie ich war, selbst wenn alles um sie herum darauf angelegt war, ihnen Angst zu machen vor Leuten wie mir. Sie haben mir durch die finstere Zeit geholfen.«

»Ich bin so froh, dass du dieses Netz an Unterstützern hattest. Ich habe mir Sorgen um dich da draußen in der Welt gemacht«, erzählte Arthur. »Aber ich kann immer noch nicht glauben, dass Cora deine Nichte ist, die ganze Zeit in derselben Stadt.«

Es hatte all die Jahre eine Verbindung zu Jack gegeben, direkt vor seinen Augen.

»Sie wusste nicht alles«, sagte Jack und nippte an seinem Tee. »Als sie jünger war, habe ich ihr alles über diese lustige kleine Stadt erzählt, die glücklichen Erinnerungen und darüber, wie ich mich verliebt hatte. Ich habe ihr gesagt, dieser Mann wäre vor langer Zeit weggegangen. Da Cora so ist, wie sie ist, war sie neugierig und hat sich in den Ort verliebt. Ein paar Jahre lang ist sie immer wieder zum Urlaub nach Northbridge gefahren. Den Tag, an dem sie mit lauter Ideen für das zum Kauf stehende Gebäude zurückkam, werde ich nie vergessen. Ehe wir uns versahen, hat sie ihre Sachen zusammengepackt und ist hierhergezogen.«

»Warum bist du nie zu Besuch gekommen? Nach all diesen Jahren hättest du doch kommen können?«

Jack schüttelte den Kopf.

»Ich habe dir ein Versprechen gegeben«, sagte er streng. »Du hast mich darum gebeten, dich ziehen zu lassen, damit du die Sachen mit Madeleine ins Laufen bringen kannst. Ich habe dich zu sehr geliebt, um dein Leben aufs Spiel zu setzen, Arthur. Du musstest frei von mir sein.«

»Es tut mir leid«, sagte Arthur mit hängendem Kopf.

»Was tut dir leid? Nichts davon ist deine Schuld.«

»Ich, mein Vater, meine ganze Familie. Nichts von alldem wäre passiert, wenn du keinen von uns getroffen hättest. Diese brutalen Kerle haben dich liegen gelassen, weil sie geglaubt haben, du wärst tot. Wie hätte ich noch leben können, wenn du es nicht von hier fort geschafft hättest?«

Jack stieß einen leisen Pfiff aus.

»Du hast nichts von alldem getan. Dich hierzulassen und nicht zu wissen, ob du in Sicherheit bist und was sie mit dir tun würden, das hat mich beinahe umgebracht. Ich konnte nachts erst wieder schlafen, als ich wusste, dass du Madeleine hast. Du hast das getan, was du tun musstest, um am Leben zu bleiben, und du hast Freude gefunden.«

»Ich wünschte, das hättest du auch.«

»Das habe ich, Arthur. Das habe ich wirklich! Ich hatte Spaß bei der Arbeit, ich bin in Urlaub gefahren, und ich habe meine Familienmitglieder aufwachsen gesehen. Ich bin sehr geliebt worden. Und ich habe andere geliebt, so gut ich konnte.«

»Was meinst du damit?«, erkundigte sich Arthur mit

pochendem Herzen. Er sah Jack zu, wie er sich vorlehnte und die Tasse auf dem Tisch abstellte.

»Keiner war Arthur Edwards«, sagte Jack wehmütig. »Es gab liebevolle Männer, großartige Männer, Männer, die mich zum Lachen und zum Weinen brachten, aber ich habe immer gewusst, dass sie nicht du waren. Ich habe mich in diese Stadt verliebt und mein Herz verloren. Nun, schau dir uns an: Wir haben zwei Leben gelebt und suchen jetzt nach unserem nächsten Abenteuer.«

»Du hörst dich ganz wie jemand an, den ich erst seit Kurzem kenne. Er ist ein echt guter Freund für mich geworden.«

»Oh, wirklich?«

»Ja, du und Oscar, ihr werdet euch bestens verstehen.«

»Du planst bereits, mich deinen Freunden vorzustellen? Bin ich denn eingeladen, hier zu bleiben?«

»Wenn du das möchtest, würde ich mich sehr freuen. Ich bin noch nicht so bald bereit dazu, wieder Abschied zu nehmen.«

Madeleine weinte bereits, als sie ins Wohnzimmer kam. Jack stand auf, als sie sich näherte. Bevor sie nur ein Wort sagte, schlang sie schon beide Arme um ihn.

»Wundere dich nicht über sie, wenn sie einen Drink hatte, ist sie am nächsten Morgen immer gefühlsduselig«, sagte Arthur kichernd.

Sie hatten sich nur ein paarmal getroffen, bevor Jack Northbridge verlassen hatte. Doch während der ersten Jahre ihrer Beziehung mit Arthur hatte Madeleine mehr über den Mann erfahren, der sein Versprechen eingehalten hatte und aus dem Leben ihres frischgebackenen Ehemannes verschwunden war.

»Ich kann gar nicht glauben, dass du tatsächlich hier bist. All das passiert wirklich, und schau dir mich an: Ich stehe im Morgenmantel hier«, sagte sie und hielt sich die Hand vors Gesicht.

»Du siehst genauso strahlend schön aus wie beim ersten Mal, als ich dich gesehen habe, vor über fünfzig Jahren«, erklärte Jack, was Madeleine dazu veranlasste, die Augen zu verdrehen. »Ich habe gehört, du hättest ihn überreden wollen, nach mir zu suchen?«

»Das hat er dir gesagt? Ich dachte, er wäre zu stolz, um zuzugeben, dass er es nicht wollte. Nein, er hat sich geweigert. Er hat gesagt, du hättest dich sicher weiterentwickelt und er wolle dein Leben nicht stören.«

»Stellt euch das vor, und dann komme ich und stehe an einem Sonntagmorgen bei euch vor der Tür.«

Arthur lehnte sich zurück und ließ die beiden weitermachen. Madeleine hatte recht: Es passierte tatsächlich, es passierte direkt vor seiner Nase. Er beobachtete Jack, wie er angeregt redete und mit den Händen gestikulierte, während sein Gelächter den Raum erfüllte.

»Ich habe auch gehört, dass wir all das hier dir und dem jungen Mann hier zu verdanken haben«, sagte Jack, der neben Teddy in der Küche stand. Cora war für ein paar Stunden ins Café gefahren, hatte aber versprochen, am Nachmittag mit noch mehr Gebäck zurückzukommen.

»Ich glaube, das ist nicht mein Verdienst, Mr. Johnson, aber ich bin wirklich froh, dass Sie hier sind«, sagte Teddy. »Mein ... äh, Kollege Ben hat den Artikel ohne unsere Erlaubnis geschrieben und veröffentlicht.«

»Teddy wusste nichts von dem Artikel über uns«, erläuterte Arthur. »Er ist hin- und hergerissen zwischen der Verärgerung, weil es passiert ist, und jetzt vielleicht der Freude darüber, dass der Text veröffentlicht wurde. Kann man das so sagen, Teddy?« Arthur grinste ihn an.

»Das dürfte passen, ja«, räumte Teddy ein. »Ben hat aber trotzdem alles hinter unserem Rücken getan.«

»Dein Großvater war immer ein sehr nachsichtiger Mensch, Teddy, das hätte man sogar als ein Problem bei ihm bezeichnen können. Das ist eine Eigenschaft, die andere Leute – und da muss ich mich selbst miteinschließen – manchmal nur schwer verstehen und akzeptieren können, aber hierin sollten wir alle ihm wirklich nacheifern.«

»Ich habe dir doch gesagt, dass er der Schlaue von uns beiden war, oder?«, fragte Arthur und stupste Teddy am Arm an.

»Schlau zu sein, hat bedeutet, am Leben zu bleiben und glücklich zu sein, Arthur. Du bist der schlauste Mensch, den ich je getroffen habe.«

»Er wird noch vor Eitelkeit platzen, wenn Sie bei uns bleiben, Mr. Johnson.« Teddy lachte.

In Arthur zog sich bei dem bloßen Gedanken daran, wie lange Jack bleiben würde, alles zusammen. Er wollte keinen zeitlichen Rahmen für ihre Wiedervereinigung haben, wollte nicht die Stunden herunterzählen, bis er Jack zum Abschied winken musste. Immerhin würden sie diesmal vielleicht einen richtigen Abschied haben.

»Hast du eine ungefähre Ahnung, wie lange du bleiben könntest?«, fragte er vorsichtig.

»Ich weiß nicht«, entgegnete Jack. »Ich will eure Gastfreundschaft nicht übermäßig strapazieren, aber ich werde sicher noch ein paar Tage in der Stadt bleiben, um mich wieder an Northbridge und seine Einwohner zu gewöhnen.«

Arthur bemühte sich, seine Enttäuschung herunterzuschlucken, und rang sich ein Lächeln ab. Er wollte nicht alles zerstören, indem er Jacks Abreise bereits jetzt evozierte. Es konnte ja auch für ihn nicht leicht sein, nach dieser langen Zeit wieder in Northbridge zu sein.

An diesem Nachmittag nahm Arthur Jack zu einer Besichtigung des Verkaufsraums mit. Das Gebäude stand auf dem Gelände der alten Werkstatt, wo sie sich zum ersten Mal begegnet waren.

»Da hast du etwas Unglaubliches geschaffen, Arthur«, merkte Jack voll Bewunderung an, während er kopfschüttelnd durch den Vorhof lief.

»Es war schon ein kleiner Weg von der alten Werkstatt mit den paar Wagen davor bis hierher«, gluckste Arthur.

»Ich wusste, dass du großartige Dinge tun würdest. Deine ganze Familie muss so stolz auf dich sein.«

»Das weiß ich nicht«, sagte Arthur. »Patrick führt das Geschäft jetzt. Er hat sich an Weihnachten mit einer wunderbaren jungen Frau verlobt. Du wirst sie sicher beide kennenlernen, während du hier bist.«

»Darüber würde ich mich freuen. Dass ich hier bin und die Chance habe, deine Familie kennenzulernen, damit habe ich niemals gerechnet, Arthur. Aber ich bin wirklich froh, hier bei dir zu sein.«

Arthur wollte Jacks Lächeln ganz genießen, doch jedes Mal dachte er daran, dass er danach wieder ein Lächeln weniger hätte, wenn Jack ihn erneut verlassen würde.

Von der Werkstatt aus folgten sie dem Pfad, der am Fluss entlang zur Stadt zurückführte. Diesen Pfad waren sie früher viele Male Seite an Seite entlanggegangen, vor mehr als fünfzig Jahren. Erstaunlicherweise hatte er sich kaum verändert.

»Das kann doch auf keinen Fall die alte Bank sein, oder?«, fragte Jack mit zusammengekniffenen Augen, als die Bank vor ihnen auftauchte. »Wie viele Nächte haben wir einfach hier gesessen und zu den Sternen aufgeschaut.«

Sie setzten sich nebeneinander hin. Zwei junge Männer ruderten in einem Boot den Fluss hinauf.

»Du hast nicht auf die Sterne geachtet«, widersprach Arthur glucksend. »Du hast mir nur meinen Willen gelassen.«

Grinsend hob Jack die Hände. »Trotzdem: Du hast das gewusst, und du hast mich immer wieder hierher mitgenommen.«

»Ich habe diesen Fleck geliebt. Gut versteckt, nur der Fluss war zu hören, und die Sterne haben über uns gewacht. Hier habe ich mich immer sicher gefühlt mit dir, Jack.«

Ihre Knie berührten sich.

»Oscar will uns beide zum Lunch einladen in der kommenden Woche, wenn es dir passt«, sagte Arthur, dem plötzlich wieder eingefallen war, was Madeleine ihm ausgerichtet hatte.

»Das wird nett sein, ich freue mich darauf, ihn kennenzulernen.«

»Gibt es noch etwas anderes, das du gerne tun möchtest, solange du hier bist?«

Jack wandte den Kopf, um ihn anzusehen. Er hob Arthurs Hand von seinem Knie und hielt sie in seinen eigenen, warmen Fingern.

»Ich will dich küssen, Arthur Edwards.«

Ihre Köpfe bewegten sich aufeinander zu. Arthur schloss die Augen und spürte sein Herz pochen. Es fühlte sich an, als würden in seinem ganzen Körper Feuerwerkskörper explodieren, als sich ihre Lippen berührten.

Kapitel vierzig

Teddy

Am Montagmorgen blickte sich Teddy zwischen den leeren Schreibtischen im Büro um. Schon bald würden die Stühle von Leuten belegt sein, die auf ihren Tastaturen herumhämmerten. In seinem Kopf schwirrte es noch vom Wochenende, denn er hatte sich jedes mögliche Gespräch mit Ben im Geist bereits ausgemalt, bevor er ihn sehen würde. Er ließ sich auf seinen Stuhl fallen. Das Foto von ihm mit Shakeel und Lexie, das er in seiner ersten Arbeitswoche am Schreibtisch festgemacht hatte, starrte ihm entgegen. Außer diesem Bild und der Tatsache, dass sein Kalender geöffnet neben der Tastatur lag, zeugte nichts davon, dass er in den letzten sechs Monaten Tag für Tag hier gesessen hatte. Ben hingegen hatte sich viel Mühe gegeben, seinen Schreibtisch mit Bildern zu dekorieren und mit Gegenständen, die er im Verlauf der Monate gesammelt hatte. Teddy kippte den Rest aus einer vergessenen Wasserflasche in eine verwelkte Topfpflanze auf seinem Tisch.

»Hi.« Es war Ben. Als Teddy zu ihm aufsah, lächelte er verlegen.

»Hallo. Ich dachte, wir könnten miteinander reden, bevor Dylan herkommt.«

»Ja, das fände ich gut. Ich bin froh, dass du mir

geschrieben hast«, sagte Ben, zog sich seinen Stuhl heraus und setzte sich damit neben Teddy.

»Du wolltest mir die Sache erklären, also ... ich höre.«

»Zuerst einmal: Es tut mir leid«, begann Ben, und Teddy nahm einen Hauch von Wahrheit in seiner Stimme wahr. »Ich weiß, dass du das Gefühl hast, ich hätte dich hintergangen und diese fürchterliche Sache gemacht ...« Er starrte immer noch zu Boden.

»Was du ja auch gemacht hast. Nein, entschuldige bitte, red weiter.«

»Du verstehst nicht, unter welchem Druck ich stand«, sagte Ben, während Teddy sich auf die Lippen biss, um ihn nicht zu unterbrechen. »Ich musste etwas tun. Diese Stelle, diese ganze Chance, ich konnte jeden Tag spüren, wie sie mir zwischen den Fingern zerrann.«

Ben sah zu ihm auf: Die Ringe unter seinen Augen waren so dunkel, wie Teddy es noch nie gesehen hatte. »Du bist gut in dem, was du tust, aber bist du wirklich mit dem Herzen dabei?«, fragte er. »Du wirkst nie glücklich, dass du hier bist, trotzdem sieht alles bei dir mühelos aus. Ich merke, wie ich mich quäle, nur um mit dir mitzuhalten. Dylan bemüht sich, so zu tun, als ob er meine Ideen genauso gut fände wie deine, aber ich weiß, dass das nicht stimmt.«

Teddy sagte nichts, als Ben jetzt kurz Luft holte.

»Ich wollte mit dir über die Story reden; wollte versuchen, dich dazu zu bringen, dass du sie weiter verfolgst, aber zwischen uns ist es in letzter Zeit nicht wirklich toll gelaufen. Dann hat uns dein Grandad mehr über Jack erzählt, und ich konnte spüren, wie sich der Artikel in meinem Kopf schon strukturiert hat. Ich verspreche dir: Ich wollte ihn nicht schreiben, aber dann hat mich Leo gefragt, ob ich irgendwelche Ideen hätte für Features, und ich wusste, wenn ich Nein sagen würde, hätte ich nie eine Chance, diese Stelle zu bekommen. Das Nächste, an das ich mich erinnere, ist, wie ich es ihm erzählt habe. Wir hatten gesehen, wie die Leute nach seinem Interview bei *Good Morning Live* auf Arthur reagiert hatten. Die Gelegenheit war einfach zu gut.«

Mit gesenktem Kopf lehnte er sich auf seinem Stuhl nach vorn.

»Du hättest über ein anderes Thema nachdenken können, oder?«, fragte Teddy kopfschüttelnd. »Du musstest doch nicht ausgerechnet diese Story machen, um dich zu beweisen.«

»Erinnerst du dich an unseren ersten Tag hier?«, wollte Ben wissen.

»Nicht wirklich. Wir haben nicht viel gemacht, oder?«

»Als ich angekommen bin, wussten sie am Empfang nicht einmal Bescheid. Du weißt nicht, wie es ist, wenn du die Chance bekommst, von der du geträumt hast, und dann musst du herausfinden, dass sie vergessen haben, irgendjemandem – auch Dylan – zu sagen, dass du anfängst. Dann habe ich herausgefunden, wer du bist, und ich wusste, dass ich kämpfen muss, damit irgendjemand auch nur Notiz von mir nimmt.«

Beim Geräusch der sich öffnenden Aufzugstür sahen sie sich beide um. Ein Mann, den Teddy aus dem Ressort für Politik flüchtig kannte, ging zu seinem Schreibtisch, ohne ihrer Anwesenheit irgendeine Beachtung zu schenken.

»All das verstehe ich, und ich kann nachvollziehen, dass du dich unter Druck gesetzt gefühlt hast, etwas zu liefern«, erklärte Teddy und wandte seine Aufmerksamkeit wieder ganz Ben zu. »Ich kapiere auch, dass du nicht gewusst hast, wie du mit mir über die ganze Sache reden sollst, und ich weiß, dass vieles davon meine Schuld war. Was ich dir aber nicht verzeihen kann, ist, dass du im Haus meines Großvaters seine Sachen durchsucht hast. Er hat mir gezeigt, wo er die Briefe aufbewahrt, und ich war so dumm, dir diese Information anzuvertrauen. Du bist nicht gezwungen gewesen, irgendjemandem dieses Bild von Jack zu geben. Du weißt, dass die Geschichte auch ohne funktioniert hätte. Du hast seine Privatsphäre verletzt.«

»Geht es Arthur gut? Ist er wütend?«, wollte Ben wissen.

»Es geht ihm gut, aber du weißt ja inzwischen, wie er ist. Er findet nicht, dass es sinnvoll ist, untätig herumzusitzen. Er findet bereits entschuldigende Worte für dich und erzählt mir, dass ich dir verzeihen muss.«

»Kannst du das?«

An diesem Punkt hatte er bei allen Szenarien, die er sich vorgestellt hatte, nicht gewusst, was er als Nächstes sagen würde. Erst jetzt, da er vor Ben saß, erkannte er die Antwort, die er ihm geben musste.

»Ja, ich kann dir verzeihen.«

Bens Augen leuchteten auf. Er wollte schon aufstehen, hielt aber in der Bewegung inne, als Teddy die Hände hob.

»Ich vergebe dir, aber was auch immer zwischen uns ist, ist vorbei, Ben.« Teddy spürte einen Kloß in der Kehle. »Du hast es bei dem Tragflächenspaziergang selbst gesagt. Du und ich, das funktioniert nicht. Vielleicht können wir immer noch Freunde sein, falls wir zusammenarbeiten werden. Aber nicht mehr.«

Ben stand auf und lief hin und her.

»Das hättest du schon vor Wochen sagen können«, brachte Ben mit brüchiger Stimme hervor. »Du hast mir Schuldgefühle eingeredet, weil ich dich angeblich unter Druck gesetzt habe, als du noch nicht bereit warst, dich zu outen, dabei bist du derjenige, der mich die ganze Zeit hingehalten hat.«

»Das ist absolut ungerecht! Ich habe versucht, mein Leben auf die Reihe zu bekommen«, wehrte sich Teddy. »Und das ändert nichts an dem, was du getan hast, Ben. Woher weiß ich, dass du mich nicht nur in deiner Nähe haben wolltest, um deine große Story zu bekommen?«

Ben blieb vor Teddy stehen, seine Augen verengten sich zu Schlitzen, als würde er gerade ein kompliziertes Puzzle fertig zusammensetzen.

»Oh Gott«, höhnte er. »Es ist Shakeel, oder? Ich wusste, dass da irgendetwas los ist. Ich hatte so ein Bauchgefühl am Wochenende.«

»Da mache ich nicht mit, Ben. Du kannst es nicht so drehen, dass du mir die Schuld zuschiebst.«

»Hier haben wir es schon wieder, du streitest es ja gar nicht ab. Connor hatte recht. Wie Shakeel dich ansieht, wie er mit mir redet. An dem Abend im Pub, da hätte ich Shakeel verhauen sollen, als er mit mir gesprochen hat wie mit einem Stück Scheiße.«

Teddy sprang auf. »Das reicht, Ben. Hier geht es nicht um Shakeel. Hier geht es darum, dass du mich hintergangen hast, dass du meine Familie hintergangen hast.«

»Ich habe getan, was ich tun musste, und ich würde es auch wieder tun«, spie Ben ihm entgegen. »Schon am ersten Tag hab ich dich richtig eingeschätzt. Ich hab genug davon, so schwer zu arbeiten, wie ich kann, und dann bin ich doch bloß der Zweitbeste nach dem verwöhnten Sohn der verehrten Elizabeth Marsh. Einem Muttersöhnchen, das keine Entscheidungen für sich selbst treffen kann.«

Teddy hob die Hand, weil er sich mit einem Mal an etwas erinnerte. Shak hatte ihn bei der Weinprobe auf dem

Boot nicht einfach wegen seiner Trunkenheit als Muttersöhnchen bezeichnet: Er hatte einfach Bens Worte wiederholt. Wie hatte er auch nur annehmen können, dass Shak
so von ihm dachte?

»Muttersöhnchen«, wiederholte er amüsiert. »Nun,
da hast du deine Meinung klar und deutlich formuliert.«
Teddy schnappte sich seine Jacke von der Rückenlehne des
Stuhls, während Ben ihn mit weit aufgerissenen Augen beobachtete.

»Wohin gehst du?«

»Weißt du was, Ben, das geht dich einen Scheiß an.«

Kapitel einundvierzig

Arthur

Arthur und Elizabeth unterhielten sich angeregt miteinander, während Madeleine Jack und Ralph Fotos in einem der Familienalben zeigte.

»Eleanor ist wirklich das genaue Spiegelbild von dir«, stellte Ralph fest und grinste über ein Bild der jungen Elizabeth, die mit ihrem Freund aus Collegezeiten Händchen hielt. »Werden deine Haare bei der Hochzeit auch so voluminös aussehen?«

»Warum musstest du denn ausgerechnet dieses Foto aufbewahren, Mutter?«, fragte Elizabeth, als sie begriffen hatte, welches Bild hier für Belustigung gesorgt hatte. »Wenn du das schon für beeindruckend hältst, dann hättest du meine Haare erst einmal gekräuselt sehen sollen.«

Arthur sah sich am Tisch um. Sie waren jetzt schon seit mehr als einer Stunde in Coras Café. Cora hatte darauf bestanden, ihnen eine zweite Tasse Tee zu bringen, nachdem sie ihr Mittagessen beendet hatten.

»Eric hat vorhin angerufen, als du gerade unterwegs warst«, erzählte Arthur zu Madeleine gelehnt. »Hat mich eingeladen, wieder zur Stiftung zu kommen. Ich hab ihm gesagt, ich würde darüber nachdenken.«

Madeleine sah ihn mit gerunzelter Stirn an.

»Schau mich nicht so an. Die Stadt ist nicht auseinandergefallen, nur weil ich nicht da war. Vielleicht ist es an der Zeit, dass die Jungen die Entscheidungen treffen. Wenn Northbridge überleben will, dann sind es ihre Stimmen, auf die wir hören müssen.«

»Und ich kann mir nicht vorstellen, dass eine andere Person als du dafür Sorge tragen kann«, sagte Madeleine. »Du bist derjenige, der sich darum kümmern kann, dass diese Stadt ein sicherer und fröhlicher Ort für alle ist.«

»Ich werde zurückgehen, wenn du dich für den Stadtrat aufstellen lässt. Bürgermeisterin Madeleine Edwards klingt wirklich schön.«

»Da hast du recht. Ich werde darüber nachdenken, nur für dich.« Sie lachte und senkte dann die Stimme zu einem bloßen Flüstern. »Cicely hat mich übrigens wissen lassen, dass deine Zeitschrift da ist. Ich werde vorbeischauen und sie mitnehmen, wenn wir hier fertig sind.«

Arthur schüttelte den Kopf. »Du bleibst, unterhalte dich ruhig weiter. Lass mich diese Ausgabe holen.«

Nachdem er sich bei den anderen entschuldigt hatte, ging Arthur auf die Straße hinaus. Es war nur ein kurzer Spaziergang bis zum Zeitungsladen. Er zog sich den Wollschal enger um den Hals; die Luft war immer noch unangenehm kalt.

»Einen schönen Nachmittag, Arthur«, begrüßte ihn Cicely fröhlich von der Theke aus. »Ganz allein?«

»Ich schau nur vorbei, um meine Zeitschrift mitzunehmen. Madeleine sagte, sie wäre gekommen?«

Cicely strahlte übers ganze Gesicht, als sie sich unter die Theke beugte, um die neue Ausgabe von *Gay Life* hervorzuholen.

»Ich habe sie direkt hier. Ich konnte gar nicht mehr aufhören zu grinsen, als ich sie gesehen habe!«

Leicht amüsiert streckte Arthur die Hand aus und nahm die Zeitschrift von ihr entgegen.

»Gütiger Gott«, japste er. Die Kinnlade war ihm so weit heruntergefallen, dass sie fast den Boden berührte. Es hatte ihm niemand gesagt, dass er auf dem Cover der Zeitschrift abgebildet sein würde!

»Es ist fantastisch«, stellte Cicely fest. »Ich werde mir eine Ausgabe kaufen, die Sie mir signieren können!«

Arthur starrte weiter auf das Cover, von dem ihn sein eigenes Gesicht anlächelte. Er hatte erwartet, dass er alle Seiten durchblättern musste, um schließlich auf einen kleinen Artikel zu stoßen.

»Geht es Ihnen gut? Wollen Sie sich hinsetzen?«

»Oh nein, mir ist es noch nie besser gegangen. Ich bin nur etwas sprachlos, das ist alles.«

Lachend legte Cicely eine zweite Ausgabe der Zeitschrift mit einem schwarzen Marker darauf auf den Verkaufstisch.

»Ich dachte, Sie machen einen Scherz«, lachte Arthur und sah dabei erst auf Cicely und dann auf den Stift.

»Jemand aus Northbridge auf dem Cover einer Zeitschrift? Das ist quasi ein historisches Ereignis!«

Arthurs Gesicht schmerzte schon vom vielen Grinsen, als er sorgfältig auf dem Cover unterschrieb.

»Sie müssen das zu Hause rahmen, Arthur!«

»Vielen Dank, Cicely. Vielleicht werde ich genau das tun.«

Wie benommen ging Arthur zu Coras Café zurück. Hin und wieder hörte er, wie ihn ein Passant grüßte, der sicherlich dachte, Arthurs breites Lächeln gelte ihm.

»Daddy?«, fragte Elizabeth, als sich Arthur wieder an den Tisch setzte. Nachdem Cora mit einem Teller voller übrig gebliebener Desserts zu ihnen gekommen war, hatten sie alle ihre Tassen wieder aufgefüllt.

»Ich glaube, ich könnte mich selbst mit einer Karamellschnitte verwöhnen«, sagte Arthur und streckte die Hand nach dem Teller aus. »Zur Feier des Tages.«

Alle sahen ihn fragend an.

»Was feierst du?«, fragte Jack.

»Nur, dass ich auf dem Cover von der Zeitschrift *Gay Life* bin!« Stolz hielt Arthur die Zeitschrift so hoch, dass alle sie sehen konnten. Als ein Chor von Jubelrufen und Applaus ertönten, stiegen ihm die Tränen in die Augen.

»Das ist einfach wunderbar, Daddy!« Elizabeth strahlte, nahm ihm die Zeitschrift ab und begann, sie durchzublättern.

»Bist du nicht der Mann, der es noch letztes Jahr nicht einmal geschafft hat, einen Blick auf die Zeitschrift zu werfen?«, fragte Madeleine und betrachtete ihn mit einem schiefen Lächeln. »Du bist so weit gekommen.«

Arthur ging das Herz auf, als er zusah, wie Jack den Bericht las. Es spielte keine Rolle, was die Zukunft bringen würde: Jetzt gerade wollte er jeden einzelnen Moment genießen.

Kapitel zweiundvierzig

Teddy

Stundenlang wanderte Teddy ziellos durch London. Ihm schwirrte der Kopf. Es gab nur eine einzige Person, die er jetzt gerade sehen wollte. Seine Füße, die in den engen Arbeitsschuhen gefangen waren, schmerzten. Er seufzte erleichtert auf, als er schließlich eine Parkbank fand, auf die er sich setzen konnte. Einen Telefonanruf von Dylan hatte er ignoriert, nachdem er sich ausgemalt hatte, wie Ben Dylan von seinem Davonstürmen erzählt hatte. Widerwillig hörte er endlich doch seine Mailbox ab. Dylan bestätigte, dass ihre Bewerbungsgespräche in ein paar Tagen stattfinden würden.

Wieder erfüllte ihn Traurigkeit. Er würde schlussendlich doch mit Ben um eine Vollzeitstelle bei *The Post* konkurrieren. Genau darauf lief alles hinaus. Auch wenn er es nicht zugeben wollte: Das war es, was er gewollt hatte, schon lange bevor er ein Auge auf Ben geworfen hatte.

Er verzog das Gesicht, als das Smartphone in seiner Hand erneut zu vibrieren begann. Die Nummer kannte er nicht. Da sein Interesse geweckt war, nahm er den Anruf entgegen.

»Hallo?«

»Hi, ist dort Teddy? Hier spricht Maya von *Good Morning Live*.« Teddy lächelte, als er die freundliche Stimme am anderen Ende der Leitung wiedererkannte.

»Ja, hallo Maya, wie geht es dir?«

»Gut, danke. Ich hab es über deine Büronummer versucht, aber sie haben mir gesagt, du wärst unterwegs. Hör mal, ich wollte dir etwas mitteilen, wenn du einen Moment Zeit hast?«

»Sicher, geht es dabei um Grandad?«

»Eigentlich geht es dabei um dich«, sagte sie. »Wir waren so beeindruckt von dir und davon, wie du das ganze Ereignis für Arthur organisiert hast. Und deine Arbeit bei *The Post* war ebenso großartig. Dylan singt jetzt schon seit Monaten ein Loblied auf dich.«

»Tut er das?«, wunderte sich Teddy. Dylan war niemand, der sonderlich großzügig mit Lob umging, also hatte er nie wirklich gewusst, was er von seiner Arbeit hielt. »Was kann ich also für dich tun?«

»Nun, wir suchen gerade nach einem Junior News Producer für die Show, und da dachte ich, das könnte etwas sein, das dich interessiert. Falls das so ist, könntest du für ein richtiges Gespräch vorbeikommen, und dann sehen wir weiter.«

Teddy war sich sicher, dass er sie falsch verstanden hatte.

»Ihr wollt mit *mir* sprechen?«

»Unbedingt, viele aus dem Team haben als Pressejournalisten bei Zeitungen oder für Online-Plattformen angefangen. Man muss ein gutes Gespür für Geschichten haben, und es ist offensichtlich, dass du das hast.«

»Ich weiß gar nicht, was ich sagen soll, Maya, ähm …«

»Schau, komm am Mittwoch für ein Gespräch vorbei. Du musst jetzt noch nicht Ja oder Nein sagen.«

Teddy ging immer weiter und blieb auch nicht stehen, um über sein Gespräch mit Maya nachzudenken. Das konnte warten. Der Akku seines Smartphones war leer, aber das war egal. Er brauchte keine App: Seine Füße trugen ihn genau dorthin, wo er sein wollte.

Er kam zum Stehen und sah an dem Gebäude vor sich hoch. Ein Mann riss die Tür auf und eilte hinaus. Teddy hielt die Tür fest, bevor sie zufiel. Es war niemand sonst in der Nähe, als er hineinging und auf den Aufzug zusteuerte.

Obwohl er wusste, dass ihm niemand antworten würde, klopfte er an die Tür mit der Nummer vierundsiebzig. Seine Fingerknöchel waren von der Kälte gerötet und schmerzten beim Auftreffen auf das Holz. Keine Antwort. Es war ihm recht zu warten. Schließlich gab es keinen anderen Ort, an dem er sein wollte.

Er lehnte sich mit dem Rücken an die Tür und ließ sich daran hinuntergleiten.

Während er wartete, verlor Teddy jedes Zeitgefühl. Als er im Kopf gerade noch einmal das Gespräch mit Maya durchging, bemerkte er nicht, dass Shakeel aus dem Lift stieg und mit einem verwirrten Gesichtsausdruck auf ihn zukam.

»Teddy? Wieso bist du hier?«, fragte er. »Hier, gib mir deine Hand.«

Teddy packte Shakeel am Arm und zog sich vom Boden hoch.

»Ich musste dich sehen. Es ist aus mit Ben.«

»Dann kommst du besser einmal mit rein«, stellte Shakeel fest, während er die Tür aufschloss. Sobald sie drinnen waren, setzte sich Teddy aufs Sofa und wusste plötzlich nicht mehr, wie er alles, was passiert war, erklären sollte. Schweigend sah er Shakeel zu, der zwei Tassen Tee für sie herrichtete.

»Warum bist du nicht bei der Arbeit?«, fragte Shakeel, als er Teddy das heiße Getränk gab.

»Ja, ich habe mich heute sozusagen nicht um die Arbeit gekümmert. Ich bin den ganzen Tag herumgelaufen.«

»Herumgelaufen?«

»Bis ich hierhergekommen bin. Ich musste dich sehen.«

Shakeel sah ihn kritisch an, dabei hatte er die Stirn stark in Falten gelegt.

»Ich bin seit Wochen, vielleicht sogar seit Monaten ein bisschen wie benebelt gewesen, hab versucht herauszufinden, was mit dir los ist. Ich hab aber nicht begriffen, *warum* ich darüber nachgedacht habe. Dann ist am Wochenende alles passiert ... es war, als würde alles plötzlich Sinn ergeben. Mit dir und mir.«

Shakeel schien den Atem anzuhalten.

»Ben kann die Fliege machen«, sagte Teddy. »Nichts von alldem wäre jemals passiert, wenn ich auf dich gehört hätte, Shak. Du hattest recht damit, ihm nicht zu trauen.«

Shakeel starrte ihn an, aber Teddy hob die Hand, ehe er ihm antworten konnte.

»Bevor du irgendwas sagst: Du sollst wissen, dass ich nicht hergekommen bin, um dich in eine unangenehme Situation zu bringen. Ich erwarte gar nichts von dir, aber ich muss ehrlich zu dir sein.« Teddy stellte seine Tasse auf dem Couchtisch ab. »Ich habe so lange gebraucht, bis ich akzeptieren konnte, warum mich dein Kuss so beschäftigt hat. Du bist die Person, an die ich mich mit allem wende. Doch wie kann ich hier sitzen und dir sagen, dass ich glaube, Gefühle für dich zu haben? Schließlich will ich doch nicht das zerstören, was zwischen Simon und dir läuft?«

Shakeel vergrub den Kopf in den Händen.

»Es gibt keinen Simon«, sagte er, als er irgendwann die Hände wieder vom Gesicht nahm. »Es gibt keinen festen Freund.«

Erleichterung machte sich in Teddys ganzem Körper breit. Sie starrten sich an. Dann brachen sie plötzlich in Lachen aus.

»Oh Gott, Teddy, ich kann gar nicht fassen, dass ich das zugebe. Ich habe gelogen, weil ich eifersüchtig war. Ich war eifersüchtig auf Ben.«

»Du hättest doch mit mir reden können, Shak. Du hast nie etwas gesagt!«

»Wann hätte ich das denn machen sollen? Wann könnte denn überhaupt der richtige Zeitpunkt sein, um seinem besten Freund zu sagen, dass man mehr von ihm will? Dass man nicht aufhören kann, an ihn zu denken. Dass man immer, wenn man mit ihm zusammen ist, den Arm ausstrecken und seine Hand halten möchte.« Tränen stiegen ihm in die Augen, während er sprach.

»Du bist immer die wichtigste Person für mich gewesen, Shak. Als Dad gestorben ist, warst du für mich da wie niemand sonst.«

»Ich bin für dich da, weil ich es will, weil ich diese Vertrauensperson in allen Dingen für dich sein will. Aber ich will auch derjenige sein, zu dem du am Abend nach Hause kommst. Dich zu lieben, hat mir so oft das Herz gebrochen, doch ich komme immer wieder zu dir, weil ich einfach nicht weggehen kann, wenn ich weiß, dass du irgendwo dort draußen bist, aber nicht bei mir.«

»Ich will mit dir zusammen sein«, sagte Teddy und streckte die Arme vor, um Shakeels Hände in seine zu nehmen. »Du bist so lange direkt vor mir gewesen, und ich habe es nicht gesehen. Ich habe einfach nicht begriffen, was für ein wichtiger Teil meines Lebens du bist. Warum bin ich immer der Letzte, der alles versteht?«

Shakeel spielte mit dem Ärmel seines Pullovers herum. Er begann den Kopf zu schütteln.

»Aber warum jetzt, Teddy? Es tut mir leid, dass ich das frage. Ich will mir nur sicher sein, dass wir am gleichen Strang ziehen, bevor wir unsere Freundschaft noch einmal aufs Spiel setzen.«

Teddy schloss die Augen.

»In den letzten Monaten«, sagte er, »war ich so abgelenkt, so eingenommen von der Frage, warum sich für dich irgendetwas verändert hatte. Da habe ich gar nicht begriffen, dass sich auch für mich etwas verändert hat. Ich habe mich verloren gefühlt zwischen Ben und der Arbeit. Das mit Bens Story über Grandad hat die Dinge ins rechte Licht gerückt. Es ist, als hätte sich dieser Nebel gehoben. Deshalb bin ich hier, Shakeel. Ich werde alles tun, was ich kann, um dir zu beweisen, dass du derjenige bist, den ich will. Das Muttersöhnchen trifft eine Entscheidung.«

Shakeel sah ihn verwirrt an.

»Er hat mich heute so genannt. Warum hast du es mir nicht erzählt, als du es auf dem Boot gehört hast?«

»Ich habe es nicht gehört«, gestand Shakeel. »Ich habe Fotos mit seinem Smartphone gemacht, und da ist eine Nachricht von diesem Typen, diesem Connor, aufgeploppt. Er hat dich so genannt.«

»Du hättest es mir erzählen sollen, Shak. Ich hätte Ben damit konfrontiert.«

Shakeel schüttelte den Kopf. »Komm schon, hättest du mir wirklich geglaubt, wenn ich es dir zu dem Zeitpunkt gesagt hätte? Ich war sturzbetrunken. Ich war mir später nicht einmal mehr sicher, ob ich es mir nicht nur ausgedacht hatte.«

»Das spielt alles sowieso keine Rolle. Wir sind jetzt hier.«

Shakeel erwiderte sein Lächeln. Er nahm seine Hand und zog ihn näher zu sich heran, bis sich ihre Nasen berührten.

Teddy spürte Shakeels Atem auf dem Gesicht, er schloss die Augen genau in dem Moment, in dem ihre Lippen aufeinandertrafen. Shakeel hatte die Hand auf Teddys Brust liegen, dann schob er ihn damit nach hinten, bis er ausgestreckt auf der Couch lag. Ihre Lippen lösten sich nicht voneinander, als Shakeel sich nach vorn bewegte und seinen ganzen Körper auf ihn legte, als wären sie Bauklötze.

»Autsch!«, jaulte Teddy.

»Was ist los?«

Shakeel hob den Mund von Teddys und sah sich um.

»Dein Knie. Ich will die noch behalten ...« Er zeigte nach unten.

»Entschuldige, lass mich das wiedergutmachen.«

Teddy verspürte ein Flattern in der Brust, als Shakeel begann, ihm das Hemd aufzuknöpfen, um es dann beiseitezuschieben. Er hörte auf, zog sein eigenes Hemd aus und warf es hinter sich. Es traf die Lampe auf dem Tisch, die zu wackeln anfing und dann scheppernd zu Boden krachte.

»Ich hab diese Lampe sowieso nicht gemocht«, stellte Shakeel fest und zog Teddy näher an sich heran. Sie hatten einander auch schon früher mit nacktem Oberkörper gesehen, aber Teddy musste Shakeels Brust einfach so anstarren, als wäre es das erste Mal. Er legte die Hände auf seine breiten Schultern und begann sie zu streicheln. Seine Finger wanderten mit Leichtigkeit über Shakeels weiche Haut. Shakeel küsste ihn erneut, begleitet von einem leisen Stöhnen trafen sich ihre Zungen. Teddy spürte ein Zittern in seinem ganzen Körper, als sich ihre nackten Oberkörper zum ersten Mal aneinanderpressten.

Er sah das Aufleuchten des Smartphones, bevor er sein Vibrieren auf dem Holztisch wahrnahm.

»Shak. Shak, dein Telefon.«

»Ignorier es.«

Shakeels heiße Lippen waren an Teddys Hals gepresst.

»Es läutet immer noch, Shak.«

»Gut.« Seufzend zog er sich von Teddy hoch und griff nach dem Smartphone.

Teddy richtete sich mühevoll auf, um zu beobachten, wie er das Gespräch entgegennahm, dabei verschwand das Lächeln aus Shakeels Gesicht.

»Ja, er ist bei mir. Warum, was ist los?«

Sein Körper begann zu zittern. Er konnte nichts sagen, als Shakeel das Telefonat beendete und ihn an beiden Händen festhielt.

»Wir müssen los. Es geht um deinen Grandad.«

Kapitel dreiundvierzig

Arthur

Erst drei Stunden waren vergangen, und schon wünschte sich Arthur sehnlichst, er könnte aus dem Bett aufstehen und wieder nach Hause gehen. Verärgert schüttelte er den Kopf. Er hatte darauf bestanden, dass Oscar keinen Rettungswagen rufen sollte, als er sich nach ihrem Nachmittagsspaziergang unwohl gefühlt hatte. Doch Oscar hatte nur einen Blick auf Arthurs blasses Gesicht geworfen und dann beschlossen, ihn zu ignorieren. Jetzt war Arthur in einer unmöglichen Lage. Er konnte die Augen nicht mehr vor der Wahrheit verschließen. Widerwillig hatte er zugestimmt, dass Madeleine es der Familie mitteilen würde.

»Aber bitte keine Aufregung«, hatte er betont. »Wenn sie hören, dass ich in der Notaufnahme gelandet bin, kriegen sie einen Schreck.«

Das Zimmer war nicht gerade schick, immerhin hatte er es aber für sich. Im Verlauf der letzten drei Jahre hatte er mehr als genug Zeit in diesen Zimmern verbracht. Sein Facharzt hatte ihm erklärt, dass es verschiedene Behandlungsoptionen für ihn gab, darunter auch eine radikale Prostatektomie, bei der die ganze Prostata und das umgebende Gewebe entfernt würde. Nach einer schlaflosen Nacht hatte er sich dafür entschieden. Es würde diesmal keine Geheimnisse geben, kein Verschweigen der Wahrheit gegenüber den Menschen, die ihn liebten. Er würde das für sie alle durchstehen. Für Jack.

Wie erwartet, kamen Elizabeth und Teddy als Erste zur Tür herein. Elizabeth sagte kein Wort, sondern eilte an die Seite seines Bettes und schlang die Arme um ihn.

»Ich werde für eine Privatbehandlung für dich bezahlen, Daddy. Wir gehen kein Risiko ein«, betonte sie kurz darauf. Sie hielt Arthurs Hand fest in ihrer. »Ich vereinbare so schnell wie möglich einen Termin für dich.«

Arthur versuchte nicht, ihr zu widersprechen. Elizabeth brauchte das Gefühl, dass sie etwas tun konnte, um ihm zu helfen. Nach den Vorkommnissen der letzten Zeit war er auch einfach nur froh, sie an seiner Seite zu haben.

»Du wirst aber auch alles ein bisschen langsamer angehen müssen«, fuhr sie fort. »Vielleicht hast du dich heute nur ein bisschen schwach und müde gefühlt, aber wir dürfen nicht riskieren, dass so etwas wieder passiert.«

Als Nächstes kam Madeleine in Begleitung von Oscar. Er lächelte ihn schwach an. Arthur sah, dass seine Augen vom Weinen gerötet waren. Er konnte ihm nichts verübeln, denn er wusste, dass Oscar das Richtige getan hatte, indem er den Rettungswagen gerufen hatte.

»Ich werde nach Hause fahren, um ein paar Sachen zusammenzupacken. Teddy, willst du mitfahren?«, fragte Madeleine und schlüpfte in ihren Mantel.

»Ja, gerne«, sagte Teddy. »Bitte versuch, dich ein bisschen auszuruhen, Grandad. Ich komme morgen wieder.«

Als Arthur nach einem kurzen Nickerchen erwachte, unterhielten sich Oscar und Elizabeth gerade. Angestrengt blinzelte er bei der Neonbeleuchtung.

»Ihr zwei habt wohl kein Zuhause?«

»Oh, er ist wach und kann sich schon wieder beschweren«, lachte Oscar. »Wie fühlst du dich? Brauchst du eine Krankenschwester?«

»Nein, nein, mir geht es gut«, widersprach er. »Es ist nur, das alles hier ... es ist doch eine Warnung, oder? Dafür, wie zerbrechlich alles ist. In der einen Sekunde sind wir noch hier, und in der nächsten sind wir schon fort. Es ist, als würde mir das Leben das ständig sagen.«

»Was glaubst du denn, das du noch tun musst?«

»Ich weiß es nicht. Ich habe mich geoutet. Das sollte die größte Veränderung in meinem Leben sein. Doch jetzt habe ich auf der Tragfläche eines Flugzeugs gestanden, ich bin achtzig geworden ... Jack ist zurückgekommen ... das war nicht Teil des Plans.«

»Es gibt einen Plan? Das hättest du mir erzählen können.«

Arthur verdrehte die Augen, musste dann aber doch lächeln, als er Oscars Strahlen sah.

»Ich hab nur immer gedacht, ich würde glücklich sein, sobald ich es einmal laut ausgesprochen habe: Ich bin schwul. Wenn Madeleine und die Kinder mich so akzeptieren würden. Wenn Teddy und die Mädchen stolz sein könnten auf ihren dummen alten Grandad. Doch dann bist du gekommen, und ich habe gesehen, dass es so viel mehr im Leben gibt, auch wenn man alt ist.«

»Diese Wirkung habe ich tatsächlich auf die Leute«, erklärte Oscar selbstgefällig.

»Auch mit Jack habe ich nicht gerechnet. Er war eine Erinnerung für mich, eine schmerzhafte und zugleich glückliche. Ich hätte den Rest meiner Tage mit der Hoffnung leben können, dass er stolz auf mich wäre, weil ich endlich der bin, der ich wirklich bin.«

»Wird er kommen, um dich zu besuchen? Ich hatte damit gerechnet, dass er hier ist.«

»Nein.« Arthur seufzte. »Ich habe Madeleine gebeten, Cora zu sagen, sie solle ihn nicht beunruhigen. Ich treffe ihn dann, wenn ich hier raus bin. Noch ein Grund für mich, keine Zeit im Krankenhaus zu verschwenden.«

»Ich kann immer noch nicht fassen, dass er da ist, Arthur.«

»Das geht mir auch so. Es ist das Beste, was jemals hätte passieren können, doch ihn wieder in Northbridge zu haben, ist, als wäre ich wieder fünfundzwanzig und würde darauf warten, dass alles schiefläuft.« Arthur war unruhig. Er versuchte sich im Bett aufzusetzen.

»Was willst du damit sagen, Arthur?«

»Ich kann Jack nicht gehen lassen. Nicht noch einmal.«

»Kann er bleiben?«

»Ich weiß es nicht. Ich hab nicht gefragt.«

»Auf was wartest du denn? Warum sitzt du hier herum und erzählst es mir?«

»Ich …«

»Rede mit ihm!«, sagte Oscar und setzte sich gerade hin. »Komm schon, Arthur. In unserem Alter wissen wir doch, wie das funktioniert. Im Leben gibt es nicht immer ein Happy End, aber wenn du auch nur die kleinste Chance auf eines hast, dann musst du sie ergreifen. Hör auf zu warten, bis andere dir dazu verhelfen.«

Arthur erwiderte den Blick seines Freundes.

Oscar seufzte. »Ich habe erst seit ein paar Monaten das Vergnügen, dich zu kennen, Arthur Edwards, aber sogar mir fällt auf, dass du dich immer ganz hinten anstellst. Du bist so zaghaft damit, dein eigenes Leben zu leben, du willst immer erst sicher sein, dass alle anderen glücklich sind, ehe du dich traust, an dich selbst zu denken. Jack war die ganze Zeit dort draußen, aber du wolltest das Risiko, nach ihm zu suchen, nicht eingehen. Jetzt ist er hier, und du bist immer noch dieser verängstigte junge Mann, der entschlossen ist, das Glück von allen anderen über sein eigenes zu stellen. Nun, nicht mit mir! Wenn ich dich aus diesem Bett kriegen könnte, würde ich dich persönlich zu ihm fahren.«

»Das wird nicht notwendig sein«, erklärte Elizabeth mit einem Leuchten in den Augen.

»Ich wollte nicht wirklich gleich …«

»Dad, du musst dir heute noch ein bisschen Ruhe gönnen, aber dann fahre ich dich zu Jack. Gleich morgen früh. Sofort, wenn wir hier draußen sind.«

»Du musst das nicht tun, Lizzy.«

»Ich dulde keinen Widerspruch, Daddy. Du wirst hingehen und dem Mann, den du liebst, mitteilen, dass du ihn nicht noch einmal verlieren willst.«

*

Sie standen an einer roten Ampel, jetzt nur noch wenige Minuten entfernt von Coras Wohnung, wo Jack übernachtete. Elizabeth trommelte ungeduldig auf dem Steuer herum und murmelte irgendetwas vor sich hin, während sie den Kopf reckte, um zur Ampel hochzusehen.

»Das ist doch lächerlich, es sollte doch nicht so lang dauern.« Sie seufzte.

»Ist schon in Ordnung, Liebes, wir haben keine Eile.«

»Ich weiß, aber es ist einfach so ärgerlich.«

»Bist du dir sicher bei dieser Sache, Elizabeth. Gestern Abend habe ich es ernst gemeint, als ich gesagt habe …«

»Dad, das musst du doch nicht fragen«, entgegnete sie

ihm und nahm endlich den Blick von der Ampel. »Du verdienst es. Es waren nur ein paar Tage, und ich kann schon sehen, wie es dich verändert hat, dass Jack da ist.«

»Und wenn er die ganze Zeit da wäre?«

»Das wäre wunderbar, aber bitte mach dir keine zu großen Hoffnungen, Dad. Ich will nicht, dass du verletzt wirst, falls er nicht bleiben kann.«

»Wir haben uns schon einmal voneinander verabschiedet. Es könnte niemals so sehr schmerzen wie damals.«

»Dad, wenn ich davon gewusst hätte, wenn ich nur ein bisschen etwas davon gewusst hätte, von alldem, was du durchmachen musstest damals ...«

»Es ist vorbei.«

»Doch das ist es nicht, Dad. Es gehört zu deinem Leben. Es gehört zu Jacks Leben. Die Schmerzen, die ihr beide erlitten habt. Ich habe überhaupt nicht darüber nachgedacht. Jetzt hast du diese Chance, Jack hat diese Chance, warum sollte sich irgendjemand von uns dem in den Weg stellen?«

Arthur zog ein Taschentuch hervor und gab es ihr.

»Danke, Dad«, sagte sie, während sie sich die Augen trocken tupfte. »Ich habe mit Ralph eine zweite Chance bekommen, und das war das Letzte, mit dem ich nach Harrys Tod gerechnet hatte.«

»Ich muss mich noch bei dir dafür entschuldigen, wie ich mit deiner Beziehung zu Ralph umgegangen bin, Elizabeth. Ich kann nicht sagen, dass ich nicht überrascht oder besorgt war, als du jemand Neuen in das Leben der Kinder gebracht hast, doch du hast gewusst, was das Beste für dich war. Es tut mir leid, dass ich meine eigenen Sorgen über dein Glück gestellt habe.«

»Vielen Dank, Daddy. Das weiß ich wirklich zu schätzen. Du hast Ralph in deinem Herzen aufgenommen, und ich kann dasselbe mit Jack tun.«

Das hinter ihnen wartende Auto hupte laut: Die Ampel war grün geworden.

Wenige Minuten später parkten sie vor Coras Haus. Dichter, grüner Efeu bedeckte das Gebäude. Arthur holte tief Luft. Er hatte sich nicht zurechtgelegt, was er sagen würde.

»Keine Angst, du wirst wissen, was du sagen musst, wenn du bei ihm bist«, beruhigte ihn Elizabeth. Sie lehnte sich auf ihrem Sitz vor und gab ihm einen Kuss auf die Wange, anschließend wischte sie ihm noch die roten Lippenstiftflecken ab.

»Geh jetzt, ich werde genau hier warten. Viel Glück, Dad.«

Eine lächelnde Cora öffnete die Haustür für Arthur.

»Ich bin so froh, dass es dir gut geht, Arthur«, sagte sie, während sie ihn fest umarmte. »Ich habe ihm nur gesagt, es wäre dir gestern Abend nicht so gut gegangen, er weiß also nichts.« Sie führte ihn in das kleine Wohnzimmer, wo Jack sich gerade eine Quizshow im Fernsehen ansah.

»Ich springe kurz nach draußen und plaudere mit Elizabeth«, sagte sie. »Ihr müsst einfach nur schreien, falls einer von euch etwas braucht.«

Jack erwartete Arthur schon, als er hereinkam.

»Ich dachte, ich hätte dich gehört. Wie fühlst du dich?«, fragte er mit besorgter Stimme.

»Mir geht es gut. Entschuldige, dass ich dir gestern absagen musste. Nein, nein, bitte steh nicht extra auf.«

Er setzte sich neben Jack auf das Sofa. Aus dem Café wusste er, dass Cora Blumen liebte, aber er hatte sich nie vorstellen können, dass es möglich war, so viele verschiedene Blumenmuster in einen einzigen kleinen Raum zu packen.

»Es tut mir leid, dass ich unangekündigt vorbeikomme, ich hätte vorher bei Cora anrufen sollen.«

»Stimmt irgendetwas nicht?«

»Leider ja, deswegen bin ich hier.«

Jacks abwartender Blick lastete schwer auf Arthur. Er wusste, dass er jetzt damit herausrücken musste, weil er es sonst vielleicht nie sagen würde.

»Ich will nicht, dass du Northbridge wieder verlässt.« Arthur konnte sich nicht überwinden, zu Jack aufzusehen. Er wollte den Ausdruck seiner Augen nicht wahrnehmen oder dabei zusehen, wie Jack nach Worten suchte, um ihm zu erklären, dass er keine andere Wahl hätte, als nach Hause zu fahren.

»Arthur ...«

»Ich weiß«, sagte Arthur schnell. »Es tut mir leid, dass ich einfach so damit herausplatze.«

»Arthur, das ist alles, was ich hören wollte.«

Arthur hob den Kopf. Ein Lächeln breitete sich auf Jacks Gesicht aus.

»Du meinst ...«

»Natürlich will ich bleiben. Ich wollte schon vor fünfzig Jahren bleiben. Ich wollte dich täglich besuchen, nach jeder Geschichte, die ich von Cora gehört hatte. Du und diese Stadt seid ein Teil meines Lebens geblieben, auch wenn ich nicht hier war.«

»Du wirst wirklich bleiben?«

»Wenn du es willst, ich würde nirgendwo sonst sein wollen. Ich musste mir nur sicher sein, dass du dasselbe fühlst, dass ich mich nicht in das Leben dränge, das du dir aufgebaut hast.«

»Das würdest du überhaupt nicht. Du solltest hier bei mir sein.«

»Ich habe bereits mit Cora darüber gesprochen, hier einzuziehen.«

»Oh ja, das ist eine gute Idee.«

»Hattest du einen anderen Vorschlag?«, fragte Jack, als er sah, wie sein Lächeln verblasste.

»Ich wollte nur gerade sagen, dass du, wenn du das willst, und die Entscheidung liegt ganz bei dir, dass du immer auch bei mir bleiben kannst.«

»Bittest du mich gerade, bei dir einzuziehen, Arthur Edwards?«

»Wenn du mir versprichst, dass ich nicht tagsüber mit dir fernsehen muss, ja.«

Jack lächelte und legte eine Hand auf Arthurs Wange. »Ich werde keinerlei Zerstreuung brauchen, wenn ich mit dir zusammen bin.«

Kapitel vierundvierzig

Teddy

»Ich kann nicht glauben, dass ihr beiden endlich zusammen seid!«

Lexie sah Teddy und Shakeel strahlend an. Sie hatten sich in einer Bar in der Nähe von Lexies Büro getroffen, wo sie jetzt an einem kleinen Tisch auf dem Balkon saßen.

»Und ich kann nicht glauben, dass ich so lange gebraucht habe ... Ich war so abgelenkt.«

»Das wissen wir«, zog Lexie ihn auf. Shak grinste ihn an.

»Egal, ich habe ein paar Tage frei, damit ich mich auf dieses verdammte Bewerbungsgespräch vorbereiten kann, ohne *ihn* sehen zu müssen.«

Teddy hatte immer noch keine Ahnung, was er wirklich wollte. Wenn er nur darüber nachdachte, tat ihm bereits der Kopf weh. Fernsehen hatte er nie in Betracht gezogen, aber er war sehr gern mit Arthur im Studio gewesen. Täglich in diesem pulsierenden Umfeld zu sein, war eine spannende Option. So sehr er die Arbeit für *The Post* auch mochte, es wäre immer ein Job, den ihm seine Mutter verschafft hatte. Das hingegen ... das könnte etwas Neues sein.

»Ich denke, du weißt, was du willst. Ich habe es an deinem Gesichtsausdruck gesehen, als du mir von Maya erzählt hast«, sagte Shakeel. »Dieses Leuchten in den Augen hast du nie, wenn es um die Zeitung geht.«

»Lass das nicht meine Mutter hören.«

»Wenn wir schon von ihr reden: Wie geht es deiner Mutter mit den im Raum stehenden neuen Arrangements?«, fragte Lexie und wandte den Blick von der Nachspeisenkarte.

»Du meinst Großvater und Jack?«

»Ich kann gar nicht fassen, dass sie nach so vielen Jahren zusammenleben werden. Das ist so romantisch!«

»Im Ernst: Mir kommt es vor, als würde ich mit einer anderen Person zusammenleben. Es ist, als wäre meine Mum eines Morgens aufgewacht, und in ihrem Kopf hätte plötzlich alles einen Sinn ergeben. Es würde mich nicht wundern, wenn sie gemeinsam mit den beiden dieses Jahr die Pride Parade unsicher machen würde.«

Sie lachten alle, während der Kellner drei Tassen Kaffee auf den Tisch stellte.

»Ihr solltet an ein Gästezimmer für mich denken, wenn ihr beide zusammenzieht.«

»Wir lassen jetzt erst einmal alles langsam angehen«, erklärte Teddy und sah Shakeel nach Zustimmung suchend an. Der nickte und klatschte mit der Hand auf Teddys Bein.

»Ich konnte mich noch nie richtig bei dir bedanken, Lex«, sagte Shakeel. »Selbst als ich dich mitten in der Nacht am Telefon vollgeheult habe, hast du mich nicht abgewimmelt.«

»Was soll ich sagen?« Lexie grinste. »Ich bin hoffnungslos romantisch veranlagt! Ihr zwei passt perfekt zueinander. Das wusste ich schon, als ich Teddy zum ersten Mal getroffen und euch zusammen gesehen habe.«

»Mensch, hättest du uns dann nicht einen kleinen Wink geben können?«

»Das hätte sowieso keinen Unterschied gemacht. Bei diesen Dingen gibt es keine Eile«, sagte Teddy. »Schau dir Großvater und Jack an. Sie haben nach all diesen Jahren wieder zueinandergefunden.«

»Ähm, Moment mal.« Shakeel sah ihn verschmitzt an und hob die Hand, damit Teddy still war. »Ich weiß, dass wir uns darauf geeinigt haben, es langsam anzugehen, aber ich warte nicht fünfzig Jahre auf dich.«

Teddy lehnte sich auf seinem Stuhl zurück. Er wollte diese Augenblicke mit Shakeel und Lexie genießen. Wieder hätte er sich von seinen Ängsten beinahe den Weg zu etwas Gutem verstellen lassen, doch er hatte sich trotzdem genau dort befunden, wo er sein wollte. Er musste einfach grinsen. Jetzt gab es nichts mehr, vor dem er sich fürchten musste.

Maya erwartete Teddy am Empfang. Sobald er durch die Drehtür gekommen war, schritt sie auf ihn zu und schüttelte ihm die Hand.

»Vielen Dank, dass du gekommen bist, Teddy«, sagte sie. »Lass uns einen Kaffee holen, dann kann ich dir alles erzählen.«

Sie gingen eine Treppe hinauf zu einer kleinen Kantine, wo ein Barista ihre Bestellungen entgegennahm. Mit den Getränken in der Hand gingen sie zu einem freien Tisch und setzten sich. Teddy hörte ihr zu, als sie ihm die Rahmenbedingungen des Jobs erklärte.

»Es waren wirklich alle beeindruckt von dir und von der Berichterstattung, die du für deinen Großvater organisiert hast. Du hast das alles auf die Beine gestellt. Es können nicht viele Leute, vor allem in deinem Alter, von sich behaupten, dass sie eine Fundraising-Kampagne verantwortet haben, die 100 000 Pfund für einen wohltätigen Zweck gebracht hat.«

Teddy fühlte, wie seine Wangen bei dem Kompliment rot anliefen. »Danke. Ich glaube, als Großvater die ersten Ideen hatte, hat niemand von uns bedacht, wie groß die ganze Sache werden würde. Das alles hat sich irgendwie von der kleinen Geschichte, die ich für die Website geschrieben hatte, weiter aufgebaut.«

»Darum genau geht es ja, Teddy«, sagte Maya mit einem Funkeln in den Augen. »Du hattest das Gespür für die Geschichte, und das ist es, was wir suchen. Für diesen Job ist es wichtig, auf Draht zu sein, um gute Geschichten zu entdecken, und zu verstehen, wofür sich unsere Zuschauerinnen und Zuschauer interessieren werden, und ich denke, das hast du alles.«

»Das ist wirklich nett von dir, dass du das sagst«, erwiderte Teddy. »Es klingt nach einer unglaublichen Chance und ich liebe es, in London zu arbeiten.«

»Oh, ich dachte, das hätte ich bereits erwähnt? Entschuldige bitte, Teddy, aber diese Stelle ist für unser Büro im Norden gedacht.«

»Wie bitte? Im Norden?«

»Ja, tatsächlich vergrößern wir das Team dort oben. Du würdest mit ein paar großartigen Leuten zusammenarbeiten.«

Ihm wurde das Herz schwer, und Enttäuschung machte sich in ihm breit. Es war alles zu gut gewesen, um wahr zu sein. Wie könnte er auch nur nachdenken über einen Job, der ihn von seiner Familie und von Shakeel wegbringen würde?

»Es tut mir leid, ich dachte, ich hätte dir das gesagt.«

»Vermutlich hast du es gesagt, und ich habe es nicht mitbekommen.« Er wollte die Dinge nicht noch schlimmer machen. Schließlich wusste er, dass ihm sein Gesichtsausdruck entglitten war, als er es gehört hatte.

»Ich weiß, dass das ein bisschen furchteinflößend klingt, und dass es eine große Veränderung wäre, aber du bist jung und hast dein ganzes Berufsleben noch vor dir. Bitte, denk gründlich darüber nach. Das hier ist eine unglaubliche Chance, wie sie einem nicht jeden Tag geboten wird.«

»Das ist mir bewusst, und ich bin wirklich froh, dass ihr überhaupt an mich gedacht habt.«

»Fantastisch. Du würdest wirklich gut in das Team dort oben passen. Ich habe den Leuten schon von dir vorgeschwärmt. Es wird vermutlich noch ein oder zwei formelle Gespräche geben, aber ehrlich: Wenn du das willst, brauchst du bloß ein Wort zu sagen, und wir können die Sache voranbringen. Wir werden *dich* voranbringen!«

Teddy rang sich ein möglichst begeistertes Lachen ab.

»Ruf mich sobald wie möglich an«, sagte Maya, bevor sie die Treppe wieder hinunterging.

Er fühlte sich, als wäre sein ganzer Körper am Stuhl festgeklebt, als würde das Möbelstück ihn festhalten, bis er seine Entscheidung getroffen hatte – an Ort und Stelle. Es hatte sich alles so perfekt angehört. Während Maya ihm von dem Job erzählt hatte, war er voller Begeisterung gewesen. Wenn sie diese Bombe nicht hätte platzen lassen, hätte er die Stelle beinahe sofort angenommen. Doch jetzt drehte sich ihm der Magen um, als er begriff, dass er nach Hause gehen sollte, um sich für das Bewerbungsgespräch bei *The Post* am nächsten Tag fertig vorzubereiten. Das war vielleicht seine einzige Möglichkeit.

Auch wenn Teddy sich sehr bemühte, sich auf das anstehende Gespräch zu konzentrieren, musste er doch ständig über den Job beim Fernsehen nachgrübeln. Das Gefühl der Angst in seinem Bauch versuchte er abzuschütteln. Er sollte die Stelle nicht einmal in Erwägung ziehen. Wie konnte er jetzt auch nur daran denken, aus Northbridge wegzugehen? Wie sollte er Shakeel erzählen, dass er auch nur darüber nachgedacht hatte? Nein. Bei *The Post* war sein Platz. Immerhin waren sich alle sicher, dass das der ideale Job für ihn war.

»Dann erzähl mir mal alles, wann fängst du an?« Shakeels Gesicht tauchte später am Abend auf seinem Bildschirm auf, als er sich nach der Arbeit telefonisch meldete.

»Sie ist reizend, und der Job hört sich großartig an, aber ich weiß noch nicht, ob er was für mich ist. Ich muss erst darüber nachdenken.«

»Aber du hast doch gesagt, es wäre eine große Chance? Du zweifelst nicht an dir selbst, oder?«

»Weiß nicht. Schau, ich werde mich erst auf morgen konzentrieren und dafür mein Bestes geben.«

Teddys Brust zog sich zusammen, als Shakeel bei der Verzagtheit in seiner Stimme die Stirn runzelte.

»Willst du heute Abend noch irgendwelche Fragen üben?«

»Nee, alles gut. Ich schaue besser, dass ich gut schlafe.«

Das mit dem anderen Job zu erklären, war jetzt noch nicht sinnvoll. Er wollte diese Unterhaltung nicht führen. Shakeel würde vielleicht nie wissen müssen, warum er ihn ablehnte. Doch schon während er seinen Laptop zuklappte und ins Bett stieg, wusste er, dass es eine lange und schlaflose Nacht werden würde.

Teddy war noch nie im fünfzehnten Stockwerk des Gebäudes gewesen. Er sah sich um, nachdem er den Aufzug verlassen hatte. Die Etage war genauso angelegt wie die dreizehnte, mit Ausnahme der großen Konferenzräume auf der rechten Seite des Flurs. Er traf auf Dylan, der gerade aus einem davon kam.

»Wie geht es dir?«, wollte Dylan wissen.

»Gut, danke. Ich hab mich so gut vorbereitet, wie ich konnte.«

»Keine Sorge, sie legen es nicht darauf an, dir Fallen zu stellen. Überhaupt sind diese Typen nicht blöd, sie werden sich den Sohn von Elizabeth Marsh doch nicht entgehen lassen.«

»Oh, richtig.« Die vertraute Angst packte ihn mit voller Wucht. Bei dem Gespräch würde es nicht um ihn gehen. Es würde um seine Mutter gehen.

»Ich könnte wetten, dass sie den Vertrag bereits aufsetzen. Ich muss mal los, bin schon wieder spät dran, wir sprechen uns später.«

Teddy dachte über Dylans Worte nach. Er hatte den Job schon? Dylan war so überzeugt gewesen von dem, was er gesagt hatte. Hatte er irgendetwas gehört oder hatte er bloß Vermutungen angestellt aufgrund dessen, wer Teddy war? Beide Optionen weckten in ihm den Wunsch, zur Toilette zu laufen und sich seine eigene Herkunft abzuschrubben. So wollte er die Stelle nicht. Er hatte monatelang versucht, aus dem Schatten seiner Mutter herauszutreten und zu demonstrieren, dass er sich den Job selbst verdient hatte.

»Edward? Wir sind bereit für dich.«

Auf dem Weg in den Konferenzraum zitterten Teddy die Beine. Er kannte keine von den Personen, die hinter dem Schreibtisch saßen und auf ihn warteten.

»Danke, dass du gekommen bist, Edward«, sagte der Mann, während er sich hinsetzte. »Wir haben eine Menge wirklich tolle Sachen über deine Arbeit gehört.«

»Vielen Dank. Es war eine wirklich großartige Chance, richtig miteinbezogen zu sein und von Dylan lernen zu können.«

»Hat dich etwas an der täglichen Arbeit überrascht?«

»Vermutlich war das die Freiheit, in verschiedenen Ressorts zu arbeiten und von allen zu lernen. Ich fand es wirklich toll …«

Teddy starrte sie an. Sein Kopf war leer. Er wusste nicht, wie er den Satz beenden sollte. Er dachte an all seine Erfahrungen aus den letzten Wochen zurück. Ben war immer begeistert gewesen von jeder Möglichkeit, die ihm der Job geboten hatte, egal ob es das Schreiben von Storys für die Website gewesen war oder das Führen eines Interviews mit einer bekannten Person, die er verehrte. Teddy wusste, was er zu tun hatte.

»Edward?« Der Mann hatte einen verwirrten Gesichtsausdruck.

»Entschuldigung. Ich frage mich nur, warum Sie mich anstellen wollen?«

»Wie bitte?« Die Frau sprach zum ersten Mal. Ihre Stimme füllte das ganze Büro aus.

»Warum mich? Sie haben sich angesehen, was ich gemacht habe, seit ich hier bin. Ich will mir sicher sein, dass das hier ein echtes Bewerbungsgespräch ist und keine reine Formalität.«

»Wir sind nicht wirklich hier, um …«

»Ist es wegen meiner Mutter? Ist das der Grund? Ich bin dankbar, wenn es so ist, ich weiß, dass sie diese Zeitung liebt, aber ich will nicht, dass das der Grund ist, warum ich die Stelle bekomme.«

Ihnen standen die Münder offen. Teddy pochte das Herz. Er konnte nicht wirklich glauben, was er gerade sagte.

»Wenn wir jetzt mit dem Gespräch weitermachen können, würden wir zu deiner Arbeit kommen«, erklärte die Frau.

»Ich glaube nicht, dass wir das tun müssen.«

Sie starrten ihn mit leeren Blicken an. Teddy wusste, was sein Herz ihm zu tun vorgab.

»Ich weiß, dass es noch andere Volontäre gibt, aber Sie sollten die Stelle Benjamin King geben«, erklärte er. »Er liebt diese Redaktion. Fast so sehr, wie meine Mutter es tut. Dieser Job bedeutet ihm alles, und er ist gut darin. Wirklich richtig gut.«

»Du willst den Job nicht, für den du jetzt gerade hier ein Bewerbungsgespräch hast?« Die zwei Fragensteller sahen sich völlig erstaunt an.

»Entschuldigung, ich wollte Ihre Zeit nicht unnötig beanspruchen. Ich hatte nicht vor, das zu tun, aber jetzt, da ich hier sitze, stelle ich fest, dass ich einfach nicht mit dem Herzen dabei bin, selbst wenn ich gut darin bin. Ich sollte den Job nicht jemandem wegnehmen, der ihn wirklich will. Und Ben *will* ihn wirklich. Ich weiß das besser als irgendjemand sonst.«

»Ich weiß nicht, was ich sagen soll, Edward. Noch nie zuvor hat irgendjemand mitten in einem Bewerbungsgespräch einen Rückzieher gemacht«, stellte die Frau fest und ließ ihren Stift auf den Notizblock vor sich fallen.

»Ich nehme an, ich sollte dann mal gehen. Danke für die Einladung und für diese Chance, ich weiß das wirklich zu schätzen.«

Teddy stand auf, ging hinaus und zog die Tür hinter sich zu. Er zitterte am ganzen Körper. Er vergrub den Kopf in den Händen. Er kam sich vor, als wäre ihm eine große Last von den Schultern genommen worden. Langsam packte ihn das Entsetzen über das, was er getan hatte.

»Hi.«

Er nahm die Hände von seinem Gesicht und sah Ben, der ihn anstarrte.

»Hallo«, sagte er.

»Bist du schon fertig da drin?«

»Ja, es war gar nicht übel. Sie waren nett.«

»Oh, okay, das ist gut. Ich wäre heute fast nicht gekommen. Ich bin ein bisschen nervös.« Ben starrte zu Boden, als würde er sich dafür schämen, dass er seinem Konkurrenten von seiner Nervosität erzählt hatte.

»Das musst du nicht sein«, beruhigte Teddy ihn. »Denk daran: Du bist wirklich gut in dem Job, und sie sollten froh sein, wenn sie dich haben. Du willst diese Stelle doch?«

Ben musterte ihn genau, er wirkte zugleich verwirrt und auf der Hut. »Ich weiß es nicht mehr. Ich bin nicht stolz auf das, was ich getan habe. Ich weiß wirklich nicht, ob ich hierhergehöre. Meine Eltern hatten vielleicht doch recht, weißt du?«

»Nein, das hatten sie nicht. Du willst das hier. Lern aus deinen Fehlern und werde der großartige Journalist, der du werden kannst.«

»Warum bist du so nett zu mir?«

»Danke.« Teddy lachte. »Du bist zur rechten Zeit in mein Leben gekommen und hast geholfen, mich in die richtige Richtung zu schieben, Ben. Das werde ich dir nie vergessen.«

»Danke, Teddy. Ich weiß, dass das mehr ist, als ich nach allem verdient habe.«

»Vielleicht, aber dein Artikel hat Grandad und Jack wieder zusammengebracht«, sagte Teddy, während zwei Frauen sich an ihnen vorbeischoben, um in den Aufzug zu steigen. »Wenn er nicht verärgert ist, wie kann ich es dann sein? Du hast das getan, von dem du geglaubt hast, du müsstest es tun für den Job. Bin ich auch der Meinung? Nein. Doch ich hasse dich deswegen nicht.«

»Benjamin?« Der Kopf des Fragenstellers kam hinter der Tür hervor. Er nickte Teddy zu, bevor er wieder verschwand.

»Ich sollte besser hinein«, sagte Ben und rieb sich die Hände.

»Viel Glück, wofür du dich auch entscheidest. Und denk daran, sie sollten wirklich froh sein, dich zu haben, Ben, nicht andersherum. Lass sie nicht denken, dass sie dich eh haben können.«

Ben sah ihn noch einmal mit einem fragenden Blick an, bevor er in das Büro ging. Teddy wollte nicht mehr bleiben. Er konnte es kaum erwarten, fortzukommen.

Elizabeth verschränkte die Arme vor der Brust. Diese Haltung kannte Teddy bei ihr. So sammelte sie sich immer innerlich, nachdem sie etwas Schockierendes gehört hatte. Sie legte den Kopf in den Nacken und sah zur Decke der Küche auf, dann seufzte sie laut.

»Ich weiß nicht, was wir mit dir machen werden, Edward.«

»Also bist du nicht sauer?«

Sie senkte die Augen, um ihn anzusehen, und legte den Kopf dabei schief.

»Was für einen Sinn hat es, sauer zu sein? Du kennst dich selbst besser als ich. Du hast deine Entscheidung getroffen. Ich weiß, dass ich dich nur ein bisschen anschieben kann, dann musst du die Dinge selbst in die Hand nehmen. Dass du das getan hast, darauf bin ich auf jeden Fall stolz.«

Teddy hätte sich fast selbst gezwickt, um sicher zu sein, dass er richtig gehört hatte. Er hatte ernsthaft damit gerechnet, dass sie ihn anschreien, ihn vielleicht sogar wieder aus dem Haus werfen würde.

»Im Ernst, Mum, ich habe gedacht, du würdest qualmen vor Wut.«

»Du bist fast zweiundzwanzig, Edward. Ich kann dich nicht dein ganzes Leben lang an der Hand halten, so gern ich es auch tun würde. Ich will, dass du glücklich und zufrieden bist, dass du genau wie ich das liebst, was du tust, was auch immer es sein wird. Vergiss niemals, wie stolz du mich machst und auch deinen Dad immer gemacht hast.«

»Danke, Mum. Das bedeutet mir eine ganze Menge. Was meinst du, was soll ich wegen Maya machen?«

»Diese Entscheidung kannst nur du fällen. Ich bin in jedem Fall hier, um dich zu unterstützen. Aber wenn das eine Chance ist, die du nicht versäumen willst, dann schuldest du es dir selbst, dass du sie mit beiden Händen ergreifst.«

»Aber was ist mit ...«

»Ich weiß«, sagte Elizabeth leise. »Sprich mit Shakeel. Erklär ihm die Situation. Ich habe schon immer gewusst, dass du für etwas Größeres und Vielversprechenderes bestimmt bist als für Northbridge, Edward. Vielleicht ist es an der Zeit für dich, deine Flügel auszubreiten.«

Teddy hatte einiges, worüber er nachdenken musste, als er sich an dem Abend auf den Weg nach London machte. Ihm schwirrte immer noch der Kopf, als er an die Tür mit der Nummer vierundsiebzig klopfte.

»Du bist zu früh! Ich war überrascht, als du unten geklingelt hast«, sagte Shakeel.

»Ich will halt nicht so sein wie Onkel Patrick«, lachte Teddy, als er die Tür hinter sich schloss. »Er wird sich noch bei seiner eigenen Beerdigung verspäten.«

»Ich hab erst vor ein paar Minuten bestellt, hoffentlich bist du also nicht zu hungrig«, entschuldigte sich Shak.

»Alles gut. Das verschafft uns sogar Zeit, um erst miteinander zu reden.«

»Huch, das ist etwas, das man nie hören will«, sagte Shakeel und rückte das Polster des Sessels zurecht, bevor er sich daraufsetzte.

»Ich habe die Stelle bei *The Post* abgelehnt«, platzte Teddy hervor. »Bevor du mich fragst, warum, muss ich dir von Maya erzählen und von der Stelle, die bei *Good Morning Life* frei ist.«

Shakeel hörte sich von Teddy alles über Mayas Angebot an und darüber, wie er schon während des Bewerbungsgesprächs bei *The Post* einen Rückzieher gemacht hatte.

»Wann gehst du dann weg?«

Teddy hätte beinahe gelacht, so abrupt stellte Shakeel die Frage.

»Sehr witzig.«

»Du wirst das doch nicht auch noch ausschlagen, Teddy.«

»Aber …«

»Wag es bloß nicht. Setz dich bloß nicht hin und benutz mich als Ausrede, warum du diesen Job nicht annimmst.«

»Das ist keine Ausrede, Shak.«

»Doch, ist es«, widersprach Shakeel mit wachsender Frustration in der Stimme. »Komm schon, wir wissen doch noch nicht einmal, was das zwischen uns ist. Du kannst keine solche Chance ungenutzt lassen, wegen etwas, das vielleicht sowieso nicht funktionieren wird.«

»Aber sollten wir es nicht zumindest versuchen?«

»Solltest du den Job nicht zumindest versuchen?«

Teddy drückte sich das Polster vors Gesicht und stieß einen wütenden Schrei aus. »Ich hasse das«, rief er. »Warum kann der Job nicht einfach hier sein? Warum können die Dinge nicht ein Mal einfach sein?«

»So ist das Leben, Teddy. Vielleicht ist es besser so.«

»Was meinst du damit? Wie kann es das sein?«

»Sieh es einmal so: Vielleicht ist dieser Job aufgetaucht, um uns davor zu bewahren, dass wir unsere Freundschaft zerstören. Vielleicht hätte nichts von alldem funktionieren sollen, jetzt können wir aber weiter am Leben des anderen anteilnehmen.«

»Wie kannst du so ruhig bei alldem bleiben, Shak?«

»Das musste ich doch immer sein, weißt du noch? Jedes Mal, wenn ich gedacht habe, mir würde wegen dir das Herz brechen, habe ich mir selbst gesagt, dass das einfach der Weg ist, auf dem ich bin, und das alles aus einem bestimmten Grund geschieht. Es muss doch alles einen Grund haben, oder? Das Gute und das Schlechte. Solange wir ein Teil im Leben des anderen sind …«

»Ich weiß nicht, was ich ohne dich tun würde«, sagte Teddy, als er spürte, wie seine Augen zu brennen begannen.

»Ohne mich? Hast du mich gerade nicht gehört? Ich werde dich besuchen kommen. Du wirst hierher zurückkommen, wann immer du kannst. Wir werden immer noch ständig miteinander reden. Das ist nur ein neuer Abschnitt.«

Teddy spürte, wie Shakeel ihn an der Hand nahm und vom Sofa hochzog. Er schlang beide Arme um ihn und hielt ihn fest. So standen sie schweigend mehrere Minuten lang zusammen.

»Du weißt, dass Lexie dich dort oben jedes Wochenende besuchen kommen will, oder?«

»Oh, das weiß ich. Vermutlich wird sie als Nächstes ihren eigenen Umzug dorthin planen.«

Die Idee kam Teddy, kaum dass er es ausgesprochen hatte. Aufgeregt packte er Shakeel an der Hand.

»Zieh um!«, rief er.

»Was?«

»Komm mit mir, zieh mit mir gemeinsam um.«

Shakeel starrte ihn ausdruckslos an. Teddy zitterten die Hände.

»Ich verstehe alles, was du sagst, aber ich kann nichts von alldem ohne dich tun.«

»Teddy, wart mal …«

»Bitte, komm mit mir«, sagte er. »Ich kann das ohne dich nicht tun. Ich liebe dich, Shakeel.«

Kapitel fünfundvierzig

Drei Monate später

»Komm schon, Grandad! Beeil dich!«

Seufzend ging Teddy in der Diele auf und ab und sah dabei alle dreißig Sekunden auf die Armbanduhr. Er blieb stehen und schaute in den Spiegel, um seine Krawatte zurechtzurücken. Seine Mutter würde niemals eine schlampige Krawatte akzeptieren, vor allem nicht an ihrem Hochzeitstag. In seinem Bauch rumorte es. Wochenlang, monatelang hatten sie geplant, damit das alles jetzt so stattfinden konnte. Teddy starrte auf das neu aufgehängte Cover von *Gay Life* in seinem Rahmen. Es hatte einen Ehrenplatz im Eingangsbereich bekommen.

»Ist er *immer noch nicht* unten?«, fragte Oscar entnervt, der nun schon zum dritten Mal von draußen hereinkam, um nachzusehen. »Ich dachte, die liebe Madeleine hätte einen Scherz gemacht, als sie über seine Schönheitspflege geredet hat.«

»Entschuldige, Oscar, ich habe nicht gewusst, dass wir deinen Freund so lange warten lassen würden.«

»Keine Sorge. Ich weiß ja, dass du heute genug um die Ohren hast«, sagte Oscar.

»Man hat nicht jeden Tag die Chance, so etwas wie das hier zu tun.«

»Bereust du irgendwas?«

»Wegen des Jobs? Nichts. In den Norden zu ziehen hat einfach nicht gepasst für mich. Aber Mum hat recht gehabt: Ich musste meine Flügel ausbreiten; ich hatte nur nicht gedacht, dass das bedeuten würde, *so* weit weg zu gehen.«

»Wir sind alle wirklich stolz auf dich, junger Mann.« Oscar sah ihn mit einem strahlenden Lächeln an. Er war so etwas wie ein zusätzlicher Großvater für Teddy geworden in den vergangenen Monaten, in denen er ihm mit den Hochzeitsvorbereitungen geholfen hatte, während sich Arthur von seiner Operation erholte.

»Danke, Oscar, das bedeutet mir viel«, sagte er. »Nun, ich muss nur noch Grandad rechtzeitig hier rauskriegen.«

»Höre ich da, wie sich mein einziger Enkelsohn über mich beschwert?«

Arthur war die Treppe schon halb heruntergekommen und grinste sie an.

»Ja, genau das hörst du, verdammt, und ich werde auch nicht der Einzige sein, der sich beschwert, wenn wir nur eine Sekunde zu spät kommen.«

Teddy trat zurück, als Arthur sich vor den Spiegel in der Diele stellte, um seinen Anzug zu begutachten.

»Du wirst der bestaussehende Mann dort sein«, sagte Oscar und legte sich eine Hand auf die Brust.

»Lass das bloß Ralph nicht hören.«

»Oder Jack!«, sagte Arthur lachend, bevor er sich umdrehte und sie beide ansah.

»Bevor wir gehen, wollte ich mich bei euch beiden noch bedanken. Ihr habt mich so weit gebracht. Habt das alles für mich organisiert. Ich hätte die letzten paar Monate nicht überstanden, nach der Operation, ohne … ihr wisst schon.

Grünes Licht zu bekommen und mich auf heute zu freuen, und jetzt ist es endlich so weit.«

»Bring mich nicht jetzt schon zum Weinen«, sagte Oscar und tupfte sich die Augen trocken. »Schau dich jetzt an: kurz davor, den Mann zu heiraten, den du liebst!«

»Wir haben tatsächlich noch eine Überraschung für dich, Grandad.«

»Was ist es? Hoffentlich nichts Ausgefallenes.« Er hielt den Zeigefinger mahnend vor Teddy hoch. »Ich habe dich gewarnt.«

»Keine Sorge. Gib mir nur dein Jackett, du wirst es nicht brauchen.«

»Warum nicht? Das wird deiner Mutter nicht gefallen …«

»Sie wird es gar nicht sehen. Hier, nimm die.«

Teddy öffnete die Anzughülle, die am Türrahmen zum Wohnzimmer hing. Arthurs Augen leuchteten, als er die alte Lederjacke sah, die sie beim Aufräumen im Speicher gefunden hatten.

»Ich dachte, ich hätte dir gesagt, dass du sie haben kannst?«

»Ich habe sie ja auch, ich habe sie gut aufbewahrt, und jetzt will ich, dass du sie auf dem Weg trägst.«

Arthur schob die Arme durch die Ärmel und schloss die Jacke über der Weste.

»Nicht ganz perfekt, aber es wird gehen«, sagte er mit einem Blick in den Spiegel. »Sie ist aber ein bisschen warm fürs Auto, oder?«

»Du wirst nicht mit dem Auto fahren, Grandad.«

Arthur holte Luft, um ihm eine Frage zu stellen, doch Teddy öffnete bereits die Tür und scheuchte ihn hinaus. »Es hat eine Weile gedauert, aber Oscars Freund ist es gelungen, eine aufzutreiben«, erklärte er freudestrahlend.

»Was aufzutreiben?«

Arthur klappte der Unterkiefer herunter, als sein Blick auf die Norton Commando fiel, die auf ihn wartete. Ein Mann saß rittlings darauf, hatte den Helm bereits auf dem Kopf und hielt Arthur in der ausgestreckten Hand einen zweiten Helm hin.

»Ich habe mich daran erinnert, dass du das Motorrad von deinem Onkel Frank erwähnt hast, und da ... ist eines!«

Arthur packte Teddy und zog ihn in eine feste Umarmung, noch bevor er den Satz beendet hatte.

»Ich weiß nicht, was ich sagen soll. Das ist ... es ist einfach ...«

»Du musst überhaupt nichts sagen. Los jetzt. Seamus wird dich hinfahren, Oscar und ich werden direkt hinter euch sein.«

Teddy sah zu, wie sein Grandad den Helm aufsetzte und schloss, um dann hinten aufs Motorrad zu steigen.

»Viel Spaß!«, rief Oscar, als Seamus den Motor anließ. Arthur winkte ihnen zu, während sie aus der Einfahrt herausfuhren. Teddy stieß einen tiefen Seufzer der Erleichterung aus, weil sie diese Überraschung durchgezogen hatten.

»Gut, junger Mann«, sagte Oscar und klimperte mit seinen Autoschlüsseln. »Wir müssen zu einer Hochzeit!«

Der riesige Pavillon im Vintagestil war auf dem Gelände des Gutshauses aufgestellt worden. Es sah genauso bezaubernd aus, wie es ihm seine Mutter beschrieben hatte. Sie fuhren um einen großen Springbrunnen herum und die kurze Straße zu dem beeindruckenden Anwesen hinauf. Der kleine Parkplatz war bereits voll.

»Ich sehe die Mädchen, also springe ich einfach hier heraus, danke, Oscar.«

Eleanor und Evangelina winkten Teddy zu, sobald sie ihn herankommen sahen. »Ist alles bereit?«

»Alles gut«, versicherte Teddy ihnen. »Grandad wird jeden Moment hier sein. Seamus wollte ihn erst auf dem Motorrad übers Gelände fahren. Ist Mum fertig?«

»Sie ist bei Nan«, sagte Evangelina. »Ich muss ihr nur eine Nachricht schreiben, wenn Grandad hier ist, dann wird sie zu euch herauskommen. Bist du nervös?«

»Ich dachte, dass ich das sein würde, aber ich glaube, ich freue mich nur darauf. Wie geht es Jack?«

»Gut. Ich habe ihn nur kurz gesehen, aber er ist jetzt dort drin und wartet. Seine Verwandten sind so lieb.«

Sie hörten das Dröhnen des Motors schon, bevor sie sahen, wie das Motorrad die Straße zu ihnen hinauffuhr. Arthur strahlte über das ganze Gesicht, als er den Helm abnahm.

»Du siehst so cool aus, Grandad! Ich kann gar nicht glauben, dass du früher so eine Maschine gefahren hast«, sagte Evangelina und umarmte Arthur. »Mum würde mich niemals auf so eine steigen lassen.«

»Du solltest deine Mutter nach ihrem ersten Freund fragen, Stevie, schau mal, ob sie sich an sein Motorrad erinnert.«

»Mum kommt!«, rief Eleanor, als Elizabeth und Madeleine vom Haus auf sie zuliefen.

»Du siehst wunderschön aus, Mum«, sagte Teddy und gab ihr einen Kuss auf die Wange. Madeleine verteilte bereits Taschentuchpäckchen an Eleanor und Evangelina.

Arthur trat zurück und breitete die Arme aus. »Mein kleines Mädchen. Ich bin so stolz auf dich.«

»Bring mich nicht zum Weinen, Daddy«, sagte Elizabeth und ergriff seine Hand. »Sollen wir mit dieser Show anfangen, bevor ich zu heulen anfange und mir mein Makeup *noch einmal* ruiniere?«

431

Als alle ihre Plätze eingenommen hatten, wartete Teddy am Eingang des Festzeltes. Madeleine drückte sich neben ihm herum, Elizabeth und Arthur unterhielten sich draußen.

»Wie fühlst du dich, Nan?«

»In Ordnung, Teddy«, sagte sie leise. »Heute sind alle Tränen nur Freudentränen!«

»Wir bewundern dich alle, das weißt du, oder?«

»Nicht so sehr, wie ich dich bewundere, junger Mann«, erwiderte Madeleine.

»Ich bin nicht derjenige, der die Stadt davon abgehalten hat, die Notaufnahme zu schließen. Weißt du, ich glaube, Grandad hat recht: Du solltest dir wirklich überlegen, für das Bürgermeisteramt zu kandidieren. Es ist, wie du es ihm gesagt hast: Das Alter ist keine Entschuldigung dafür, so etwas nicht in Angriff zu nehmen.«

»Du bist sehr nett, Liebling, aber ich denke, ich habe mir Ruhe verdient. Wie auch immer, du hast bessere Sachen, auf die du dich konzentrieren kannst, zum Beispiel darauf, abzudüsen und Erfahrungen zu sammeln, von denen die meisten von uns nur träumen können.«

»Sag niemals nie, Nan. Ich nehme dich überallhin mit, wenn du eine Sache für mich tust, bitte.«

»Und was wäre das?«

»Wirst du mir das Backen beibringen, wenn ich zurück bin?«

»Wirklich?«, sagte Madeleine mit überraschter Stimme. »Ich würde nichts lieber tun, Teddy.«

Sie wandte sich um, da Elizabeth und Arthur jetzt zu ihnen hereinkamen. Arthur und Madeleine umarmten sich, dann setzte sie sich zu James.

»Ich bin so stolz, dass du mich heute zum Altar geleitest, Edward«, sagte Elizabeth neben ihm. »Danke, dass du das tust. Ich will, dass du weißt, wie stolz dein Vater auf den Mann wäre, der du geworden bist: nicht nur heute, sondern an jedem einzelnen Tag.«

»Danke, Mum. Ich kann nicht behaupten, dass ich je damit gerechnet hatte, das zu tun, aber jetzt stehen wir hier.«

Er sah sich um. »Grandad? Fertig?«

Teddy stand in der Mitte, sodass sich Elizabeth rechts bei ihm einhängen konnte und Arthur links. Teddy hörte ein allgemeines Scharren, als beim Einsetzen der Violine alle aufstanden.

»Lasst uns gehen«, sagte er, und die drei schritten den Mittelgang entlang.

Teddy hielt den Blick beim Gehen starr auf den Altar gerichtet, weil er nicht in die vielen ihnen zugewandten Gesichter schauen wollte. Vor dem lächelnden Standesbeamten blieben sie stehen.

»Ich liebe dich, Mum«, flüsterte Teddy, als Ralph Elizabeth die Hand hinhielt.

Er wandte sich an Arthur. »Ich bin so stolz, dass ich das für dich tun kann, Grandad. Jack, kümmere dich bitte gut um ihn.«

Jack nahm Arthur an der Hand und gab ihm einen Kuss auf die Wange.

Als der Standesbeamte zu reden begann, setzte sich Teddy neben seine Schwestern und seine Großmutter.

»Wir haben uns heute hier versammelt, um die Liebe zu feiern. Die Liebe begegnet uns in vielen Ausprägungen: in allen Formen, Größen und Farben. Das ist heute eine Premiere für mich, und es ist mir eine Ehre, die Liebe von Elizabeth und Ralph und die Liebe von Arthur und Jack feiern zu dürfen.«

Teddy zog ein Taschentuch hervor und gab es seiner

schluchzenden Nan, deren Hand James fest in seiner hielt. »Sie hätte nicht alle ihre Taschentücher weggeben sollen«, flüsterte Evangelina ihm mit einem frechen Grinsen zu.

Mit voller Kraft schien die Sonne auf das Gelände. Teddy hatte nach der Zeremonie einen kurzen Spaziergang unternommen. Nachdem er sich ganz der Organisation der Hochzeit seines Großvaters gewidmet hatte, konnte er endlich wieder durchschnaufen. Jetzt, da sie vorbei war … nun, sie war das Einzige gewesen, was ihn noch hier gehalten hatte.

Nachdem er Mayas Angebot ausgeschlagen hatte, hatte er erkannt, dass er nicht nur aus Northbridge fortgehen wollte, sondern aus dem ganzen Land. Zu reisen war nichts gewesen, über das er auch nur nachgedacht hatte, bis seine Mutter es ganz nebenbei vorgeschlagen hatte. Beim Ausloten seiner Möglichkeiten hatte er gefunden, wonach er gesucht hatte: Englisch unterrichten. Ursprünglich hatte er geplant gehabt, so bald wie möglich aufzubrechen, nachdem er die Stelle im Norden abgelehnt hatte. Doch als sein Grandad und Jack alle mit der Ankündigung, dass sie heiraten wollten, überrascht hatten, hatte er seine Pläne gerne verschoben, damit er dableiben und das Ereignis organisieren konnte. Zu ihrer aller Erstaunen hatte Elizabeth dann eine Doppelhochzeit vorgeschlagen. Mit dem Einverständnis aller Beteiligten und zur großen Belustigung von Ralph war das große Fest damit noch größer geworden.

»Wie fühlt es sich an, die eigene Mum und den eigenen Grandad am selben Tag zum Altar geführt zu haben?« Lexie fasste ihn am Arm und ging neben ihm her. »Keine Sorge, ich werde dich nicht bitten, dasselbe auch für mich zu tun.«

»Ich kann nicht glauben, dass es alles vorbei ist«, sagte Teddy und strich mit der Hand über die perfekt gestutzten Hecken. »Schließlich sind sie jetzt verheiratet.«

»Ich verstehe, jetzt musst du dich tatsächlich ans Packen machen.«

»Lass das, Lex«, sagte er und brachte sie damit zum Lachen. »Ich muss noch so viel klären.«

»Also fliegt ihr alle gemeinsam?«

»Ja. Großvater und Jack werden für eine Woche bleiben, bevor sie nach Singapur weiterfliegen.«

»Arthur in Singapur. Ich wünschte, das könnte ich sehen! Bist du nervös?«

»Ihretwegen oder meinetwegen?« Er lachte. »Sie werden eine fantastische Zeit haben. Ich weiß allerdings nicht, was ich so lange ohne sie tun werde. Jeder Tag war so lustig, sie sind so ein gutes Zweiergespann, es ist kaum zu glauben, dass sie jemals getrennt waren.«

»Da wir gerade von Trennung sprechen«, fuhr Lexie zögerlich fort. »Du solltest mit Shakeel sprechen.«

»Das werde ich, keine Sorge. Ich bin froh, dass er heute trotzdem gekommen ist.«

»Das hätte er sich nicht entgehen lassen. Er gibt dir nur ein bisschen Raum nach allem, was war.«

»Wir haben miteinander geredet, Lex, keine Angst. Zwischen uns ist alles gut. Ich verstehe seine Gründe. Hier wegzukommen wird gut sein für mich – für ihn. Ich muss andere Dinge sehen, neue Leute treffen.«

»Und wenn du zurückkommst?«

»Wer weiß? Er wird immer mein bester Freund sein.«

»Und ich?«

»Nun, das kommt darauf an. Ersetz mich bloß nicht durch einen von diesen jüngeren, moderneren Schwulen.«

An den Tischen nahmen die Leute allmählich ihre Plätze für das Hochzeitsessen ein. Teddy lächelte, als er im Vorbeigehen eine Stimme in der Menge erkannte.

»Hey, Dylan!«, sagte er und klopfte seinem ehemaligen Kollegen auf die Schulter.

»Teddy, ich hatte schon gehofft, dir heute zu begegnen. Wie läuft alles so? Ich habe gehört, du gehst bald auf große Reise.«

»Ja, ich kann es kaum mehr erwarten. Das wird eine ganz besondere Erfahrung.«

»Da bin ich neidisch«, meinte Dylan wehmütig. »Ich wünschte mir, ich hätte in deinem Alter auch so eine Chance genutzt. Hör mal, wenn du jemals ein bisschen Reiseberichterstattung machen willst, während du für dein Abenteuer unterwegs bist, schreib einfach eine Mail. Du weißt ja, dass bei *The Post* immer Platz ist für einen Marsh.«

»Danke, Dylan«, lachte Teddy und verdrehte die Augen. »Wie kommt Ben voran?«

»Was? Hast du das gar nicht gehört? Er hat eine Stelle bei *The Globe* angenommen. Ein Freund von mir dort sagt, er hätte sich gut eingefunden.«

»Oh, wow«, sagte Teddy. »Das ist schön zu hören. Aber ich sollte besser los, war nett, dich zu treffen, Dylan.«

»Genieß die Reise. Und halt dich von allem Ärger fern«, sagte er und packte Teddys Hand, um sie zu schütteln. Dann wandte er sich wieder seinem Gespräch zu.

Als das Essen vorbei war, war Teddy völlig erschöpft. Anscheinend hatte sich die Kunde von seiner bevorstehenden Reise schnell in der ganzen Verwandtschaft herumgesprochen, sodass alle erpicht darauf waren, mehr herauszufinden und ihm viel Glück zu wünschen. Er konnte es gar nicht erwarten, nach Hause zu kommen, um sich zu erholen, bevor er sein Gepäck zusammensuchen musste.

Als die Sonne über dem Anwesen unterging, hielt Ralphs älterer Bruder die erste Rede des Abends.

»Ich möchte nur ein paar Worte sagen«, kündigte Arthur an, als er schließlich das Mikrofon in der Hand hatte. »Heute ist ganz offensichtlich aus vielen Gründen ein sehr besonderer Tag. Nachdem unsere Familie einen schrecklichen Verlust erleben musste, hat mein kleines Mädchen ihr Glück gefunden. Ralph hat dieses strahlende Lächeln wieder in ihr Gesicht zurückgeholt. Ich danke dir, Ralph, dafür, dass du dich um meine Lizzie und um meine drei fantastischen Enkelkinder kümmerst. Madeleine, ich will mir Zeit nehmen, um mich bei dir zu bedanken, weil du mein Schutzengel bist. Du bist für mich da gewesen, als es mir am schlechtesten ging, du hast mir gezeigt, was Liebe sein kann, und du hast mir Jahre voller glücklicher Erinnerungen geschenkt. James: Lass diese unglaubliche Frau weiter lächeln und lachen. Ich will außerdem meinem Enkelsohn Danke sagen und viel Glück wünschen: Teddy, der kurz davor steht, zu einem unglaublichen und im Leben einmaligen Abenteuer aufzubrechen. Wir könnten gar nicht stolzer auf dich sein und darauf, was für ein Mann du geworden bist. Mein Patrick: Zu sagen, wir wären stolz auf dich, wäre untertrieben. Ich weiß, dass du der lieben Scarlett ein fantastischer Ehemann sein wirst, und ich kann euren Freudentag im nächsten Jahr kaum noch erwarten. Ich danke euch allen dafür, dass ihr den heutigen Tag zu so etwas Besonderem macht, vor allem meinem frischgebackenen Ehemann. Das ist ein Satz, von dem ich nie gedacht hätte, dass ich ihn einmal laut aussprechen würde. Insbesondere nicht so: mit meinen achtzig Jahren und vor euch allen stehend.

Doch ich würde nichts daran ändern wollen. Das Leben hat uns eine zweite Chance gegeben, und jetzt werden wir gemeinsam ein ganz eigenes Abenteuer erleben dürfen. Ich möchte, dass ihr alle mit mir auf die zweite Chance trinkt und darauf, sie ohne Angst zu ergreifen.«

Teddy stimmte in den Jubelchor mit ein. Arthur sah ihn mit einem strahlenden Lächeln an und neigte das Glas in seine Richtung.

»Wie viele Chancen haben wir?« Bei der vertrauten Stimme setzte Teddys Herz einen Schlag aus. Er wandte sich um und entdeckte Shakeel, der sich über seine Rückenlehne beugte.

»Da bist du ja!« Teddy sprang vom Stuhl auf, stellte sich vor Shakeel und begutachtete ihn in seinem marineblauen Anzug von Kopf bis Fuß. »Du siehst so gut aus.«

»Du auch. Der Anzug erinnert mich an den, den du bei der Abschlussfeier getragen hast. Du sahst so …« Ihm versiegte die Stimme, als er seinen Erinnerungen nachhing. »Entschuldige, dass ich nicht früher vorbeigekommen bin, ich wollte dir …«

»Sag nicht, du wolltest mir Raum geben. Ich bin in ein paar Tagen von hier weg, und das Letzte, was ich von irgendjemandem, vor allem von dir, brauche, ist Raum.«

»Sorry. Ist eine schlechte Angewohnheit. Wie fühlst du dich?«

Teddy versuchte, ihm bei der Antwort weiter in die Augen zu schauen. »Aufgeregt. Nervös. Um ehrlich zu sein: Ich bin so beschäftigt gewesen mit dem allen hier« – er zeigte mit den Armen auf die Hochzeitsgesellschaft –, »dass ich irgendwie nicht viel Zeit hatte, um darüber nachzudenken.«

»Es wird phänomenal werden, Teddy. Du verdienst das. Ich bin wirklich stolz auf dich.«

Zu hören, dass Shakeel stolz auf ihn war, schnürte Teddy bereits die Kehle zu.

»Ein bisschen abenteuerlicher als oben im Norden«, brachte er heraus, nachdem er einen Schluck Wasser getrunken hatte.

Obwohl Shakeel lachte, waren seine Augen immer noch voll Traurigkeit.

»Es tut mir leid, dass ich nicht mit dir gehen konnte«, sagte er mit gesenkter Stimme. »Ich dachte, du hättest einfach Angst wegen uns und ... das war deine Chance, nicht meine.«

»Ich kapier das, Shak. Ich hätte dir das nicht zumuten sollen und von dir erwarten, dass du für mich einfach alles stehen und liegen lässt.«

»Jetzt hör dir mal zu: Du bist schon gereift, bevor du aufgebrochen bist.«

»Das passiert, wenn man jeden Tag mit Arthur und Jack zusammen ist.«

»Du liebst es, mit ihnen abzuhängen. Eines Tages wirst du genauso sein wie sie.«

»Ich hoffe, das werden wir beide sein. Schau sie dir an, sie sind glücklicher als wir alle.«

Grinsend beobachteten sie, wie Jack den lachenden Arthur mit einer Gabel Kuchen fütterte.

Die Tanzfläche füllte sich schnell, sobald die Band die Bühne eingenommen hatte. Elizabeth hatte eine Band engagiert, die sie und Ralph bei einem ihrer ersten Dates gesehen hatten. Teddy sah Arthur und Madeleine zusammen tanzen, dann trennten sie sich und bildeten mit Elizabeth und Ralph neue Tanzpaare.

»Komm schon, auch mit zwei linken Füßen bleibst du mir nicht hier sitzen«, sagte Shakeel, packte Teddy am Arm und zog ihn vom Stuhl hoch. »Ich will einen Tanz, bevor du mich verlässt.«

»Ich kann nicht, Shak. Du weißt doch, dass ich nicht tanzen kann, das wird für uns beide nur peinlich.«

»Weigert sich mein Enkel, seine Tanzschritte zu zeigen?«, fragte Arthur, als er hinter ihnen auftauchte. »Wie geht dieses Sprichwort noch mal?«

Teddy starrte ihn verständnislos an.

»Wir machen uns immer zum Narren, egal ob wir tanzen oder nicht, also können wir genauso gut tanzen.«

Grinsend hielt Shakeel Teddy die Hand hin. Arthur klopfte ihm auf die Schulter, bevor er zu Jack zurückging.

Teddy und Shakeel hielten sich aneinander fest, während die Paare um sie herumwirbelten.

»Was wirst du tun?«, fragte Teddy ihn beim Tanzen.

»Weiß nicht. Weiter arbeiten, vermutlich. Und irgendjemand muss sich um Lex kümmern.«

»Das stimmt, sie kann einen wirklich auf Trab halten.«

»Ich wünschte, du würdest jetzt diesen Job angeboten bekommen.«

»Warum?«

»Weil ich Ja sagen würde. Ich würde noch heute Abend mit dir fortgehen.«

Kapitel sechsundvierzig

Eine Woche später

»Wie um alles in der Welt kannst du verschlafen, wenn du weißt, dass du einen Flug erwischen musst? Also wirklich, Edward!«

Stöhnend warf er seinen Koffer in den Kofferraum und knallte ihn zu.

»Ich kann jetzt keine Belehrung brauchen, Mum«, sagte er. »Wir müssen nur zum Flughafen. Jack sagt, sie stellen sich schon für den Security-Check an.«

Während sie sich durch den dichten Verkehr schlängelten, versuchte er sich zu entspannen. Er war sich nicht sicher, ob ihm wegen seiner Nervosität oder wegen der Fahrweise seiner Mutter übel war.

»Du hast alles eingepackt, was du brauchst?«

»Ja, Mum.«

»Deine ganzen Cremes und Insektenschutzmittel?«

»Ja, Mum.«

»Du wirst anrufen und schreiben, ja?«

»Natürlich«, sagte er und wandte ihr den Kopf zu. In ihren Augen standen schon Tränen.

»Ich schreibe jeden Tag und rufe dich an, so oft ich kann, versprochen. So leicht wirst du mich nicht los.«

»Passt aufeinander auf, ich möchte nicht, dass es irgendwelche Unfälle gibt. Man hört in diesen Tagen ständig so fürchterliche Sachen in den Nachrichten.«

»Bitte hör auf, dir Sorgen zu machen. Großvater und Jack werden sowieso in ein paar Wochen wieder zurück sein.«

»Ich bin so stolz auf dich, Teddy.«

»Danke, Mum«, sagte er und riss vor Schreck die Augen auf. »Ich glaube, das ist das allererste Mal, dass du mich Teddy genannt hast!«

»Gewöhn dich gar nicht erst daran«, lachte Elizabeth. »Du wirst immer mein kleiner Edward sein.«

Nachdem er seine Mum zum Abschied umarmt hatte, sprintete Teddy in das Flughafengebäude und gab sein Gepäck auf. Sein Herz raste. Obwohl er beim Anblick der langen Schlange schon das Schlimmste befürchtet hatte, schaffte er es relativ schnell durch die Sicherheitsschleuse, um zu seinem Gate zu rennen.

»Gerade noch rechtzeitig, Mr. Marsh«, grollte der Mann, der sein Ticket überprüfte. Teddy wischte sich den Schweiß von der Stirn und ging die Gangway hinunter.

Als er das Flugzeug betrat, sah Teddy Arthurs Hand über dem Kopf des Passagiers vor ihm wild in der Luft herumwedeln. Er hatte es geschafft. Nachdem er sich durch den vollen Gang geschoben hatte, ließ sich Teddy endlich auf den Sitz neben seinem Großvater fallen. Jack blickte aus dem kleinen Fenster, um zu beobachten, wie ihr Gepäck in den Bauch des Flugzeugs geladen wurde.

»Du hast es gerade noch rechtzeitig geschafft«, sagte Arthur, als Teddy seinen Gurt mit einem Klicken schloss.

»Das kannst du laut sagen. Ich bin jetzt schon erschöpft. Mum lässt übrigens schön grüßen.«

Teddy wandte den Kopf, um zur anderen Seite des Mittelgangs zu schauen. »Mum hat mich auch gebeten, dich zu grüßen. Ich habe ihr gesagt, bei dir wäre alles bestens.«

»Weil du mich so sehr liebst?« Shakeel grinste ihn an.

»Genau.«

»Ich muss ja gestehen«, flüsterte Shak und lehnte sich vor, sodass ihn nur Teddy hören konnte. »Ich dachte schon, du würdest mich allein mit deinem Grandad und Jack nach Vietnam schicken.«

»Das hättest du verdient gehabt. So etwas passiert nun mal, wenn du mich die ganze Nacht wach hältst, um dir auf den letzten Drücker ein Ticket zu buchen. Was du schon vor einer Woche hättest tun sollen.«

»Das hast du jetzt schon oft genug gesagt. Ich bin ja hier, oder?«

Shakeel streckte die Hand über den Mittelgang. Teddy nahm sie und drückte sie sanft.

»Ich kann gar nicht glauben, dass wir das machen. Wir tun es tatsächlich!«

Schon beim Anblick von Shakeels breitem Grinsen ging Teddy das Herz über.

»Geht mir genauso. Irgendein Schlaumeier hat mir mal gesagt, dass alles aus einem bestimmten Grund passiert. Ich denke, er könnte da schon recht gehabt haben, weißt du.«

Shakeel lehnte sich vor und hob irgendetwas vom Boden auf. »Schau dir das an, das muss irgendjemand verloren haben. Damit könntest du dich beschäftigen während des Flugs.«

Teddy nahm grinsend den Zauberwürfel von Shak entgegen. »Ja, wunderbar, danke. Aber ich hasse diese Dinger.«

Danksagung

Das Schreiben war mein ständiger Begleiter in guten, schlechten und absolut schrecklichen Zeiten. Die eine Sache, der ich mich immer zuwenden konnte, in meinen glücklichsten und in meinen traurigsten Momenten: Egal, ob das der Brief war, den ich in der Nacht verfasste, in der ich mich umbringen wollte, oder die E-Mail, mit der ich mich bei meinen Eltern geoutet habe. Erst jetzt, da ich zurückschaue, verstehe ich, wie viel Glück ich hatte, dass ich das Schreiben immer so sehr geliebt habe, obwohl ich es als selbstverständlich angesehen habe. Zum Glück waren meine Eltern immer da, um mich daran zu erinnern.

Diese Erfahrungen mit euch zu teilen und euch beide an meiner Seite zu wissen, bedeutet mir alles. Ihr inspiriert mich jeden Tag, mehr, als ich es in Worte fassen kann. Euch stolz zu machen, gibt all den Erfahrungen auf meinem Weg einen Wert. Ich danke euch, dass ihr meine Helden seid. Ich liebe euch beide so sehr.

Wo wäre ich ohne meine jüngeren Geschwister, die mich immer wieder aufrichten und auf die Erde zurückholen? Clara, Tess, Jack und Páidí: Ihr seid die besten Brüder und Schwestern, die man sich wünschen könnte. Von mir geliebte Figuren sind angefüllt mit euren besten Eigenschaften, sie leuchten alle hell auf eure ganz eigene, fantastische Art. Ich bin der stolzeste große Bruder der Welt.

Ist es in Ordnung, wenn ich meinen Hunden hier danke? Nun, das werde ich tun. Bailey und Buddy: meine besten Jungs. Ihr habt mich geistig gesund gehalten und mir das Lächeln wieder aufs Gesicht gezaubert, als ich es nicht für möglich gehalten hätte. Wenn ich bis spät in der Nacht geschrieben habe, seid ihr beide da gewesen und habt mir zugesehen, bis ich den Laptop endlich zugeklappt und mich ins Bett geschleppt habe. Ich vermisse dich so sehr, Bailey, du wirst immer einen Ehrenplatz in meinem Herzen haben, und hier bekommst du ihn jetzt auch.

Mikey Abegund: Deine unendlich vielen lieben, unterstützenden und ermutigenden Worte werden niemals vergessen sein. Du bist einer der besten Freunde, die sich ein Mensch wünschen kann. Adeel Amini: Es war eine Wahnsinnsreise mit dir. Du bist die Yang für meine Grey. Danke, dass du in all diesen Jahren mein Mensch gewesen bist. Richard Dawson: Du bist etwas ganz Besonderes. Dich zu kennen, hat mich zu einem besseren Menschen gemacht. Ich kann mir den Alltag nicht vorstellen, ohne dass du mich zum Lächeln bringst.

Megan Carver: Ich weiß nicht, ob ich dich als meinen Schutzengel oder als meine gute Fee bezeichnen soll, aber ich danke dir dafür, dass du nicht nur an mich geglaubt hast, sondern dass du mich auch immer dazu gebracht hast, an mich selbst zu glauben.

Allen aus dem Team von HQ, die an diesem Buch mitgearbeitet haben, danke ich dafür, dass ich ein Teil von ihrem Leben werden und bei jedem Schritt in diesem Prozess so viel von ihnen lernen durfte. Für Lisa Milton und meine unglaubliche Lektorin Cicely Aspinall, die mich von unserem ersten E-Mail-Kontakt bis heute begleitet haben, scheint mir ein Danke nicht annähernd genug zu sein. Ihr habt meine Träume wahr werden lassen, und ich hätte mir keine besseren, schlaueren, begabteren Leute wünschen können, um sie mit ihnen zu teilen. Ich kann es gar nicht erwarten, das alles noch einmal mit euch zu machen!

Ich danke Meg Davis und der Ki Agency dafür, dass sie das Risiko mit mir eingegangen sind und mich in ihre Familie aufgenommen haben. Anne Perry: Du bist eine wahre Freundin fürs Leben. Ich wusste schon bei unserem ersten Zoom-Chat, dass du etwas Besonderes bist, und seitdem ist es mir an jedem Tag ein Vergnügen gewesen, dich zu kennen und von dir zu lernen.

Ich komme jetzt hier zum Ende, denn ich kann die Musik bereits hören, mit der sie versuchen, mich von der Bühne zu bekommen. Zum Schluss verdient noch die Twitter Writing Community einen Ehrenplatz. Man kann viel sagen über die sozialen Medien, aber es gibt nur wenige Gemeinschaften, die einem immer wieder vor Augen führen, wie großartig, nett und hilfsbereit Menschen sein können. Wenn möglich, sucht euch diese Leute, sie machen jeden Tag auf diesem surrealen Weg noch ein bisschen spezieller.